UM PASSEIO ALEATÓRIO POR WALL STREET

UM PASSEIO ALEATÓRIO POR WALL STREET

Um guia clássico e abrangente para investir com sucesso

BURTON G. MALKIEL

Título original: *A Random Walk down Wall Street*
Copyright © 2019, 2016, 2015, 2012, 2011, 2007, 2003, 1999, 1996, 1990, 1985, 1981, 1975, 1973 por W. W. Norton & Company, Inc.

Copyright da tradução © 2021 por GMT Editores Ltda.

Todos os esforços foram feitos para creditar devidamente todos os detentores dos direitos das imagens deste livro. Eventuais omissões de crédito e copyright não são intencionais e serão devidamente solucionadas nas próximas edições, bastando que seus proprietários entrem em contato com os editores.

Todos os direitos reservados. Nenhuma parte deste livro pode ser utilizada ou reproduzida sob quaisquer meios existentes sem autorização por escrito dos editores.

tradução: Ivo Korytowski

preparo de originais: Cristiane Pacanowski

revisão técnica: Heloiza Canassa

revisão: Luis Américo Costa e Pedro Staite

diagramação: DTPhoenix Editorial

imagem de capa: Nikolos | Dreamstime | AGB Photo Library

adaptação de capa: Duat Design

impressão e acabamento: Bartira Gráfica

CIP-BRASIL. CATALOGAÇÃO NA PUBLICAÇÃO
SINDICATO NACIONAL DOS EDITORES DE LIVROS, RJ

M218p
    Malkiel, Burton Gordon, 1932-
        Um passeio aleatório por Wall Street / Burton G. Malkiel; [tradução Ivo Korytowski]. – 1. ed. – Rio de Janeiro: Sextante, 2021.
        384 p.: il. ; 23 cm.

    Tradução de: A random walk down Wall Street
    ISBN 978-65-5564-234-6

        1. Investimentos. 2. Finanças pessoais. 3. Mercado de ações. 4. Investimentos – Aspectos psicológicos. 5. Investimentos – Manuais, guias, etc. I. Korytowski, Ivo. II. Título.

                                       CDD: 332.6
21-73525   CDU: 336.581

Camila Donis Hartmann – Bibliotecária – CRB-7/6472

Todos os direitos reservados, no Brasil, por
GMT Editores Ltda.
Rua Voluntários da Pátria, 45 – Gr. 1.404 – Botafogo
22270-000 – Rio de Janeiro – RJ
Tel.: (21) 2538-4100 – Fax: (21) 2286-9244
E-mail: atendimento@sextante.com.br
www.sextante.com.br

Para Nancy e Piper

SUMÁRIO

Prefácio   13

PARTE UM
AÇÕES E SEU VALOR

1. FUNDAMENTOS FIRMES E CASTELOS NO AR   18
O que é um passeio aleatório?   19
Investir como um meio de vida atualmente   21
Investimento em teoria   23
A teoria da base firme   23
A teoria do castelo no ar   25
Como o passeio aleatório deve ser conduzido   27

2. A LOUCURA DAS MULTIDÕES   29
A febre dos bulbos de tulipa   30
A Bolha dos Mares do Sul   32
Wall Street se deu mal   38
Um epílogo   45

3. BOLHAS ESPECULATIVAS DOS ANOS 1960 AOS ANOS 1990   46
A saúde mental das instituições   46
Os loucos anos 1960   47

As Nifty Fifty	57
Os loucos anos 1980	59
O que tudo isso significa?	62

4. AS BOLHAS EXPLOSIVAS DO INÍCIO DA DÉCADA DE 2000 67
- A bolha da internet — 67
- A bolha imobiliária dos Estados Unidos e o colapso do início da década de 2000 — 81
- Bolhas e atividade econômica — 87
- A bolha das criptomoedas — 89

Parte Dois
COMO OS PROFISSIONAIS JOGAM O MAIOR JOGO DA CIDADE

5. ANÁLISES TÉCNICA E FUNDAMENTALISTA 100
- Análise técnica *versus* fundamentalista — 101
- O que os gráficos podem informar? — 102
- O fundamento lógico da análise técnica — 106
- Por que a análise técnica pode não funcionar? — 107
- Do analista ao técnico — 108
- A técnica da análise fundamentalista — 108
- Três importantes advertências — 115
- Por que a análise fundamentalista pode não funcionar? — 118
- Usando as análises fundamentalista e técnica juntas — 119

6. ANÁLISE TÉCNICA E A TEORIA DO PASSEIO ALEATÓRIO 123
- Furos em seus sapatos e ambiguidade em suas previsões — 123
- Existe impulso no mercado de ações? — 125
- O que exatamente é um passeio aleatório? — 126
- Alguns sistemas técnicos mais elaborados — 130
- Um bando de outras teorias técnicas para ajudá-lo a perder dinheiro — 134
- Avaliação do contra-ataque — 140
- Implicações para investidores — 142

7. **QUÃO BOA É A ANÁLISE FUNDAMENTALISTA?
A HIPÓTESE DO MERCADO EFICIENTE**   144
    As visões de Wall Street e do meio acadêmico   145
    Os analistas de títulos mobiliários são fundamentalmente
       clarividentes?   145
    Por que a bola de cristal está turva?   147
    Analistas de títulos mobiliários escolhem vencedores?
       O desempenho dos fundos mútuos   157
    As formas semiforte e forte da hipótese do
       mercado eficiente (HME)   163

Parte Três
A NOVA TECNOLOGIA DE INVESTIMENTO

8. **UM NOVO "SAPATO PARA CAMINHAR":
A TEORIA MODERNA DO PORTFÓLIO**   168
    O papel do risco   169
    Definição de risco: A dispersão dos retornos   169
    Documentar o risco: Um estudo de longo prazo   173
    Reduzir o risco: teoria moderna do portfólio (TMP)   175
    Diversificação na prática   179

9. **SER RECOMPENSADO AUMENTANDO O RISCO**   187
    Beta e risco sistemático   188
    O modelo de precificação de ativos financeiros (CAPM)   191
    Vejamos o histórico   196
    Avaliação dos indícios   198
    A busca dos *quants* por melhores indicadores de risco:
       teoria de precificação por arbitragem   200
    O modelo de três fatores de Fama-French   202
    Uma síntese   203

10. **FINANÇAS COMPORTAMENTAIS**   205
    O comportamento irracional dos investidores individuais   208
    Finanças comportamentais e poupanças   222
    Os limites da arbitragem   224

Quais são as lições das finanças comportamentais
para os investidores? 227
As finanças comportamentais ensinam meios
de superar o mercado? 235

11. NOVOS MÉTODOS DE CONSTRUÇÃO DE PORTFÓLIO: "BETA INTELIGENTE" E PARIDADE DE RISCO 236
O que é "beta inteligente"? 237
Quatro sabores agradáveis: seus prós e contras 239
Fundos mesclados na prática 249
Implicações para investidores 252
Paridade de risco 254
Comentários finais 263

PARTE QUATRO
UM GUIA PRÁTICO PARA CAMINHANTES ALEATÓRIOS E OUTROS INVESTIDORES

12. UM MANUAL DE FITNESS PARA CAMINHANTES ALEATÓRIOS E OUTROS INVESTIDORES 266
Exercício 1: Reúna os suprimentos necessários 267
Exercício 2: Não seja pego de mãos abanando –
carregue-se de reservas monetárias e seguros 269
Exercício 3: Seja competitivo – Faça o rendimento de seu
dinheiro acompanhar a inflação 272
Exercício 4: Aprenda a driblar o cobrador de impostos 274
Exercício 5: Certifique-se de que o sapato está cabendo –
Entenda seus objetivos de investimento 278
Exercício 6: Comece seu passeio por sua própria casa –
O aluguel leva a músculos de investimento flácidos 286
Exercício 7: Como investigar um passeio pelo país
dos títulos de dívida 288
Exercício 7A: Substitua parte da carteira de títulos de
dívida agregada nas épocas de repressão financeira 294
Exercício 8: Ande na ponta dos pés pelos campos de ouro,
objetos colecionáveis e outros investimentos 295

Exercício 9: Lembre-se de que os custos dos investimentos
  não são aleatórios – alguns são mais baixos do que outros   297
Exercício 10: Evite sumidouros e obstáculos –
  Diversifique seus passos de investimento   298
Um check-up final   299

13. LEVAR VANTAGEM NA CORRIDA FINANCEIRA: UM COMPÊNDIO PARA COMPREENSÃO E PROJEÇÃO DE RETORNOS DE AÇÕES E TÍTULOS DE DÍVIDA   300

O que determina os retornos de ações e títulos de dívida?   300
Quatro eras históricas dos retornos do mercado financeiro   305
Os mercados de 2009 a 2018   315
Levar vantagem nos retornos futuros   316

14. UM GUIA DE INVESTIMENTO DE CICLO DE VIDA   320

Cinco princípios de alocação de ativos   321
Três diretrizes para adaptar um plano de investimento
  de ciclo de vida   334
O guia de investimento de ciclo de vida   337
Fundos de ciclo de vida   340
Gestão de investimentos após a aposentadoria   341
Investir num fundo de reserva para a aposentadoria   343
O método "Faça você mesmo"   346

15. TRÊS PASSOS GIGANTES POR WALL STREET   349

O Passo Óbvio: Investir em fundos indexados   351
O Passo "Faça você mesmo": Regras potencialmente
  úteis de escolha de ações   362
O Passo do Protagonista Substituto: Contratar um
  caminhante profissional de Wall Street   366
Consultores de investimentos padrão e automatizados   367
Algumas reflexões finais sobre nosso passeio   372
Um exemplo final   374

EPÍLOGO   376

Agradecimentos   381

PREFÁCIO

FAZ MAIS DE 45 ANOS QUE FOI PUBLICADA a primeira edição de *Um passeio aleatório por Wall Street*. A mensagem da edição original foi simples: os investidores se sairiam bem melhor comprando e mantendo um fundo indexado do que tentando comprar e vender títulos mobiliários individuais ou fundos mútuos ativamente geridos. Tive a ousadia de afirmar que comprar e manter todas as ações de um índice do mercado de ações amplo tenderia a superar fundos profissionalmente administrados cujas altas taxas de despesas e custos de negociação reduzem de forma considerável os retornos do investimento.

Agora acredito ainda mais fortemente na tese original e posso provar isso demonstrando um ganho de mais de seis dígitos. Posso apresentar o argumento com grande simplicidade. Um investidor com 10 mil dólares no início de 1969 que investiu num fundo indexado ao S&P 500 (o índice das 500 ações da Standard & Poor's) teria um portfólio no valor de 1.092.489 dólares em abril de 2018, supondo que todos os dividendos tenham sido reinvestidos. Um segundo investidor que, em vez disso, comprou ações do fundo ativamente gerido médio teria visto seu investimento crescer para 817.741 dólares. A diferença é substancial. Em 1º de abril de 2018, o investidor do fundo indexado estava com 274.748 dólares a mais, um valor mais de 25% superior à participação final do investidor médio em um fundo administrado.

Por que, então, mais uma edição deste livro? Se a mensagem básica é a mesma, o que teria mudado? A resposta é que houve mudanças enormes nos instrumentos financeiros disponíveis ao público. Um livro que pretenda fornecer um guia de investimentos abrangente para investidores individuais precisa estar atualizado para cobrir toda a gama de produtos disponíveis. Além disso, os investidores podem se beneficiar de uma análise crítica da profusão de novas informações compartilhadas por pesquisadores acadêmicos e profissionais do mercado – tornadas compreensíveis a quem se interessa por se aprofundar em investimentos. Têm surgido tantas afirmações desconcertantes sobre o mercado de ações que é importante dispor de um livro que esclareça os fatos.

Nos últimos 45 anos nós nos acostumamos a aceitar o ritmo veloz da mudança tecnológica. Inovações como smartphones, assistentes digitais pessoais, dispositivos de casas inteligentes, iPads, Kindles, videoconferência, redes sociais e novos avanços médicos afetaram materialmente a maneira como vivemos. Inovações financeiras no mesmo período se sucederam de modo igualmente acelerado. Antigamente não dispúnhamos de uma série de investimentos nem de técnicas como "seguro de portfólio" e "negociação de alta frequência". Com este livro, você saberá como se beneficiar de inúmeros tipos de produto.

Ele também oferece uma descrição clara e facilmente acessível dos avanços acadêmicos na teoria e na prática dos investimentos. O Capítulo 10 descreve o empolgante campo das finanças comportamentais e elucida as lições importantes que os investidores deveriam aprender com os insights dos comportamentalistas. O Capítulo 11 indaga se os investimentos "beta inteligentes" são realmente inteligentes e se as estratégias de paridade de risco são arriscadas demais. Há também uma seção que apresenta estratégias de investimento práticas para investidores que se aposentaram. Há tanto material novo que quem leu uma edição anterior deste livro achará a atual uma leitura recompensadora.

Esta obra dá uma boa olhada na tese básica de que o mercado precifica as ações com tamanha eficiência que um chimpanzé de olhos vendados lançando dardos numa lista de ações consegue selecionar um portfólio com um desempenho tão bom quanto o daqueles administrados por especialistas. Nos últimos 45 anos essa teoria tem se sustentado de forma notável. Mais de dois terços dos gestores de portfólios profissionais foram superados por fundos indexados de base ampla não administrados. Mesmo assim, ainda existem acadêmicos e profissionais que duvidam da validade da tese. Além disso, o colapso do mercado de ações de outubro de 1987, a bolha da internet e a crise financeira de 2008-2009 levantaram mais questionamentos sobre a eficiência de que tanto se gabava o mercado. Este livro explica a controvérsia recente e examina a alegação de que é possível "superar o mercado". Minha conclusão é que relatos sobre a morte da hipótese da eficiência do mercado são amplamente exagerados. Porém examinarei evidências dessa morte em uma série de técnicas de seleção de ações que supostamente favoreceriam o investidor individual.

O livro permanece fundamentalmente um guia de investimentos legível para investidores individuais. À medida que aconselhava indivíduos e famílias sobre estratégias financeiras, tornou-se cada vez mais claro para mim que a capacidade de suportar riscos depende principalmente da idade do investidor e da capacidade de gerar renda de fontes fora dos investimentos. Também ocorre que o risco envolvido decresce de acordo com o tempo em que o investimento pode ser mantido. Por esses motivos, as estratégias ideais precisam levar em conta a duração. O Capítulo 14, intitulado "Um guia de investimento de ciclo de vida", deve se mostrar bem útil a leitores de todas as idades. Esse capítulo sozinho vale uma sessão cara com um consultor financeiro pessoal.

BURTON G. MALKIEL
Universidade de Princeton
Junho de 2018

Parte Um

AÇÕES E SEU VALOR

1

FUNDAMENTOS FIRMES E CASTELOS NO AR

O que é um cínico? Um homem que sabe o preço de tudo, mas não sabe o valor de nada.

– Oscar Wilde, *O leque de lady Windermere*

NESTE LIVRO VOU CONDUZIR você por um passeio aleatório por Wall Street, proporcionando uma jornada guiada pelo mundo complexo das finanças e conselhos práticos sobre oportunidades e estratégias de investimento. Muitas pessoas dizem que hoje o investidor individual mal tem chance diante dos especialistas. Elas apontam para estratégias de investimento profissionais usando instrumentos derivados complexos e negociação de alta frequência. Leem relatos da imprensa sobre fraudes contábeis, gigantescas incorporações e as atividades de fundos hedge bem financiados. Essa complexidade sugere que não há mais espaço para o investidor individual nos mercados atuais. Nada poderia estar mais longe da verdade. Você pode se sair tão bem quanto os especialistas – talvez até melhor. Foram os investidores constantes que preservaram a própria cabeça quando o mercado de ações despencou em março de 2009 e depois viram o valor de seus investimentos enfim se recuperar e continuar a produzir retornos atrativos. E muitos dos profissionais perderam tudo em 2008 comprando derivativos que não compreendiam direito, bem como no início da década de 2000, quando sobrecarregaram suas carteiras com ações de tecnologia supervalorizadas.

Este livro é um guia sucinto para o investidor individual. Abrange tudo, desde seguros ao imposto de renda. Mostra como evitar ser depenado por bancos e gestoras. Conta até o que fazer em relação ao ouro e a diamantes.

Mas basicamente é um livro sobre ações ordinárias – um meio de investimento que não apenas forneceu resultados generosos de longo prazo no passado, mas também parece representar boas possibilidades para os próximos anos. O guia de investimento de ciclo de vida descrito na Parte Quatro dá a indivíduos de todas as faixas etárias recomendações de portfólio específicas para atingirem suas metas financeiras, incluindo conselhos de como investir na aposentadoria.

O QUE É UM PASSEIO ALEATÓRIO?

Um passeio aleatório é aquele em que os passos ou rumos futuros não podem ser previstos com base no histórico do passado. Quando o termo é aplicado ao mercado de ações, significa que mudanças de curto prazo nos preços das ações são imprevisíveis. Serviços de consultoria em investimentos, projeções de lucros e padrões de gráficos são inúteis. No mercado acionário, o termo "passeio aleatório" é uma obscenidade. Trata-se de uma expressão cunhada pelo mundo acadêmico e lançada como um insulto aos adivinhos profissionais. Levada ao seu extremo lógico, corresponde à imagem do chimpanzé que citei no prefácio.

Ora, analistas financeiros em ternos risca de giz não gostam de ser comparados com macacos. Eles retrucam que os acadêmicos estão tão imersos em equações e símbolos (sem falar no palavreado empolado) que seriam incapazes de distinguir um mercado em alta de um em baixa. Os especialistas se armam contra o ataque dos acadêmicos usando ou a análise fundamentalista ou a análise técnica – ambas serão examinadas na Parte Dois. Os acadêmicos se esquivam dessas táticas dividindo a teoria do passeio aleatório em três versões (a "fraca", a "semiforte" e a "forte") e criando uma teoria própria, chamada de nova tecnologia de investimento. Esta última abrange um conceito chamado beta, incluindo "beta inteligente", e pretendo me deter nisso um pouco. No início da década de 2000, até acadêmicos haviam aderido aos profissionais no argumento de que o mercado de ações era afinal ao menos um pouco previsível. Mesmo assim, uma tremenda batalha vem ocorrendo, travada com ímpeto mortal, por estarem em jogo o emprego dos acadêmicos e os bônus dos profissionais. Por isso acho que você vai gostar deste passeio aleatório pelo mercado financeiro: ele possui todos os ingredientes do drama, incluindo fortunas ganhas e perdidas e argumentos clássicos sobre as causas do sucesso e do fracasso.

Contudo, antes de começarmos, talvez eu deva me apresentar e mostrar minhas credenciais como guia. Recorri a três aspectos de meu histórico ao redigir este livro. Cada um fornece uma perspectiva diferente do mercado de ações.

Primeiro vem minha experiência profissional nas áreas da análise de investimentos e da gestão de portfólios. Iniciei minha carreira como profissional do mercado em uma das maiores empresas de investimentos de Wall Street. Mais tarde chefiei o comitê de investimentos de uma seguradora multinacional e, por muitos anos, atuei como diretor de uma das maiores empresas de investimentos do mundo. Essas perspectivas foram indispensáveis para mim. Algumas questões na vida nunca podem ser plenamente apreciadas ou compreendidas por um iniciante. O mesmo se poderia dizer do mercado de ações.

Em segundo lugar está meu trabalho como economista e chefe de diversos comitês de investimentos. Especializando-me em mercados de títulos mobiliários e comportamento de investimento, adquiri conhecimentos detalhados das pesquisas acadêmicas e das novas descobertas sobre oportunidades de investimento.

Por fim, e certamente não menos importante, sou um investidor bem-sucedido que tem atuado praticamente a vida inteira. Não falarei sobre o tamanho do meu sucesso devido a uma peculiaridade do mundo acadêmico. Um professor pode ganhar uma herança, casar-se com alguém rico e gastar uma fortuna, mas jamais deve ganhar um monte de dinheiro. Não combina com o espírito acadêmico. De qualquer modo, os professores devem ser "dedicados", ou ao menos é o que políticos e administradores costumam dizer – em especial ao tentarem justificar os baixos salários oferecidos. Os acadêmicos devem buscar o conhecimento, não a recompensa financeira. Portanto, contarei minhas vitórias em Wall Street tendo como objetivo transmitir conhecimento.

Este livro possui muitos fatos e cifras. Mas não se preocupe. Ele visa ao público que quer aprofundar seu conhecimento de finanças. Você não precisa de consultoria profissional. Tudo de que precisa é o interesse e o desejo de fazer seus investimentos trabalharem para você.

INVESTIR COMO UM MEIO DE VIDA ATUALMENTE

Neste ponto talvez seja uma boa ideia explicar o que entendo por "investimento" e como o diferencio de "especulação". Vejo o investimento como um método de adquirir ativos para obter lucro na forma de renda razoavelmente previsível (dividendos, juros ou aluguéis) e/ou valorização a longo prazo. O que costuma distingui-lo da especulação é o período até o retorno do investimento e a previsibilidade dos retornos. Um especulador compra ações esperando um ganho de curto prazo nos dias ou semanas seguintes. Um investidor compra ações provavelmente para produzir um fluxo futuro confiável de retornos de caixa e ganhos de capital ao longo de anos ou décadas.

Quero deixar bem claro que este livro não é para especuladores: não vou lhe prometer enriquecimento da noite para o dia nem milagres no mercado de ações. Na verdade, o subtítulo dele poderia perfeitamente ser *O livro do enriquecimento lento mas seguro*. Lembre que, só para manter o equilíbrio, seus investimentos precisam gerar uma taxa de retorno igual à inflação.

A inflação nos Estados Unidos e em quase todo o mundo desenvolvido caiu para 2% ou menos no início da década de 2000 e alguns analistas acreditavam que a estabilidade de preços relativa continuaria indefinidamente. Eles sustentavam que a inflação é a exceção, não a regra, e que períodos históricos de rápido progresso tecnológico e economias em tempos de paz foram períodos de preços estáveis ou mesmo em queda. Pode até ser que pouca ou nenhuma inflação venha a ocorrer em alguns momentos, mas acredito que os investidores não deveriam descartar a possibilidade de que a inflação se acelere em algum momento no futuro. Embora tenha se acelerado na década de 1990 e no início da década de 2000, o crescimento da produtividade diminuiu recentemente e a história nos ensina que o ritmo da melhoria sempre foi desigual. Além disso, é mais difícil ocorrer um incremento de produtividade em algumas atividades orientadas para os serviços. Continuarão sendo necessários quatro músicos para tocar um quarteto de cordas e um cirurgião para realizar uma apendicectomia e, se os salários dos músicos e cirurgiões aumentarem com o tempo, o mesmo se dará com os ingressos dos concertos e o custo dessas cirurgias. Desse modo, a pressão ascendente sobre os preços não pode ser descartada.

Se a inflação se mantivesse em um nível relativamente baixo em relação à média histórica, o efeito sobre nosso poder de compra ainda assim seria devastador. A tabela a seguir mostra o que uma taxa de inflação média de cerca de 4% fez no período de 1962 a 2018 nos Estados Unidos. Meu jornal matutino aumentou 5.900%. Minha barra de chocolate favorita está trinta vezes mais cara, e é na verdade menor do que em 1962, quando eu estava na pós-graduação. Se a inflação continuasse no mesmo ritmo, meu jornal custaria mais de 5 dólares em 2025. Está claro que, se quisermos enfrentar ainda que uma inflação leve, precisamos adotar estratégias de investimento que mantenham nosso poder de compra real. Senão, estaremos fadados a um padrão de vida decrescente.

Não se iluda: investir requer trabalho. Os romances estão repletos de histórias de fortunas de grandes famílias perdidas pela negligência ou a falta de conhecimento de como cuidar do dinheiro. Quem consegue esquecer os sons do jardim das cerejeiras sendo derrubado na grande peça de Tchekhov? O livre empreendimento, não o sistema marxista, causou a queda da família Ranevsky: eles não trabalharam para conservar seu dinheiro. Ainda que você

A MORDIDA DA INFLAÇÃO

	Média em 1962	Média em 2018	Aumento percentual	Taxa anual composta de inflação
Índice de Preços ao Consumidor	30,2	251	731,1	3,9%
Barra de chocolate Hershey's	$0,05	$1,59	3.080,0	6,4%
The New York Times	$0,05	$3,00	5.900,0	7,6%
Postagem de primeira classe (correio)	$0,04	$0,50	1.150,0	4,6%
Gasolina (galão)	$0,31	$2,90	835,5	4,1%
Hambúrguer duplo (McDonald's)	$0,28*	$4,79	1.610,7	5,2%
Chevrolet	$2.529,00	$26.000,00	928,1	4,2%
Geladeira com freezer	$470,00	$1.397,00	197,2	2,0%

* Dado de 1963.

Fonte: Para preços de 1962, *Forbes*, 1º de novembro de 1977. Para preços de 2018, várias fontes governamentais e privadas dos Estados Unidos.

confie todos os seus recursos a um consultor ou fundo mútuo, ainda assim precisa saber qual consultor ou fundo é mais adequado para geri-los. Munido das informações contidas neste livro, você deve achar um pouco mais fácil tomar suas decisões de investimento.

O mais importante de tudo, porém, é o fato de que investir é divertido. É divertido opor seu intelecto ao da vasta comunidade de investimentos e ver-se recompensado com um aumento dos seus ativos. É empolgante examinar seus retornos e ver como estão se acumulando a um ritmo superior ao do seu salário. E também é estimulante descobrir novos produtos e serviços, e inovações na forma dos investimentos. Um investidor bem-sucedido é geralmente um indivíduo maduro que tem uma curiosidade natural e um interesse intelectual.

INVESTIMENTO EM TEORIA

Todos os retornos de investimentos – sejam de ações ordinárias ou diamantes excepcionais – dependem, em graus variáveis, de acontecimentos futuros. Eis o que torna os investimentos fascinantes: trata-se de um jogo cujo sucesso depende da capacidade de prever o futuro. Tradicionalmente, os profissionais da comunidade de investimentos têm usado uma ou duas abordagens para avaliar ativos: a teoria da base firme ou a teoria do castelo no ar. Milhões de dólares foram ganhos ou perdidos com base nelas. Para aumentar o drama, elas parecem mutuamente exclusivas. Ter compreensão dessas duas abordagens é essencial se você quiser tomar decisões de investimento sensatas. Também é um pré-requisito para protegê-lo de erros graves. No fim do século XX, uma terceira teoria, surgida no meio acadêmico e intitulada nova tecnologia de investimento, tornou-se popular no mercado financeiro. Mais adiante eu a descreverei, assim como sua aplicação à análise de investimentos.

A TEORIA DA BASE FIRME

A teoria da base firme argumenta que cada instrumento de investimento, seja uma ação ordinária ou um imóvel, possui uma âncora firme de algo chamado valor intrínseco, que pode ser determinado pela análise cuidadosa das condições presentes e das perspectivas futuras. Quando os preços do mercado caem abaixo (ou sobem acima) dessa base firme de valor intrínseco, uma oportunidade de compra (ou venda) surge, porque essa flutuação acabará sendo corrigida – pelo menos é o que diz a teoria. Investir então se torna uma questão banal, mas objetiva, de comparar o preço atual de algo com seu fundamento firme de valor.

Em *The Theory of Investment Value*, John Burr Williams apresentou uma fórmula para se calcular o valor intrínseco de uma ação. Ele baseou sua abordagem na receita dos dividendos. Numa tentativa maliciosa de evitar a simplicidade, introduziu o conceito de "desconto". O desconto basicamente envolve olhar a receita de forma invertida. Em vez de ver quanto dinheiro a pessoa terá no próximo ano (digamos, 1,05 dólar se aplicar 1 dólar na poupança a 5% de juros), ela olha para o dinheiro esperado no futuro e calcula quanto ele vale a menos atualmente (assim, 1 dólar no ano que vem vale hoje apenas 95 cents, que poderiam ser investidos a 5% para produzir aproximadamente 1 dólar àquela altura).

Williams falava a sério. Passou a argumentar que o valor intrínseco de uma ação equivalia ao valor presente (ou descontado) de todos os seus dividendos futuros. Os investidores foram aconselhados a "descontar" o valor do dinheiro recebido mais tarde. Como tão poucas pessoas o entenderam, o termo pegou e "descontar" se popularizou no meio dos investimentos, recebendo um impulso adicional do professor Irving Fisher, de Yale, um eminente economista e investidor.

A lógica da teoria da base firme é bem respeitável e pode ser ilustrada com ações ordinárias. Ela enfatiza que o valor de uma ação deveria se basear no fluxo de rendimentos que uma empresa será capaz de distribuir no futuro em forma de dividendos ou recompras de ações. É claro que quanto maiores os dividendos atuais e sua taxa de crescimento, maior o valor da ação. Assim, diferenças em taxas de crescimento são um importante fator na avaliação de ações. Agora o pequeno fator esquivo das expectativas futuras se insinua. Os analistas de valores mobiliários precisam estimar não apenas as taxas de crescimento a longo prazo, mas também por quanto tempo conseguem se manter. Quando o mercado se empolga demais com a continuidade do crescimento no futuro, é popularmente sustentado que as ações estão descontando não apenas o futuro, mas talvez até o além. O fato é que a teoria da base firme depende de algumas previsões ardilosas da extensão e da duração do crescimento. A base do valor intrínseco pode assim ser menos confiável do que se alega.

A teoria não se restringe apenas aos economistas. Graças a um livro bem influente, *Security Analysis*, de Benjamin Graham e David Dodd, toda uma geração de analistas de valores mobiliários de Wall Street converteu-se ao grupo. A administração sensata de investimentos, aprenderam os analistas profissionais, simplesmente consistia em comprar títulos mobiliários cujos preços estivessem temporariamente abaixo do valor intrínseco e vender aqueles cujos preços estivessem temporariamente altos demais. Fácil assim. Talvez o discípulo mais bem-sucedido da abordagem de Graham e Dodd seja Warren Buffett, com frequência chamado de "o oráculo de Omaha". Ele colecionou um histórico de investimentos lendário, supostamente seguindo a abordagem da teoria da base firme.

A TEORIA DO CASTELO NO AR

A teoria do castelo no ar concentra-se em valores psíquicos. John Maynard Keynes, um famoso economista e bem-sucedido investidor, enunciou-a de modo bem lúcido em 1936. Segundo ele, os investidores profissionais preferem dedicar suas energias não a estimar valores intrínsecos, mas a analisar como a multidão de investidores provavelmente se comportará no futuro e como, durante períodos de otimismo, tende a transformar suas esperanças em castelos no ar. O investidor de sucesso tenta se antecipar estimando quais situações de investimento são mais suscetíveis à construção de castelos pelo público e depois comprando antes da multidão.

De acordo com Keynes, a teoria da base firme envolve trabalho demais e é de valor duvidoso. Ele praticou o que pregou. Enquanto os financistas londrinos labutavam longas horas em escritórios apinhados, Keynes apostava na Bolsa durante meia hora cada manhã, de sua cama mesmo. Esse método descansado de investir lhe valeu vários milhões de libras em sua conta e um aumento de dez vezes o valor de mercado da dotação de sua faculdade, King's College, em Cambridge.

Nos anos da Depressão, quando Keynes ganhou fama, a maioria das pessoas se concentrou em suas ideias para estimular a economia. Era difícil construir castelos no ar ou sonhar que os outros construiriam, mas, ainda assim, em seu livro *Teoria geral do emprego, do juro e da moeda*, Keynes dedicou um capítulo inteiro ao mercado de ações e à importância das expectativas dos investidores.

No que se refere às ações, ele observou que ninguém sabe ao certo o que influenciará as perspectivas de rendimento futuro e os pagamentos de dividendos. Como resultado, a maioria das pessoas está "em grande parte preocupada não em fazer previsões de longo prazo superiores para um investimento por toda a sua duração, mas em prever mudanças na base convencional de avaliação um pouco antes do público em geral". Em outras palavras, Keynes aplicou princípios psicológicos em vez da avaliação financeira para estudar o mercado de ações. Ele escreveu: "Não é sensato pagar 25 por um investimento no qual você acredita que o rendimento potencial justifica um valor de 30 se você também acredita que o mercado o avaliará em 20 daqui a três meses."

Keynes descreveu o jogo do mercado de ações em termos prontamente compreensíveis por seus colegas ingleses. Comparou-o a entrar num concurso de beleza de um jornal em que é preciso selecionar os seis rostos mais bonitos dentre cem fotografias, sendo que o prêmio vai para as pessoas cujas escolhas mais se aproximam das do grupo como um todo.

O concorrente esperto reconhece que critérios pessoais de beleza são irrelevantes para se determinar o vencedor do concurso. Uma estratégia melhor é selecionar aqueles rostos de que os outros concorrentes devem gostar. Essa lógica tende a crescer feito bola de neve. Afinal, os outros participantes tendem a pensar com ao menos a mesma perspectiva. Assim, a estratégia ideal não é escolher os rostos que os concorrentes consideram mais bonitos ou aqueles de que os outros tendem a gostar, e sim prever qual será a opinião média sobre qual será a opinião média ou avançar ainda mais nessa sequência.

A analogia do concurso do jornal representa o extremo da teoria do castelo no ar da determinação de preços. Um investimento vale certo preço para um comprador porque este espera vendê-lo a outra pessoa a um preço mais alto. O investimento, em outras palavras, sustenta-se por si próprio. O novo comprador, por sua vez, prevê que compradores futuros atribuirão um valor ainda maior.

Nesse tipo de mundo, um otário nasce a cada minuto – e ele existe para comprar seus investimentos a um preço mais alto do que você pagou por eles. Qualquer preço serve desde que outros estejam dispostos a pagar mais.

Não existe razão, apenas psicologia das massas. Tudo que o investidor esperto precisa fazer é se antecipar – entrar bem no começo. Essa teoria poderia ter o nome menos caridoso de teoria do "otário maior". Tudo bem pagar três vezes o valor de algo se depois você consegue achar algum ingênuo que pague cinco vezes seu valor.

A teoria do castelo no ar tem vários defensores nas comunidades financeira e acadêmica. Em seu livro *Exuberância irracional*, Robert Shiller, ganhador do Prêmio Nobel, argumenta que a obsessão pelas ações da internet e de alta tecnologia durante o fim da década de 1990 só se explica em termos de psicologia das massas. Nas universidades, as chamadas teorias comportamentais do mercado de ações, enfatizando a psicologia das multidões, foram favorecidas no início da década de 2000. O psicólogo Daniel Kahneman ganhou o Prêmio Nobel de Economia em 2002 por suas contribuições seminais para o campo das "finanças comportamentais". Antes, Oskar Morgenstern foi um grande defensor dessa ideia, argumentando que a busca de valor intrínseco nas ações é uma busca por algo ilusório. Ele acreditava que todo investidor deveria afixar a seguinte máxima latina sobre sua escrivaninha:

Res tantum valet quantum vendi potest.
(Uma coisa vale apenas o que outra pessoa pagará por ela.)

COMO O PASSEIO ALEATÓRIO DEVE SER CONDUZIDO

Vencida a introdução, siga-me por um passeio aleatório pelas florestas dos investimentos, com uma caminhada final por Wall Street. Minha primeira tarefa será familiarizá-lo com os padrões históricos de precificação e como se relacionam com as duas teorias de preços de investimentos. Foi o filósofo George Santayana quem alertou que, se não aprendêssemos as lições do passado, estaríamos condenados a repetir os mesmos erros. Portanto, descreverei algumas febres espetaculares – tanto no passado remoto quanto no recente, incluindo as criptomoedas. Alguns leitores podem fazer pouco caso da louca corrida pública para comprar bulbos de tulipas nos Países Baixos do século XVII e da Bolha dos Mares do Sul na Inglaterra. Mas ninguém pode ignorar a loucura das Nifty Fifty da década de 1970, o incrível *boom* no preço de terrenos e ações japoneses e o igualmente espetacular colapso no início da década de 1990, a "febre da internet" de 1999 e começo de 2000, e a bolha imobiliária americana de 2008. Esses episódios fornecem alertas contínuos de que nem os indivíduos nem os profissionais de investimentos estão imunes aos erros do passado.

Atualmente há um grande interesse pelas criptomoedas. Com todas as flutuações desde sua criação, ainda não sabemos como será o desempenho desses investimentos e se há risco de bolha. Examinaremos também o assunto.

2

A LOUCURA DAS MULTIDÕES

> *Outubro. Este é um dos meses peculiarmente perigosos para se especular com ações. Os outros são julho, janeiro, setembro, abril, novembro, maio, março, junho, dezembro, agosto e fevereiro.*
>
> – MARK TWAIN, *Pudd'nhead Wilson*

A GANÂNCIA DESENFREADA TEM SIDO um aspecto essencial de todo *boom* espetacular da história. Em seu frenesi, os participantes do mercado ignoram as bases firmes do valor, trocando-as pelo pressuposto duvidoso, mas empolgante, de que podem ganhar uma bolada construindo castelos no ar. Tal pensamento tem envolvido nações inteiras.

A psicologia da especulação é um verdadeiro teatro do absurdo. Diversas de suas peças são apresentadas neste capítulo. Os castelos que foram construídos durante as representações basearam-se nos bulbos de tulipas holandesas, em "bolhas" inglesas e nas boas e velhas ações *blue chip* americanas. Em cada caso, algumas pessoas ganharam dinheiro por certo tempo, mas apenas umas poucas emergiram incólumes.

A história ensina uma lição: embora a teoria do castelo no ar possa explicar bem tais farras especulativas, prever as reações de uma multidão volúvel é um jogo bem perigoso. "Nas multidões, é a estupidez, e não o senso lógico, que se acumula", observou Gustave Le Bon em sua obra clássica de 1895 sobre a psicologia das multidões. Parece que muitas pessoas não leram o livro. Mercados estratosféricos que dependem do puro apoio psíquico têm invariavelmente sucumbido à lei da gravidade financeira. Preços insustentáveis podem persistir por anos, mas acabarão se revertendo. Tais reversões chegam com a imprevisibilidade de um terremoto e quanto maior a farra, maior a ressaca resultante. Poucos dos imprudentes construtores de castelos no ar foram ágeis o suficiente para prever essas reversões e escapar quando tudo desmoronou.

A FEBRE DOS BULBOS DE TULIPA

Essa febre foi uma das ondas de enriquecimento rápido mais espetaculares da história. Seus excessos tornam-se ainda mais gritantes quando se percebe que ocorreram nos velhos e sisudos Países Baixos no início do século XVII. Os eventos que culminaram nesse frenesi especulativo tiveram início em 1593, quando um professor de botânica de Viena recém-nomeado trouxe para a cidade de Leyden uma coleção de plantas incomuns originárias da Turquia. Os holandeses ficaram fascinados com esse novo acréscimo aos seus jardins, mas não com o preço pedido pelo professor (ele esperava vender os bulbos com boa margem de lucro). Uma noite, um ladrão invadiu a casa do professor e roubou os bulbos, que foram então vendidos a um preço mais baixo, só que com maior lucro.

Na década subsequente, a tulipa se tornou um item popular mas caro nos jardins holandeses. Muitas daquelas flores sucumbiram a um vírus não fatal conhecido como mosaico, que ajudou a desencadear a especulação desenfreada com bulbos de tulipa. O vírus fez as pétalas desenvolverem listras de cores contrastantes, ou "chamas". Os holandeses valorizaram muito aqueles bulbos infectados, chamados de bizarros. Em pouco tempo o gosto popular determinava que quanto mais bizarro um bulbo, maior o preço para possuí-lo.

Lentamente a tulipomania entrou em ação. De início, os comerciantes de bulbos simplesmente tentavam prever o estilo multicor mais popular no ano vindouro, à semelhança dos fabricantes quando sondam o gosto do público em termos de tecidos, cores e bainhas. Depois compravam um suprimento extragrande esperando um aumento do preço. Os preços das tulipas começaram a subir vertiginosamente. Quanto mais caros os bulbos se tornavam, mais pessoas os viam como investimentos inteligentes. Charles Mackay, que relatou esses eventos em seu livro *A história das ilusões e loucuras das massas*, observou que as atividades normais do país foram abandonadas devido à especulação com bulbos de tulipas: "Nobres, cidadãos, fazendeiros, mecânicos, marinheiros, criados, até limpadores de chaminés e vendedores de roupas usadas lidaram com tulipas." Todo mundo imaginava que a paixão por tulipas duraria para sempre.

As pessoas que diziam que os preços não poderiam continuar subindo observavam com desgosto seus amigos e parentes auferirem lucros enormes. Difícil resistir à tentação de aderir. Nos últimos anos da febre das tulipas, aproximadamente de 1634 até o início de 1637, as pessoas começaram a vender seus bens pessoais, como terras, joias e mobília, para obter os bulbos que as deixariam ainda mais ricas. Os preços dos bulbos atingiram níveis estratosféricos.

Parte da genialidade dos mercados financeiros é que, quando existe uma demanda real por um método para realçar as oportunidades especulativas, o mercado com certeza o suprirá. Os instrumentos que permitiram aos especuladores com tulipas obter o máximo por seu dinheiro foram "opções de compras" semelhantes àquelas populares hoje em dia no mercado de ações.

Uma opção de compra conferia ao seu possuidor o direito de comprar bulbos de tulipas (exercer seu direito) a um preço fixo (geralmente próximo do preço de mercado do momento) ao longo de um período específico. Era preciso pagar uma quantia chamada ágio da opção, que poderia ser de 15% a 20% do preço de mercado vigente. Uma opção sobre uma tulipa valendo 100 florins, por exemplo, custaria ao comprador apenas 20 florins. Se o preço ultrapassasse os 200 florins, o detentor da opção exerceria seu direito, comprando por 100 e simultaneamente vendendo ao preço então vigente de 200. Ele então teria um lucro de 80 florins (a valorização de 100 florins menos os 20 florins pagos pela opção). Desse modo, ele obtinha um aumento de quatro vezes o seu dinheiro, enquanto uma compra direta o teria apenas duplicado. As opções fornecem um meio de alavancar o investimento para aumentar as recompensas potenciais, bem como os riscos. Esses dispositivos ajudaram a assegurar uma ampla participação no mercado. O mesmo acontece hoje.

A história do período está repleta de episódios tragicômicos. Um desses incidentes envolveu um marinheiro que voltava trazendo notícias para um comerciante abastado sobre a chegada de um suprimento de novos produtos. O homem rico recompensou-o com um café da manhã de arenque vermelho fino. Vendo o que achava ser uma cebola no balcão do comerciante, aparentemente fora do lugar em meio às sedas e aos veludos, pegou-a para acompanhar seu arenque. Não imaginou que a "cebola" teria alimentado a tripulação inteira de um navio por um ano. Tratava-se de um caro bulbo de tulipa *Semper Augustus*. O marinheiro pagou caro pelo aperitivo – seu anfitrião, não mais grato, fez com que fosse preso por vários meses sob a acusação de crime doloso.

Os historiadores regularmente reinterpretam o passado. Alguns historiadores financeiros que reexaminaram os dados de várias bolhas financeiras argumentaram que os preços podem ter apresentado uma considerável racionalidade. Um desses profissionais revisionistas, Peter Garber, sustentou que os preços dos bulbos de tulipas nos Países Baixos do século XVII foram bem mais racionais do que se costuma acreditar.

Garber tem alguns bons argumentos, e não pretendo insinuar que não havia nenhuma racionalidade na estrutura desses preços. A *Semper Augustus*, por exemplo, era particularmente rara e bonita e, como revela o historiador, já estava bem valorizada antes da tulipomania. Além disso, sua pesquisa indica que bulbos individuais raros obtiveram preços altos mesmo depois do colapso geral dos preços, embora em níveis que eram apenas uma fração dos seus preços de pico. Mas Garber não consegue achar nenhuma explicação racional para fenômenos como um aumento de vinte vezes nos preços das tulipas durante janeiro de 1637, seguido de um declínio ainda maior em fevereiro. Aparentemente, como ocorre em todas as febres especulativas, os preços acabaram tão altos que algumas pessoas concluíram que seria prudente vender seus bulbos. Logo outras as imitaram. Como uma bola de neve ladeira abaixo, a deflação cresceu a um ritmo cada vez mais acelerado e em pouco tempo o pânico tomou conta.

Ministros do governo declararam oficialmente que não havia motivo para os bulbos caírem de preço, mas ninguém deu ouvidos. Os comerciantes faliram e se recusaram a honrar seus compromissos de comprá-los. Um plano do governo de liquidar todos os contratos a 10% de seu valor nominal foi frustrado quando os bulbos caíram mesmo abaixo daquele nível. E os preços continuaram declinando. Despencaram até que a maioria das tulipas praticamente perdeu o valor, sendo vendidas por nada mais que o preço de uma cebola comum.

A BOLHA DOS MARES DO SUL

Suponha que seu corretor liga para você e recomenda que invista em uma empresa nova sem nenhuma venda ou rendimento, apenas ótimas perspectivas. "Qual empresa?", você quer saber. "Desculpa", explica seu corretor, "ninguém pode saber qual é a empresa, mas posso prometer enormes riquezas." Um golpe, você diz. Você tem razão, mas trezentos anos atrás, na Inglaterra, foi um caso desse tipo que provocou um dos maiores frenesis de emissão de ações do período. E, como você previu, os investidores se deram mal. A história ilustra como a fraude pode tornar pessoas gananciosas ainda mais dispostas a se separarem de seu dinheiro.

Na época da Bolha dos Mares do Sul, os britânicos estavam prontos para jogar fora seu dinheiro. Um longo período de prosperidade havia resultado em gordas poupanças e poucas oportunidades de investimento. Naquela época, possuir ações era considerado um privilégio. Ainda em 1693, por exemplo, somente 499 almas se beneficiavam da posse de ações da Companhia das Índias Orientais. Auferiam benefícios de várias maneiras, inclusive da não tributação dos dividendos. Além disso, entre elas estavam mulheres, já que ações representavam uma das poucas formas de propriedade que as britânicas podiam possuir em seu nome. A Companhia dos Mares do Sul, que supriu a necessidade de veículos de investimento, havia sido formada em 1711 para restaurar a fé na capacidade do governo de cumprir suas obrigações. A empresa assumiu títulos de dívida do governo de quase 10 milhões de libras. Em retribuição, recebeu o monopólio de todo o comércio nos Mares do Sul. O público acreditou que imensas riquezas pudessem ser acumuladas em tal comércio e recebeu bem as ações da companhia.

Desde o princípio, a Companhia dos Mares do Sul auferiu lucros à custa dos outros. Detentores de títulos governamentais a serem assumidos pela empresa simplesmente trocaram seus títulos por aqueles da Companhia dos Mares do Sul. Aqueles com conhecimento antecipado do plano discretamente adquiriram títulos governamentais vendidos por apenas 55 libras e depois os trocaram por 100 libras de ações da Companhia dos Mares do Sul quando esta foi criada. Nenhum dos diretores da empresa tinha a menor experiência em comércio na América do Sul, o que não os impediu de rapidamente equipar navios negreiros (a venda de escravos era um dos aspectos mais lucrativos do comércio sul-americano). Mas mesmo esse empreendimento não se mostrou lucrativo, em razão da alta taxa de mortalidade nos navios.

Os diretores, porém, eram peritos na arte da aparência pública. Uma impressionante mansão em Londres foi alugada, e a sala da diretoria foi mobiliada com trinta cadeiras estofadas espanholas pretas cujas estruturas de madeira de faia e tachas douradas as tornavam bonitas de ver, mas desconfortáveis para sentar. Enquanto isso, um navio da companhia carregado com a lã de que Vera Cruz precisava desesperadamente foi enviado por engano para Cartagena, onde a lã apodreceu no cais por falta de compradores. Mesmo assim, as ações da empresa mantiveram sua posição e até aumentaram moderadamente nos anos seguintes apesar do efeito diluidor dos "bônus" em dividendos das ações e de uma guerra contra a Espanha que acarretou o colapso temporário das oportunidades de comércio. John Carswell, autor de um excelente relato, *The South Sea Bubble*, escreveu que John Blunt, diretor e um dos principais promotores dos títulos mobiliários da Companhia dos Mares do Sul, "continuou vivendo sua vida com um livro de orações na mão direita e um prospecto na esquerda, nunca deixando que sua mão direita soubesse o que a mão esquerda estava fazendo".

Do outro lado do Canal da Mancha, outra companhia foi formada por um inglês exilado chamado John Law. A meta de Law na vida era substituir o metal como dinheiro e criar mais liquidez mediante uma moeda nacional em papel. (Os promotores do Bitcoin estão seguindo uma longa tradição.) Para promover seu propósito, Law adquiriu uma empresa dilapidada chamada Mississippi Company e passou a construir um conglomerado que se tornou uma das maiores empresas capitalistas já existentes.

A Mississippi Company atraiu especuladores (e seu dinheiro) de todo o continente europeu. A palavra *millionaire* foi inventada naquela época, e não é de admirar: o preço da ação da Mississippi Company subiu de 100 para 2 mil libras em apenas dois anos, embora não houvesse nenhum motivo lógico para tal aumento. A certa altura, o valor de mercado total inflado das ações da Mississippi Company na França era mais de oitenta vezes superior ao de todo o ouro e toda a prata existentes no país.

Nesse ínterim, de volta ao lado inglês do canal, um patriotismo radical começou a aparecer em algumas das grandes empresas inglesas. Por que todo o dinheiro tinha de ir para a Mississippi Company francesa? O que a Inglaterra tinha para contra-atacar? A resposta foi a Companhia dos Mares do Sul, cujas perspectivas estavam começando a parecer um pouco melhores, especialmente com a notícia de que haveria paz com a Espanha, abrindo caminho para o comércio sul-americano.

Em 1720, os diretores, que formavam um grupo ganancioso, decidiram aproveitar sua reputação oferecendo-se para financiar a dívida nacional inteira, no valor de 31 milhões de libras. Um gesto ousado, e o público adorou. Quando uma lei prevendo aquilo foi submetida ao Parlamento, a ação imediatamente subiu de 130 para 300 libras.

Diversos amigos e apoiadores que mostraram interesse em fazer com que a lei fosse aprovada foram recompensados com concessões de ações grátis que podiam ser "vendidas" de volta à empresa quando o preço subisse, e a pessoa embolsaria o lucro. Entre os recompensados estiveram a amante de Jorge I e suas "sobrinhas", todas com forte semelhança com o rei.

Em 12 de abril de 1720, cinco dias após a aprovação da lei, a Companhia dos Mares do Sul vendeu uma nova emissão de ações a 300 libras. A emissão podia ser comprada em prestações: 60 libras de entrada e o restante em oito módicos pagamentos. Nem o rei resistiu, subscrevendo ações no total de 100 mil libras. Brigas eclodiram entre outros investidores que surgiam para comprar. Para saciar o apetite do público, os diretores da Companhia dos Mares do Sul anunciaram mais uma emissão – dessa vez por 400 libras. Mas o público estava voraz. Dentro de um mês a ação valia 550. Em 15 de junho, mais uma emissão foi proposta. Dessa vez o plano de pagamento era ainda mais fácil: 10% de sinal e o próximo pagamento somente após um ano. A ação atingiu 800 libras. Metade da Câmara dos Lordes e mais de metade da Câmara dos Comuns aderiram. O preço acabou subindo para mil libras. A febre especulativa estava a pleno vapor.

Nem mesmo a Companhia dos Mares do Sul foi capaz de lidar com as demandas de todos os tolos que queriam jogar dinheiro fora. Investidores buscavam novos empreendimentos nos quais pudessem ingressar desde o princípio. Assim como os especuladores atuais buscam pela próxima Google, na Inglaterra do início do século XVIII buscavam a próxima Companhia dos Mares do Sul. Os promotores atenderam à demanda organizando e levando ao mercado uma torrente de novas emissões para aplacar a ânsia insaciável por investimentos.

Com o passar dos dias, novas propostas de financiamento variavam do engenhoso ao absurdo: de importar um grande número de asnos da Espanha (ainda que houvesse um suprimento abundante na Inglaterra) a transformar água salgada em doce. Cada vez mais as promoções envolviam algum elemento de fraude, como transformar serragem em tábuas. Houve quase cem projetos diferentes, cada um mais extravagante e enganoso que o outro, mas todos oferecendo a esperança de ganhos enormes. Logo receberam o nome de "bolhas", designação mais do que apropriada. À semelhança das bolhas, eles logo estouravam – geralmente em mais ou menos uma semana.

O público, pelo visto, estava disposto a comprar qualquer coisa. Novas empresas buscando financiamento foram organizadas naquele período para propósitos tais como construir navios contra piratas, incentivar a criação de cavalos na Inglaterra, comercializar cabelo humano, construir hospitais para crianças bastardas, extrair prata do chumbo, extrair luz solar de pepinos e até produzir uma roda de movimento perpétuo.

O prêmio, porém, com certeza deve ir para a alma desconhecida que fundou "uma empresa para levar a cabo um empreendimento de grande vantagem, mas que ninguém pode saber qual é". O prospecto prometia recompensas inéditas. Às nove da manhã, quando os livros de subscrições foram abertos, multidões de pessoas de todas as profissões praticamente derrubaram a porta no afã por subscreverem as ações. Dentro de cinco horas, mil investidores entregaram seu dinheiro em troca de ações da empresa. Não sendo ganancioso, o promotor prontamente fechou o escritório e partiu para o continente europeu. Nunca mais se soube dele.

Nem todos os investidores nas empresas de bolha acreditavam na viabilidade dos esquemas que estavam subscrevendo. As pessoas eram "sensatas demais" para tal. Mas acreditavam na teoria do "idiota maior" – que os preços subiriam, compradores seriam achados e elas ganhariam dinheiro. Assim, a maioria dos investidores considerava suas ações o auge da racionalidade, esperando poder vendê-las com lucro no "pós-mercado", ou seja, o mercado de negociação das ações após o lançamento inicial.

Antes de destruir uma pessoa, os deuses a ridicularizam. Sinais de que o fim estava próximo surgiram com a emissão de um baralho de cartas dos Mares do Sul. Cada carta continha uma caricatura de uma empresa de bolha, com uma quadrinha apropriada impressa na parte de baixo. Uma delas, a Companhia de Máquinas Puckle, supostamente produziria máquinas que disparavam balas de canhão redondas e quadradas. Puckle alegou que sua máquina iria revolucionar a arte da guerra. O oito de espadas descrevia-a nestes termos:

Uma rara invenção para destruir a multidão
De tolos em casa em vez de inimigos no exterior:

*Não temam, amigos, essa máquina terrível,
Que só ferirá quem investiu em suas ações.*

Muitas bolhas especulativas haviam sido estouradas sem arrefecer o entusiasmo, mas o dilúvio veio em agosto com um golpe irreparável contra a Companhia dos Mares do Sul. Percebendo que o preço das ações no mercado não tinha nenhuma correlação com as perspectivas reais da empresa, os diretores e gerentes venderam suas ações no verão.

A notícia vazou, logo o preço das ações despencou e o pânico reinou. O gráfico a seguir mostra a ascensão e a queda espetaculares da ação da Companhia dos Mares do Sul. Autoridades governamentais tentaram em vão restaurar a confiança e um colapso completo do crédito público foi evitado por pouco. De forma semelhante, o preço das ações da Mississippi Company caiu para uma ninharia quando o público percebeu que o excesso de papel-moeda não cria riqueza real, apenas inflação. Entre os que sofreram grandes prejuízos na Bolha dos Mares do Sul esteve Isaac Newton, que teria dito: "Consigo

PREÇO DA AÇÃO DA COMPANHIA DOS MARES DO SUL BRITÂNICA, 1717-1722

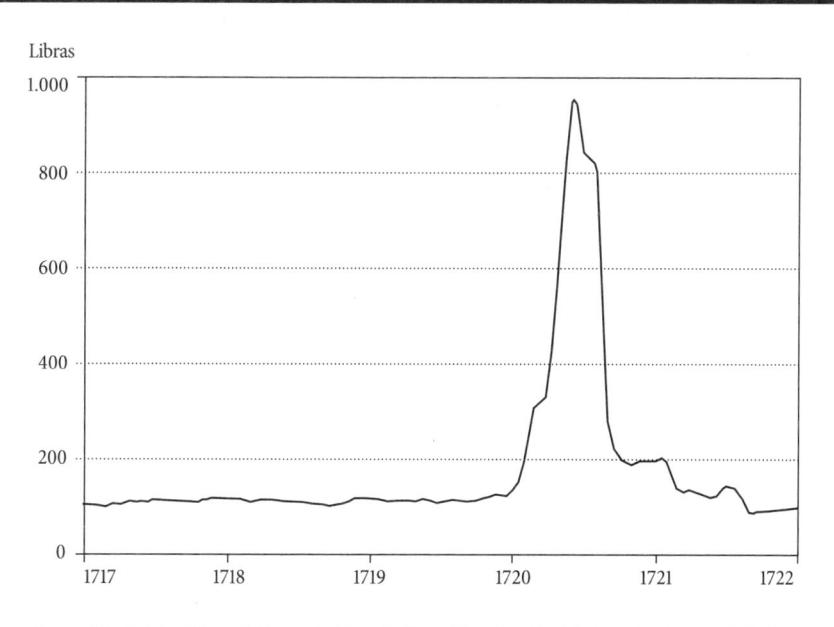

Fonte: Larry Neal, *The Rise of Financial Capitalism* (Cambridge University Press, 1990).

calcular os movimentos dos corpos celestes, mas não a loucura das pessoas." Chega de castelos no ar.

Para proteger o público de novos abusos, o Parlamento aprovou a Lei da Bolha, que proibiu a emissão de certificados de ações pelas empresas. Por mais de um século, até a lei ser revogada em 1825, relativamente poucos certificados de ações circularam no mercado britânico.

WALL STREET SE DEU MAL

Devemos reconhecer que os bulbos e as bolhas são histórias antigas. O mesmo tipo de fenômeno poderia ocorrer em tempos modernos? Voltemo-nos para acontecimentos mais recentes. Os Estados Unidos, a terra das oportunidades, tiveram sua vez na década de 1920. E, dada sua ênfase na liberdade e no crescimento, produziram uma das altas mais espetaculares e um dos colapsos mais desastrosos que a civilização já conheceu.

As condições não poderiam ter sido mais favoráveis para uma onda especulativa. O país vinha experimentando uma prosperidade sem igual. Era impossível deixar de ter fé nos negócios americanos e, nas palavras do presidente Calvin Coolidge: "O negócio dos Estados Unidos são os negócios." Homens de negócios eram comparados a missionários religiosos e quase idolatrados. Aquelas analogias foram até feitas na direção oposta. Bruce Barton, da agência publicitária Batten, Barton, Durstine & Osborn, de Nova York, escreveu em *The Man Nobody Knows* que Jesus foi "o primeiro homem de negócios" e que suas parábolas foram "as propagandas mais poderosas de todos os tempos".

Em 1928, a especulação no mercado de ações tornou-se um passatempo nacional. Do início de março de 1928 até o início de setembro de 1929, o aumento percentual do mercado equivaleu ao de todo o período de 1923 até o início de 1928. Os preços das ações das grandes corporações industriais às vezes aumentavam 10 ou 15 pontos por dia. Os aumentos de preços são ilustrados na tabela a seguir.

Nem todos estavam especulando no mercado. A compra de ações com dinheiro emprestado cresceu de 1 bilhão de dólares em 1921 para quase 9 bilhões de dólares em 1929. Não obstante, apenas cerca de um milhão de pessoas possuíam ações com dinheiro emprestado em 1929. Mesmo assim,

Título	Preço de abertura 3 de março de 1928	Preço máximo 3 de setembro de 1929*	Ganho percentual em 18 meses
American Telephone & Telegraph	179½	335⅝	87,0
Bethlehem Steel	56⅞	140⅜	146,8
General Electric	128¾	396¼	207,8
Montgomery Ward	132¾	466½	251,4
National Cash Register	50¾	127½	151,2
Radio Corporation of America	94½	505	434,5

* Ajustado para desdobramentos de ações e o valor dos direitos recebidos após 3 de março de 1928.

o espírito especulativo estava ao menos tão generalizado quanto nas febres anteriores e com certeza era inédito em sua intensidade. E o mais importante: a especulação no mercado de ações era fundamental à cultura. John Brooks, em *Once in Golconda*,* narrou as observações de um correspondente britânico recém-chegado a Nova York: "Você podia conversar sobre a Lei Seca ou Hemingway, ou ar-condicionado, ou música, ou cavalos, mas no fim tinha que conversar sobre o mercado de ações, e era aí que a conversa ficava séria."

Infelizmente, havia centenas de operadores sorridentes ávidos por ajudar o público a construir castelos no ar. A manipulação na bolsa de valores bateu recordes de inescrupulosidade. Não há melhor exemplo do que o funcionamento de fundos de investimento. Um desses empreendimentos aumentou o preço da ação da RCA em 61 pontos em quatro dias.

Um fundo de investimento requeria uma cooperação próxima, por um lado, e um completo desdém pelo público, por outro. Geralmente tais operações começavam quando um número de operadores se agrupava para manipular uma ação específica. Eles nomeavam um administrador do fundo (que justificadamente era considerado uma espécie de artista) e prometiam não enganar uns aos outros por meio de operações privadas.

---

* Golconda, agora em ruínas, era uma cidade na Índia. Segundo a lenda, todos que por lá passavam enriqueciam. *(N. do A.)*

O administrador do fundo acumulava um grande bloco de ações por meio da compra discreta por um período de semanas. Se possível, ele também obtinha uma opção para comprar um bloco substancial de ações ao preço de mercado vigente. Depois tentava atrair um especialista em bolsa de valores como aliado.

Os membros do fundo estavam envolvidos com o especialista do seu lado. Um especialista em bolsa de valores funciona como um corretor do corretor. Se uma ação estivesse sendo transacionada a 50 dólares e você desse ao seu corretor uma ordem de comprar a 45, ele tipicamente deixava aquela ordem com o especialista. Caso a ação caísse para 45 dólares, o especialista então executava a ordem. Todas aquelas ordens de comprar abaixo do preço do mercado ou vender acima dele eram mantidas no "livro" supostamente privado do especialista. Agora você vê por que o especialista podia ser tão valioso para o administrador do fundo. O livro dava informações sobre a extensão dos pedidos de compra e venda a preços abaixo e acima do mercado vigente. Era sempre útil conhecer o máximo possível das cartas em jogo com os protagonistas públicos.

Em geral, àquela altura o administrador do fundo fazia com que seus membros transacionassem entre si. Por exemplo, Haskell vende 200 ações para Sidney por 40 e Sidney as vende de volta por 40⅛. O processo se repete com 400 ações aos preços de 40¼ e 40½. Depois vem a venda de um bloco de mil ações a 40⅝, seguida por outra a 40¾. Aquelas vendas eram registradas em fitas de teleimpressor por todo o país e a ilusão de atividade era transmitida aos milhares de observadores das fitas que se aglomeravam nas corretoras do país. Tal atividade, gerada pelas vendas fictícias, criava a impressão de que algo grandioso vinha ocorrendo.

Agora os colunistas de dicas de investimento e comentaristas do mercado, sob o controle do administrador do fundo, alardeavam acontecimentos empolgantes prestes a virar realidade. O administrador do fundo também tentava assegurar que o fluxo de notícias da direção da empresa fosse cada vez mais favorável. Se tudo corresse bem, e na atmosfera especulativa de 1928-1929 dificilmente não corria, a combinação da atividade das fitas com as notícias dos gestores atraía o público.

Uma vez atraído o público, o salve-se quem puder começava e estava na hora de discretamente "tirar da tomada". Enquanto o público comprava, o fundo vendia. O administrador do fundo começava a alimentar o mercado de ações, primeiro devagar e depois em blocos crescentes, antes que o público caísse na real. Ao fim daquele passeio de montanha-russa, os membros do fundo haviam embolsado grandes lucros e o público ficava com as ações subitamente desvalorizadas.

Mas as pessoas não precisavam se juntar para defraudar o público. Muitos indivíduos, particularmente gerentes e diretores de empresas, conseguiam se dar bem por conta própria. Vejamos Albert Wiggin, dirigente do Chase, o segundo maior banco americano na época. Em julho de 1929 Wiggin ficou apreensivo com as alturas vertiginosas que as ações haviam atingido e não se sentiu mais à vontade especulando com a alta do mercado (corriam rumores de que ele tinha ganhado milhões num fundo incrementando o preço de seu banco). Acreditando que as perspectivas das ações de seu banco eram particularmente sombrias, vendeu a termo mais de 42 mil ações do Chase. Vender a termo é um meio de ganhar dinheiro se os preços das ações caírem. Significa vender ações que você atualmente não possui na expectativa de comprá-las de volta mais tarde por um preço menor. É esperar comprar barato e vender caro, mas na ordem inversa.

O timing de Wiggin foi perfeito. Imediatamente após a venda a termo, o preço da ação do Chase começou a cair e, quando o colapso chegou no outono, a ação despencou. Quando a conta foi encerrada em novembro, ele havia auferido um lucro multimilionário com a operação. Conflitos de interesse aparentemente não incomodaram o Sr. Wiggin. Na verdade, cabe observar que ele conservou uma posição acionária líquida em ações do Chase durante aquele período. Mesmo assim, as regras atualmente vigentes não permitiriam que um *insider* lucrasse no curto prazo transacionando as próprias ações.

Em 3 de setembro de 1929 os índices do mercado atingiram um pico que só seria ultrapassado um quarto de século depois. A "cadeia incessante de prosperidade" logo se romperia. A atividade de negócios geral já havia diminuído meses antes. Os preços oscilaram no dia 4 e no dia seguinte, 5 de setembro, o mercado sofreu um forte declínio conhecido como "Babson Break".

Esse nome é uma homenagem a Roger Babson, um consultor financeiro frágil de Wellesley, Massachusetts, que tinha uma barbicha e parecia um duende. Num almoço com financistas naquele dia, ele teria dito: "Repito o que disse neste momento no ano passado, e no ano anterior: que mais cedo ou mais tarde um colapso chegará." Os profissionais de Wall Street saudaram o novo pronunciamento do "sábio de Wellesley", como era conhecido, com seu habitual escárnio.

Como Babson insinuou, ele vinha prevendo o colapso havia anos e ainda não provara que tinha razão. Não obstante, às duas da tarde, quando as palavras de Babson foram citadas na *broad tape* (a fita de notícias financeiras do Dow Jones, uma parte essencial do equipamento de qualquer corretora), o mercado entrou em queda livre. Na última hora frenética de negociação, a American Telephone and Telegraph caiu 6 pontos, a Westinghouse, 7, e a U. S. Steel, 9. Um episódio profético. Após o Babson Break, a possibilidade de um colapso, algo totalmente impensável um mês antes, subitamente se tornou um tema comum de discussão.

A confiança vacilou. Setembro teve bem mais dias ruins do que bons. Às vezes o mercado caía abruptamente. Banqueiros e autoridades governamentais asseguravam ao país que não havia motivo de preocupação. O professor Irving Fisher, de Yale, um dos progenitores da teoria do valor intrínseco, ofereceu sua opinião logo imortalizada de que as ações haviam atingido o que parecia um "patamar permanentemente alto".

Mas na segunda-feira, 21 de outubro, o palco estava armado para um clássico colapso do mercado de ações. Os declínios nos preços das ações haviam levado a exigências de mais garantias aos clientes com dinheiro emprestado. Incapazes ou relutantes em atender a esses pedidos, os clientes foram forçados a vender seus investimentos. Isso derrubou os preços e levou a mais exigências àqueles clientes e finalmente a uma onda de vendas autossustentável.

O volume de vendas em 21 de outubro disparou para mais de 6 milhões de ações. O teleimpressor de cotações não conseguiu acompanhar o ritmo, para desespero de dezenas de milhares de indivíduos acompanhando a fita nas corretoras por todo o país. Quase uma hora e quarenta minutos haviam transcorrido após o fechamento do mercado quando a última transação foi realmente registrada na fita do teleimpressor de cotações.

O indômito Fischer negligenciou o declínio como a "expulsão da periferia lunática que tenta especular com dinheiro emprestado". Ele também disse que os preços das ações durante o *boom* não haviam alcançado seu valor real e subiriam ainda mais. Entre outras coisas, o professor acreditava que o mercado ainda não tinha refletido os efeitos benéficos da Lei Seca, que tornou o trabalhador americano "mais produtivo e confiável".

Em 24 de outubro, dia mais tarde chamado de Quinta-Feira Negra, o volume do mercado atingiu quase 13 milhões de ações. Os preços às vezes caíam 5 ou 10 dólares a cada negociação. Muitas emissões caíram 40 ou 50 pontos em algumas horas. No dia seguinte, o presidente Herbert Hoover ofereceu seu famoso diagnóstico: "O negócio fundamental do país [...] repousa sobre uma base sensata e próspera."

A terça-feira, 29 de outubro de 1929, foi um dos dias mais catastróficos da história da Bolsa de Valores de Nova York. Somente 19 e 20 de outubro de 1987 se compararam, em intensidade, ao pânico na bolsa. Mais de 16,4 milhões de ações foram negociadas naquele dia de 1929 (um dia de 16 milhões de ações em 1929 seria equivalente a um dia de bilhões de ações em 2018 em razão do número maior negociado). Os preços caíram quase verticalmente e continuaram caindo, como ilustra a tabela seguinte, que mostra o grau do declínio durante o outono de 1929 e nos três anos seguintes. Com a exceção da "segura" AT&T, que perdeu apenas três quartos de seu valor, a maioria das ações *blue chip* haviam caído 95% ou mais quando se atingiu o fundo do poço em 1932.

Título	Preço máximo 3 de setembro de 1929*	Preço mínimo 13 de novembro de 1929	Preço mínimo em 1932
American Telephone & Telegraph	304	197¼	70¼
Bethlehem Steel	140⅜	78¼	7¼
General Electric	396¼	168⅛	8½
Montgomery Ward	137⅞	49¼	3½
National Cash Register	127½	59	6¼
Radio Corporation of America	101	28	2½

* Ajustado para desdobramentos de ações e o valor dos direitos recebidos após 3 de setembro de 1929.

Talvez a melhor síntese do colapso tenha sido dada pela *Variety*, a revista semanal de *show business*, que publicou como manchete "Wall Street se deu mal". O *boom* especulativo estava morto e bilhões de dólares em valor de ações – assim como os sonhos de milhões – estavam destruídos. O colapso do mercado de ações foi seguido pela depressão mais devastadora da história.

De novo, existem historiadores revisionistas que dizem ter havido alguma lógica na loucura do *boom* do mercado de ações no fim da década de 1920. Harold Bierman Jr., por exemplo, em seu livro *The Great Myths of 1929*, afirmou que, sem uma presciência perfeita, a supervalorização das ações não estava tão óbvia em 1929. Afinal, pessoas inteligentes como Irving Fisher e John Maynard Keynes acreditavam que seus preços eram razoáveis. Bierman passa a argumentar que o otimismo extremo subjacente ao mercado de ações poderia até se justificar, não fossem as políticas monetárias inapropriadas. O próprio colapso, em sua visão, foi precipitado pela política do Conselho de Diretores do Federal Reserve de elevar as taxas de juros para punir os especuladores. Existem ao menos algumas pitadas de verdade nos argumentos de Bierman e economistas atuais culpam o Federal Reserve pela gravidade da depressão da década de 1930, por permitir a queda brutal do suprimento de dinheiro. Mesmo assim, a história nos ensina que aumentos muito acentuados nos preços das ações raramente são seguidos por um retorno gradual à relativa estabilidade de preços. Ainda que a prosperidade tivesse continuado pela década de 1930 adentro, os preços das ações jamais poderiam ter sustentado seu avanço do fim da década de 1920.

Além disso, o comportamento anômalo das ações das sociedades de investimento de capital fixo (que abordarei no Capítulo 15) fornece indícios seguros da irracionalidade em alta escala do mercado de ações durante a década de 1920. O valor "fundamental" desses fundos fechados, que não permitem a entrada de investidores a qualquer momento, consiste no valor de mercado dos títulos mobiliários que detêm. Na maioria dos períodos desde 1930, esses fundos têm vendido com descontos de 10% a 20% sobre o valor de seus ativos. De janeiro a agosto de 1929, porém, o típico fundo fechado vendeu com um ágio de 50%. Além disso, os ágios para alguns dos fundos mais conhecidos eram astronômicos. A Goldman, Sachs Trading Corporation vendia pelo dobro do valor do seu ativo líquido. A Tri-Continental Corporation vendia a 256% do valor de seu ativo. O que significava que você poderia ir ao seu corretor e comprar, digamos, a AT&T por seu preço de mercado ou comprá-la por meio de um fundo por 2,5 vezes o valor de mercado. Foi o entusiasmo especulativo irracional que impeliu os preços daqueles fundos para bem acima do valor a que suas posses de títulos mobiliários individuais podiam ser compradas.

UM EPÍLOGO

Por que a memória é tão curta? Por que essas loucuras especulativas parecem tão isoladas das lições da história? Não tenho nenhuma resposta apropriada, mas estou convencido de que Bernard Baruch estava certo ao sugerir que o estudo desses eventos pode ajudar a equipar os investidores para a sobrevivência. Os perdedores sistemáticos no mercado, por minha experiência pessoal, são aqueles incapazes de resistir a ser arrebatados por algum tipo de febre dos bulbos de tulipa. Não é difícil ganhar dinheiro no mercado. Difícil é evitar as tentações sedutoras de jogar seu dinheiro fora em farras especulativas de enriquecimento rápido. Uma lição óbvia, mas com frequência ignorada.

3

BOLHAS ESPECULATIVAS DOS ANOS 1960 AOS ANOS 1990

*Tudo tem uma moral se
você conseguir encontrá-la.*

— Lewis Carroll, *Alice no País das Maravilhas*

A LOUCURA DA MULTIDÃO PODE ser realmente espetacular. Os exemplos que acabei de citar, mais uma série de outros, têm persuadido cada vez mais pessoas a entregar seu dinheiro aos cuidados de gestores de portfólio profissionais – aqueles que administram os grandes fundos de pensão e aposentadoria, fundos mútuos e organizações de aconselhamento de investimentos. Embora a multidão possa ser louca, a instituição está acima de tudo isso. Muito bem, então vamos dar uma olhada na saúde mental das instituições.

A SAÚDE MENTAL DAS INSTITUIÇÕES

Na década de 1990, as instituições representavam mais de 90% do volume de negociações na Bolsa de Valores de Nova York. Seria de esperar que o raciocínio realista e crítico dos profissionais garantiria o fim dos excessos extravagantes do passado. No entanto, investidores profissionais participaram de vários movimentos especulativos diferentes nas décadas de 1960 a 1990. Em cada caso, as instituições profissionais apostaram ativamente em ações não por sentirem que estivessem subestimadas sob o princípio da base firme, mas porque previam que alguns ainda mais idiotas obteriam as ações de suas mãos por preços ainda mais inflados. Como esses movimentos especulativos estão relacionados aos mercados atuais, creio que você achará este passeio institucional especialmente útil.

OS LOUCOS ANOS 1960

A nova "Nova Era":
A febre das ações de empresas em crescimento e novas emissões

Começamos nossa jornada por onde comecei – em 1959, quando eu tinha acabado de chegar a Wall Street. "Crescimento" era a palavra mágica naquela época, com um significado quase místico. Ações de empresas em crescimento como IBM e Texas Instruments eram vendidas a índices preço/lucro superiores a 80 (um ano depois eram vendidas por índices na casa dos 20 e 30).

Questionar a correção daquelas avaliações tornou-se quase heresia. Embora aqueles preços não pudessem se justificar por princípios de base firme, os investidores acreditavam que compradores não hesitariam em pagar preços ainda maiores. Lorde Keynes deve ter sorrido discretamente do lugar para onde vão os economistas depois de morrerem.

Lembro vivamente de um dos sócios veteranos de minha empresa fazendo sinal de não com a cabeça e admitindo que não conhecia ninguém com alguma lembrança do colapso de 1929-1932 que estaria disposto a comprar e manter ações supervalorizadas. Mas os otimistas dominavam. A *Newsweek* citou um corretor dizendo que os especuladores têm a ideia de que, seja lá o que comprarem, "dobrará de valor da noite para o dia. A péssima notícia é que isso aconteceu".

E ainda mais estaria por vir. Os promotores, ávidos por satisfazer a sede insaciável dos investidores por ações da era espacial dos Loucos Anos 1960, criaram mais emissões novas no período 1959-1962 do que em qualquer outra época anterior da história. A febre das novas emissões comparou-se à Bolha dos Mares do Sul em sua intensidade e também, infelizmente, nas práticas fraudulentas que foram reveladas.

Tratou-se do *tronics boom*, porque as ofertas de ações muitas vezes incluíam alguma versão distorcida da palavra "*electronics*" em seu título, ainda que as empresas não tivessem relação com o setor da eletrônica. Os compradores daquelas emissões não estavam nem aí para o que as empresas produziam – desde que soassem eletrônicas, com um toque de mistério. Por exemplo, a American Music Guild, cujo negócio consistia inteiramente em vendas de porta em porta de discos e toca-discos, mudou seu nome para Space-Tone antes de abrir seu capital. As ações foram vendidas ao público por 2 dólares e, em poucas semanas, subiram para 14.

Jack Dreyfus, da Dreyfus and Company, comentou a febre nestes termos:

> Pegue uma pequena e boa empresa que vem produzindo cadarços de sapatos há quarenta anos e vende a um índice preço/lucro respeitável de seis vezes. Mude seu nome de Shoelaces, Inc. para Electronics and Silicon Furth-Burners. No mercado atual, as palavras "eletrônica" e "silício" valem um índice de 15 vezes. Entretanto, o lance real está na palavra "*furth-burners*", que ninguém entende. Uma palavra que ninguém entende permite que você dobre seu valor. Portanto, temos um índice preço/lucro de seis vezes pelo negócio dos cadarços de sapatos e de 15 vezes pela eletrônica e pelo silício, ou um índice total de 21 vezes. Multiplique-o por dois pelos *furth-burners* e temos agora um índice preço/lucro de 42 para a empresa nova.

Deixe os números a seguir contarem a história. Mesmo a Mother's Cookie pôde obter um ganho polpudo. Pense na glória que poderia ter atingido se tivesse se chamado Mothertron's Cookitronics. Dez anos depois, as ações da maioria dessas empresas não valiam quase nada. Hoje nenhuma delas existe.

Título	Data do lançamento	Preço de lançamento	Preço de oferta no primeiro dia de negociação	Preço de oferta máximo 1960	Preço de oferta mínimo 1962
Boonton Electronic Corp.	6 de março de 1961	$5\frac{1}{2}$*	$12\frac{1}{4}$*	$24\frac{1}{2}$*	$1\frac{5}{8}$*
Geophysics Corp.	8 de dezembro de 1960	14	27	58	9
Hydro-Space Technology	19 de julho de 1960	3	7	7	1
Mother's Cookie Corp.	8 de março de 1961	15	23	25	7

* Por unidade de 1 ação e 1 direito de aquisição de ações.

Onde estava todo esse tempo a Securities and Exchange Commission (SEC, equivalente americana à Comissão de Valores Imobiliários brasileira)? Os novos ofertantes de ações não deveriam registrar suas ofertas na SEC? Eles (e seus subscritores) não podem ser punidos por declarações falsas e enganosas? Sim, a SEC estava ali, mas, por lei, tinha que ficar quieta. Contanto que uma empresa prepare (e distribua aos investidores) um prospecto adequado, a SEC nada pode fazer para salvar os compradores de si mesmos. Por exemplo, muitos dos prospectos do período continham o seguinte tipo de alerta em negrito na capa.

AVISO: ESTA EMPRESA NÃO POSSUI ATIVOS OU RENDIMENTOS E NÃO SERÁ CAPAZ DE PAGAR DIVIDENDOS NO FUTURO PRÓXIMO. AS AÇÕES SÃO ALTAMENTE ARRISCADAS.

Mas assim como os alertas nos maços de cigarros não impedem muitas pessoas de fumar, o aviso de que certo investimento pode ser perigoso à sua riqueza não consegue impedir um especulador de entregar seu dinheiro. A SEC pode alertar os tolos, mas não consegue impedi-los de jogar fora seu dinheiro. E os compradores de novas emissões estavam tão convencidos de que as ações aumentariam de preço que o problema do subscritor não era como vender as ações, mas como alocá-las entre os compradores frenéticos.

Fraude e manipulação do mercado são questões diferentes. Nos Estados Unidos, a SEC pode tomar e tem tomado atitudes fortes. Na verdade, muitas das pouco conhecidas corretoras à margem da respeitabilidade, responsáveis pela maioria das novas emissões e pela manipulação de seus preços, foram suspensas por uma variedade de fraudes.

O *tronics boom* caiu na real em 1962. A emissão quente de ontem tornou-se a decepção de hoje. Muitos profissionais recusaram-se a aceitar o fato de que haviam especulado desenfreadamente. Pouquíssimos observaram que sempre é fácil olhar para trás e dizer quando os preços estavam altos ou baixos demais. Ainda menos disseram que ninguém parece saber o preço apropriado de uma ação em qualquer dado momento.

Sinergia gera energia: O *boom* dos conglomerados

Parte da genialidade do mercado financeiro é que, se existe demanda por um produto, ele é produzido. O produto que todos os investidores desejavam era o crescimento esperado do lucro por ação. Se o crescimento não pudesse ser encontrado em um nome, você podia apostar que alguém acharia outra forma de produzi-lo. Em meados da década de 1960, empreendedores criativos sugeriram que o crescimento poderia ser criado pela sinergia.

Sinergia é a qualidade de fazer com que 2 mais 2 seja igual a 5. Assim, duas empresas distintas, com um poder de lucratividade de 2 milhões de dólares cada uma, poderiam produzir rendimentos combinados de 5 milhões de dólares caso se consolidassem. Essa nova criação mágica e infalível foi chamada de conglomerado.

Embora leis antitruste da época evitassem que grandes empresas comprassem outras do mesmo setor de atividade, era possível adquirir empresas em outros setores sem que o Departamento de Justiça interferisse. As consolidações foram levadas a cabo em nome da sinergia. Aparentemente, o conglomerado alcançaria maiores vendas e rendimentos do que teria sido possível para as entidades independentes sozinhas.

Na verdade, o maior ímpeto para a onda dos conglomerados da década de 1960 foi a possibilidade de que o processo de aquisição em si produzisse crescimento do lucro por ação. De fato, os gestores dos conglomerados costumavam possuir know-how financeiro em vez das habilidades operacionais requeridas para melhorar a rentabilidade das empresas adquiridas. Com um pouquinho de prestidigitação, podiam juntar um grupo de empresas sem nenhum potencial básico e produzir lucros por ação crescentes. O seguinte exemplo mostra como esse negócio dúbio se realizava.

Suponhamos que temos duas empresas: a Able Circuit Smasher Company, de eletrônica, e a Baker Candy Company, que produz barras de chocolate. Cada uma possui 200 mil ações em circulação. Estamos em 1965 e ambas têm lucro de 1 milhão de dólares ao ano, ou 5 dólares por ação. Suponhamos que nenhuma das empresas esteja crescendo e que, com ou sem a fusão, os lucros continuariam no mesmo nível.

Mas as duas empresas têm suas ações vendidas a preços diferentes. Como a Able Circuit Smasher Company está no negócio de eletrônica, o mercado concede um índice preço/lucro de 20, o que, multiplicado por seu lucro por ação de 5 dólares, produz um preço de mercado de 100 dólares. A Baker Candy Company, num negócio menos glamouroso, tem seu lucro multiplicado apenas por 10 e, consequentemente, seu lucro por ação de 5 dólares obtém um preço de mercado de apenas 50 dólares.

A gerência da Able Circuit gostaria de se tornar um conglomerado. Ela se oferece para incorporar a Baker permutando ações à taxa de dois por três. Os detentores de ações da Baker obteriam duas ações da Able – com um valor de mercado de 200 dólares – por cada três ações da Baker – com um valor de mercado total de 150 dólares. Claramente, os acionistas da Baker aceitarão de bom grado.

Temos um conglomerado florescente, recém-chamado de Synergon, Inc., agora com 333.333 ações em circulação e lucro total de 2 milhões de dólares para ser dividido entre elas, ou 6 dólares por ação. Assim, em 1966, quando a fusão foi completada, constatamos que o lucro por ação aumentou 20%, de 5 para 6 dólares, e esse crescimento parece justificar o antigo índice preço/lucro de 20 da Able. Consequentemente, as ações da Synergon (antiga Able) aumentam de 100 dólares para 120 dólares e todos vão para casa ricos e contentes. Além disso, os acionistas da Baker cujas ações foram trocadas não precisam pagar nenhum imposto sobre seus lucros enquanto não venderem suas ações da nova empresa. As três primeiras linhas da tabela abaixo ilustram a transação.

	Empresa	Nível de lucro	Número de ações em circulação	Lucro por ação	Índice preço/ lucro	Preço
Antes da fusão de 1965	Able	$1.000.000	200.000	$5,00	20	$100
	Baker	$1.000.000	200.000	$5,00	10	$50
Depois da primeira fusão de 1966	Synergon (Able e Baker combinadas)	$2.000.000	333.333*	$6,00	20	$120
	Charlie	$1.000.000	100.000	$10,00	10	$100
Depois da segunda fusão de 1967	Synergon (Able, Baker e Charlie combinadas)	$3.000.000	433.333†	$6,92	20	$128,4

* As 200 mil ações originais da Able mais 133.333 ações extras, emitidas para serem trocadas pelas 200 mil ações da Baker de acordo com as condições da fusão.

† As 333.333 ações da Synergon mais 100 mil ações extras emitidas para serem trocadas pelas ações da Charlie.

Um ano depois, a Synergon descobre a Charlie Company, que lucra 10 dólares por ação, ou 1 milhão com 100 mil ações em circulação. A Charlie Company está no negócio relativamente arriscado de equipamentos militares, assim suas ações obtêm um índice de apenas 10 e são vendidas a 100 dólares. A Synergon se oferece para absorver a Charlie Company a uma base de troca de um por um. Os acionistas da Charlie ficam satisfeitos em trocar suas ações valendo 100 dólares pelas ações do conglomerado valendo 120. No fim de 1967, a empresa combinada possui lucro de 3 milhões, 433.333 ações em circulação e 6,92 de lucro por ação.

Aqui temos um caso em que o conglomerado literalmente fabricou crescimento. Nenhuma das três empresas estava crescendo. Contudo, em virtude simplesmente de sua fusão, nosso conglomerado mostrará o seguinte crescimento do lucro por ação:

LUCRO POR AÇÃO

	1965	1966	1967
Synergon, Inc.	$5,00	$6,00	$6,92

A Synergon é uma ação em crescimento e seu histórico de desempenho extraordinário parece ter lhe valido um índice preço/lucro elevado, e possivelmente até crescente.

O truque que faz o jogo funcionar é a capacidade da empresa de eletrônica de permutar suas ações de alto índice P/L pelas ações de outra empresa com um índice menor. A empresa de chocolates só consegue "vender" seu lucro por um índice de 10. Mas na média desse lucro com aquele da empresa de eletrônica, o lucro total (inclusive aquele da venda de barras de chocolate) poderia ser vendido a um índice de 20. E quanto mais aquisições a Synergon conseguisse, mais rápido o lucro por ação cresceria, fazendo a ação parecer mais atraente para justificar seu alto índice P/L.

A situação toda é como uma corrente: ninguém é prejudicado desde que o crescimento das aquisições prossiga de modo exponencial. Embora o processo não pudesse continuar por muito tempo, as possibilidades eram estonteantes para aqueles que entraram no princípio. Parece difícil acreditar que profissionais de Wall Street pudessem cair no conto do vigário do conglomerado, mas eles o aceitaram por um período de vários anos. Ou talvez como defensores da teoria do castelo no ar, apenas acreditavam que outras pessoas cairiam nele.

A Automatic Sprinkler Corporation (mais tarde chamada de A-T-O, Inc. e, ainda depois, de Figgie International, por insistência de seu modesto CEO, Sr. Figgie) é um exemplo real de como o jogo de fabricar crescimento foi realmente jogado. Entre 1963 e 1968, o volume das vendas da empresa cresceu mais de 1.400%, um desempenho fenomenal graças somente a aquisições. Em meados de 1967, quatro fusões foram completadas num período de 25 dias. Aquelas empresas recém-adquiridas, com ações vendidas a índices preço/lucro relativamente baixos, ajudaram a produzir um forte crescimento do lucro por ação. O mercado reagiu àquele "crescimento" elevando o índice preço/lucro para mais de 50 em 1967 e o preço da ação da empresa cresceu de 8 dólares em 1963 para 73⅝ em 1967.

Figgie, presidente da Automatic Sprinkler, conduziu o serviço de relações públicas necessário para ajudar Wall Street a construir seu castelo no ar. Ele automaticamente salpicou suas conversas com frases mágicas sobre a energia da empresa de forma livre e sua interface com a mudança e a tecnologia. Teve o cuidado de observar que examinava de vinte a trinta ofertas para cada empresa que comprava. Wall Street adorava cada uma de suas palavras.

Ele não era o único a enganar Wall Street. Os gestores de outros conglomerados quase inventaram uma linguagem nova no processo de deslumbrar a comunidade de investimentos. Conversavam sobre matrizes do mercado, fulcros de tecnologia central, blocos de construção modulares e a teoria do núcleo do crescimento. Ninguém de Wall Street realmente sabia o que as palavras significavam, mas todos tiveram a agradável e reconfortante sensação de estarem na crista da onda tecnológica.

Os gestores de conglomerados também descobriram um novo meio de descrever as empresas que haviam comprado. Suas empresas de construção naval tornavam-se "sistemas marítimos". A mineração de zinco tornou-se "divisão de minérios espaciais". Usinas siderúrgicas viravam a "divisão de tecnologia de materiais". Uma empresa de luminárias ou trancas tornava-se parte da "divisão de serviços protetores". E se um analista financeiro "descortês" (alguém da City College de Nova York em vez da Harvard Business School) tinha a ousadia de questionar como você consegue obter um crescimento de 15% a 20% de uma fundição ou um frigorífico, era informado de que experts em eficiência haviam eliminado milhões de dólares de custos excessivos, que a pesquisa de marketing havia descoberto vários novos mercados inexplorados e que as margens de lucro podiam facilmente ser triplicadas em dois anos. Em vez de caírem com a atividade de fusão, os índices preço/lucro das ações de conglomerados subiam por um tempo. Os preços e índices P/L para uma seleção de conglomerados em 1967 são mostrados na tabela a seguir.

	1967		1969	
Título	Preço máximo	Índice preço/lucro	Preço mínimo	Índice preço/lucro
Automatic Sprinkler (A-T-O, Inc.)	73⅜	51,0	10⅞	13,4
Litton Industries	120½	44,1	55	14,4
Teledyne, Inc.	71½*	55,8	28¼	14,2

* Ajustado para o desdobramento subsequente.

O ânimo arrefeceu drasticamente para os conglomerados em 19 de janeiro de 1968, quando o maior deles, Litton Industries, anunciou que o lucro no segundo trimestre daquele ano seria substancialmente menor do que o previsto. A empresa havia registrado aumentos anuais de 20% por quase uma década. O mercado passara a acreditar tão completamente na alquimia que o anúncio foi recebido com descrença e choque. Na onda de vendas que se seguiu, as ações do conglomerado caíram cerca de 40% antes que uma tênue recuperação começasse.

O pior estava por vir. Em julho, a Federal Trade Commission anunciou que faria uma investigação profunda do movimento de fusão dos conglomerados. De novo as ações despencaram. A SEC e os contadores enfim se mexeram e começaram as tentativas de esclarecer as técnicas de informações das fusões e aquisições. As ordens de venda afluíram. Logo depois, a SEC e o subprocurador-geral americano incumbido da lei antitruste indicaram uma forte preocupação com o ritmo acelerado do movimento das fusões.

Na sequência daquela fase especulativa, dois fatores perturbadores se revelaram. Primeiro, os conglomerados nem sempre conseguiam controlar seus vastos impérios. Na verdade, os investidores se desiludiram com a nova matemática dos conglomerados: 2 mais 2 com certeza não era igual a 5 e alguns investidores questionaram se chegaria a ser igual a 4. Segundo, o governo e os contadores expressaram preocupação com o ritmo das fusões e possíveis abusos. Essas duas preocupações reduziram – e em alguns casos eliminaram – os índices P/L extras que haviam sido pagos na expectativa de crescimento do lucro decorrente apenas do processo de aquisição. Esse resultado em si torna o jogo da alquimia quase impossível, pois a empresa adquirente precisa de um índice P/L superior ao da empresa adquirida para a trama chegar a funcionar.

Uma interessante nota de rodapé a esse episódio é que, durante as duas primeiras décadas do século XXI, a "desconglomeração" entrou na moda. O desdobramento de subsidiárias para formar empresas separadas via de regra foi recompensado com o aumento do preço das ações. As duas empresas distintas tinham geralmente um valor de mercado combinado maior do que o conglomerado original.

O desempenho chega ao mercado: A bolha das ações de conceito

Com os conglomerados se espatifando à sua volta, os gestores de fundos de investimento acharam outra palavra mágica: "desempenho". Obviamente, seria mais fácil vender um fundo mútuo com um portfólio cujas ações se valorizassem mais rápido do que aquelas dos seus concorrentes.

E alguns fundos se valorizaram – ao menos por curtos períodos. O badalado Enterprise Fund, de Fred Carr, acumulou um retorno total de 117% (incluindo dividendos e ganhos de capital) em 1967, seguido de um retorno de 44% em 1968. As cifras do Índice das 500 Ações da Standard & Poor's correspondentes foram, respectivamente, de 25% e 11%. Esse desempenho trouxe grandes quantidades de dinheiro novo para o fundo. O público achou bacana apostar no jóquei em vez de no cavalo.

Como esses jóqueis conseguiam aquilo? Eles concentravam o portfólio em ações dinâmicas, com uma boa história para contar, e ao primeiro sinal de uma história ainda melhor, trocavam rapidamente. Por algum tempo, a estratégia funcionou bem e levou a muitos imitadores. Os seguidores logo receberam o apelido de "fundos *go-go*", e os gestores dos fundos costumavam ser chamados de "pistoleiros juvenis". Os dólares de investimentos do público afluíam para os fundos de desempenho mais arriscados.

Desse modo, o investimento no desempenho tomou conta de Wall Street no fim da década de 1960. Como o desempenho de curto prazo era especialmente importante (os serviços de investimentos passaram a publicar informes mensais do desempenho dos fundos mútuos), o melhor era comprar ações com um conceito empolgante e uma história irresistível e verossímil que o mercado reconhecesse agora – não no futuro remoto. Daí o nascimento das chamadas ações de conceito.

Mas, mesmo que a história não fosse totalmente verossímil, bastava que o administrador dos investimentos estivesse convencido de que a opinião média acharia que a opinião média acreditaria. O escritor Martin Mayer citou um gestor de fundo dizendo: "Como ouvimos histórias logo que surgem, podemos imaginar que pessoas suficientes vão ouvi-las nos próximos dias para dar à ação um impulso, ainda que as histórias não se comprovem." Muitos integrantes de Wall Street viam essa estratégia de investimento como radicalmente nova, mas John Maynard Keynes já a havia reconhecido em 1936.

Entra em cena Cortes W. Randell. Seu conceito foi uma empresa jovem para o mercado jovem. Ele se tornou o fundador, presidente e maior acionista da National Student Marketing (NSM). Primeiro vendeu uma imagem de afluência e sucesso. Possuía um avião Learjet branco pessoal chamado Snoopy, um apartamento nas Waldorf Towers de Nova York, um castelo com uma falsa masmorra na Virgínia e um iate com capacidade para doze pessoas dormirem. Somava-se à sua imagem um conjunto caro de tacos de golfe apoiados na porta de seu escritório. Aparentemente, o único momento em que os tacos eram usados era de noite, quando a equipe de faxina do escritório removia chumaços de papel do tapete. Randell passava a maior parte de seu tempo visitando gestores de fundos institucionais ou ligando para eles do telefone no seu jatinho e vendeu o conceito da NSM na tradição de um promotor da Bolha dos Mares do Sul. Sua verdadeira ocupação era o proselitismo. O conceito que Wall Street comprou de Randell foi que uma empresa individual poderia se especializar em atender às necessidades dos jovens. A NSM obteve seu crescimento inicial via fusões, como os conglomerados comuns da década de 1960. A diferença foi que cada empresa componente tinha alguma relação com o mercado dos jovens em idade universitária, de pôsteres e discos a moletons e catálogos de empregos de verão. O que poderia ser mais atraente para um pistoleiro juvenil que uma ação de conceito voltada aos jovens – uma empresa de serviços completa para explorar a subcultura dessa faixa etária?

A tabela a seguir mostra que investidores institucionais estão ao menos tão dispostos quanto o público em geral a erguer castelos no ar.

Título	Preço máximo 1968-69	Índice preço/lucro na alta	Número de investidores institucionais no fim de 1969	Preço mínimo 1970	Declínio percentual
National Student Marketing	35¼*	117	31	⅞	98
Performance Systems	23	∞	13	⅛	99

* Ajustado para desdobramentos de ações subsequentes.

Meu exemplo favorito envolvia a Minnie Pearl, uma franquia de fast-food extremamente maleável. Para agradar à comunidade financeira, os frangos da Minnie Pearl tornaram-se Performance Systems. Afinal, que nome melhor poderia ser escolhido para investidores voltados ao desempenho? Em Wall Street, uma rosa com qualquer outro nome não tem um perfume tão doce. O ∞ mostrado na tabela sob "índice preço/lucro" indica que o índice era infinito. A Performance Systems não tinha lucro pelo qual dividir o preço da ação. Como indica a tabela, ambas as empresas se deram mal – bem mal.

Por que o mau desempenho das ações? Uma resposta é que seus índices preço/lucro foram inflados além do razoável. Se um índice de 100 cai para um índice mais normal de 20, você perdeu 80% do seu investimento. Além disso, a maioria das empresas de conceito se deparou com graves dificuldades operacionais. Os motivos foram variados: expansão rápida demais, dívida excessiva, perda de controle gerencial e assim por diante. Essas empresas eram geridas por executivos que eram basicamente promotores, não gestores operacionais. Práticas fraudulentas também eram comuns. Cortes Randell, da NSM, admitiu sua culpa por fraude contábil e cumpriu pena na prisão.

AS NIFTY FIFTY

Na década de 1970, os profissionais de Wall Street prometeram retornar aos "princípios sólidos". As ações de conceito saíram de campo e entraram as empresas *blue chip*. Elas nunca desmoronariam como as favoritas especulativas dos anos 1960. Nada podia ser mais prudente do que comprar suas ações e depois relaxar no campo de golfe.

Havia apenas umas cinquenta daquelas ações de maior crescimento. Seus nomes eram familiares – IBM, Xerox, Avon Products, Kodak, McDonald's, Polaroid e Disney – e eram chamadas de Nifty Fifty (Cinquenta Bacanas). Eram ações de "alta capitalização", o que significava que uma instituição podia comprar uma posição volumosa sem perturbar o mercado. E como a maioria dos profissionais percebeu que escolher o momento exato para comprar é difícil, se não impossível, aquelas ações pareciam fazer muito sentido. Então, e se você pagasse um preço que fosse temporariamente alto demais? Aquelas ações subiam comprovadamente e mais cedo ou mais tarde o preço se justificaria. Além disso, eram ações que – como as heranças de família – você nunca venderia. Daí também serem chamadas de ações de "uma só decisão". Você tomava uma decisão de comprá-las uma só vez e seus problemas de gestão de portfólio terminavam.

Essas ações forneciam coberturas de segurança para investidores institucionais de outra maneira também. Elas eram respeitáveis. Seus colegas não podiam questionar sua prudência ao investir na IBM. É verdade que você poderia perder dinheiro se a IBM caísse, mas aquilo não era considerado um sinal de imprudência. Como galgos à caça de um coelho mecânico, os grandes fundos de pensão, as seguradoras e os fundos fiduciários de bancos carregavam nas ações de crescimento Nifty Fifty de uma só decisão. Embora difícil de acreditar, as instituições começaram a especular com as *blue chips*. A tabela a seguir conta a história. Os gestores institucionais ignoraram o fato de que nenhuma empresa de porte poderia crescer com a rapidez suficiente para justificar um índice P/L de 80 ou 90. Mais uma vez, provaram a máxima de que a estupidez bem embalada pode parecer sabedoria.

O FIM DAS NIFTY FIFTY

Título	Índice preço/lucro em 1972	Índice preço/lucro em 1980
Sony	92	17
Polaroid	90	16
McDonald's	83	9
Int. Flavors	81	12
Walt Disney	76	11
Hewlett-Packard	65	18

A febre das Nifty Fifty terminou como todas as outras febres especulativas. Os mesmos administradores de investimentos que haviam idolatrado as Nifty Fifty concluíram que as ações estavam supervalorizadas e tomaram uma decisão: vendê-las. No colapso subsequente, as ações de maior crescimento caíram em desgraça.

OS LOUCOS ANOS 1980

O retorno das novas emissões

O surto de novas emissões de alta tecnologia da primeira metade de 1983 foi uma réplica quase perfeita dos episódios dos anos 1960, com uma mudança ligeira dos nomes para incluir as novas áreas da biotecnologia e da microeletrônica. A febre de 1983 fez com que os promotores dos anos 1960 parecessem prudentes. O valor total das novas emissões durante 1983 foi maior que o total acumulado de novas emissões em toda a década precedente.

Vejamos, por exemplo, uma empresa que "planejou" produzir em massa robôs pessoais, chamados Androbots, e uma rede de três restaurantes em Nova Jersey chamada Stuff Your Face, Inc. (Encha Sua Cara). Na verdade, o entusiasmo estendeu-se a questões de "qualidade" como a Fine Art Acquisitions Ltd. (Aquisições de Belas-Artes). Não foi uma empresa mentirosa vendendo roupas com descontos ou produzindo hardware de computador. Tratou-se realmente de uma empresa estética. A Fine Art Acquisitions, segundo seu prospecto, dedicava-se a adquirir e distribuir gravuras finas e réplicas de esculturas art déco. Um dos principais ativos da empresa consistia em um grupo de fotografias nuas de Brooke Shields tiradas entre sua época no carrinho de bebê e o ingresso em Princeton. As fotos pertenciam originalmente a um homem chamado Garry Gross. Embora a Fine Arts não visse nada de errado nas fotos da pré-adolescente de 11 anos, sua mãe viu. O final, nesse caso, foi feliz para Brooke: as fotos foram devolvidas a Gross e nunca vendidas pela Fine Arts. O final não foi tão feliz assim para a Fine Arts ou a maioria das outras novas emissões anunciadas durante a febre. A empresa se transformou em Dyansen Corporation, com uma galeria na ostentosa Trump Tower, e acabou não conseguindo saldar suas dívidas em 1993.

Provavelmente foi a oferta da Muhammad Ali Arcades International que estourou a bolha. Ela não foi particularmente notável, considerando o resto do lixo surgido naquela época. Foi singular, porém, ao mostrar que 1 cent ainda podia comprar muita coisa. A empresa propôs-se a oferecer unidades de uma ação e dois direitos de compra pelo preço modesto de 1 cent. Claro que aquilo era 333 vezes o que os *insiders* haviam recentemente pagado por suas ações, o que tampouco era incomum, mas, quando se descobriu que o próprio campeão de boxe havia resistido à tentação de comprar quaisquer ações da empresa com seu nome, os investidores começaram a abrir o olho. A maioria não gostou do que viu. O resultado foi um declínio de 90% nas ações de pequenas empresas em geral e nos preços de mercado dos lançamentos de ações em particular.

A capa do prospecto da Muhammad Ali Arcades International mostrava uma foto do ex-campeão de pé sobre um oponente caído. Nos seus dias áureos, Ali costumava afirmar que conseguia "flutuar feito uma borboleta e ferroar como uma abelha". Acabou que a oferta da Ali Arcades (bem como a oferta do Androbot programada para julho de 1983) nunca se concretizou. Mas muitas outras se concretizaram, particularmente ações das empresas na vanguarda da tecnologia, e os investidores é que foram ferroados.

ZZZZ Best: A melhor de todas as bolhas

A saga da ZZZZ Best é uma história incrível que cativou os investidores. No mundo acelerado dos empreendedores que enriquecem antes de chegarem à idade de fazer a barba, Barry Minkow foi uma genuína lenda da década de 1980. Sua carreira começou aos 9 anos. Sua família não conseguia pagar uma babá, então ele com frequência ia trabalhar na loja de limpeza de tapetes gerida por sua mãe. Ali começou a oferecer serviços por telefone. Aos 10 anos, já estava limpando tapetes. Trabalhando à noite e nos verões, juntou 6 mil dólares nos quatro anos seguintes e, aos 15 anos, comprou um equipamento de limpeza a vapor e abriu a própria empresa de limpeza de tapetes na garagem da família. Chamou-a de ZZZZ Best. Ainda no ensino médio, e antes de ter idade para dirigir, Minkow contratou uma equipe para apanhar e limpar tapetes enquanto estava sentado na sala de aula preocupado com a folha de pagamento de cada semana. Com Minkow trabalhando longas horas, o negócio floresceu. Ele se orgulhava do fato de contratar seu pai e sua mãe para trabalharem na empresa. Aos 18 anos, Minkow era milionário.

O apetite insaciável do jovem pelo trabalho estendeu-se à autopromoção. Dirigia uma Ferrari vermelha e vivia numa casa luxuosa com uma grande piscina, com um imenso Z pintado no fundo. Escreveu um livro intitulado *Making It in America*, no qual afirmou que os adolescentes não se esforçavam o bastante. Apareceu no programa da Oprah como o gênio juvenil de Wall Street e gravou comerciais antidrogas com o slogan: "Eu estou de cara limpa, e você?" Àquela altura, a ZZZZ Best tinha 1.300 funcionários e filiais por toda a Califórnia, bem como no Arizona e em Nevada.

Um índice P/L maior que 100 seria demais para uma empresa trivial de limpeza de tapetes? Claro que não quando a empresa era gerida por um homem de negócios espetacularmente bem-sucedido que também sabia mostrar sua dureza. A frase favorita de Minkow para seus funcionários era: "Faça do meu jeito ou rua!" E ele certa vez se vangloriou de que poderia despedir a própria mãe se ela saísse da linha. Quando Minkow contou a Wall Street que sua empresa era mais bem gerida do que a IBM e estava destinada a se tornar "a General Motors da limpeza de tapetes", os investidores ouviram extasiados. Como um analista financeiro me contou: "Esse aí não pode errar."

Em 1987, a bolha de Minkow estourou com uma rapidez chocante. Descobriu-se que a ZZZZ Best estava limpando mais do que tapetes – estava também lavando dinheiro para a máfia. A empresa foi acusada de agir como uma fachada para figuras do crime organizado, que compravam equipamentos para a empresa com dinheiro sujo e substituíam seu investimento por dinheiro limpo desviado da receita do negócio legítimo de limpeza de tapetes da ZZZZ Best. O crescimento espetacular da empresa foi produzido por contratos fictícios, lançamentos de cartão de crédito falsos e assemelhados. A operação era um gigantesco esquema Ponzi* cujo dinheiro era reciclado de um conjunto de investidores para reembolsar outro. Minkow também foi acusado de desviar milhões do caixa da empresa para seu uso pessoal. Minkow e todos os investidores da ZZZZ Best estavam em grandes apuros.

---

* Similar ao esquema de pirâmide, é uma operação fraudulenta que promete altos retornos com o recrutamento de outros investidores. *(N. do E.)*

O próximo capítulo da história (após o pedido de concordata) ocorreu em 1989, quando Minkow, então com 23 anos, foi condenado por 57 alegações de fraude, sentenciado a 25 anos de prisão e obrigado a devolver 26 milhões de dólares que foi acusado de ter roubado da empresa. O juiz distrital federal, ao rejeitar os pedidos de clemência, disse a Minkow: "Você é perigoso por ter esse dom de tagarelar, essa habilidade de comunicação." E acrescentou: "Você não tem consciência."

Mas a história não termina aqui. Minkow passou 54 meses na Prisão Federal de Lompoc, onde se converteu à religião evangélica e obteve os diplomas de bacharelado e mestrado nos cursos por correspondência da Liberty University, fundada por Jerry Falwell. Após sua soltura, em dezembro de 1994, tornou-se pastor da comunidade Bible Church na Califórnia, onde deixava sua congregação arrebatada com seu estilo. Escreveu vários livros, incluindo *Cleaning Up and Down, But Not Out*. Foi também contratado como consultor especial do FBI em detecção de fraudes. Em 2006, o promotor público de Minkow, James Asperger, escreveu: "Barry deu uma incrível reviravolta, tanto na vida pessoal como em descobrir mais fraudes do que chegou a perpetrar." Em 2010, o filme *Minkow* foi produzido. Foi anunciado como "uma lenda poderosa de redenção e inspiração". Infelizmente, a história do filme era pura ficção e seu lançamento foi cancelado. Em 2011 Minkow foi condenado a cinco anos de prisão por envolvimento em uma fraude de títulos mobiliários. Em 2014 admitiu a culpa por se apropriar de 3 milhões de dólares da comunidade Bible Church de San Diego, onde havia sido pastor. Ele nunca se emendou. Mas o filme foi enfim lançado em março de 2018, embora com um título diferente: *Con Man* (Vigarista).

O QUE TUDO ISSO SIGNIFICA?

As lições da história do mercado são claras. Estilos e modas nas avaliações dos títulos mobiliários pelos investidores podem desempenhar, e muitas vezes desempenham, um papel fundamental no preço dos títulos. O mercado de ações às vezes se adapta bem à teoria do castelo no ar. Por esse motivo, o jogo do investimento pode ser extremamente perigoso.

Outra lição que clama por atenção é que os investidores deveriam ter muito cuidado antes de comprar a "nova emissão" quente do momento. A maioria dos lançamentos de ações fica aquém do mercado de ações como um todo. E, se você compra a nova emissão depois que começa a ser negociada, geralmente a um preço mais alto, sua certeza de perder aumenta. Certamente investidores do passado construíram muitos castelos no ar com os lançamentos de ações. Lembre-se de que os maiores vendedores de ações nesses lançamentos são os gestores das próprias empresas. Eles tentam fazer suas vendas coincidirem com o pico de prosperidade de suas empresas ou com o auge do entusiasmo dos investidores. Nesses casos, o impulso para aderir à onda – mesmo em setores de alto crescimento – produziu uma prosperidade sem lucro para os investidores.

O iene por terras e ações

Até agora abordamos apenas as bolhas especulativas americanas. É importante observar que os Estados Unidos não estão sozinhos. Na verdade, uma das maiores ascensões e quedas do fim do século XX envolveu os mercados de imóveis e ações japoneses. De 1955 a 1990, o valor dos imóveis japoneses aumentou mais de 75 vezes. Em 1990, o valor total de todos os imóveis japoneses estava estimado em cerca de 20 trilhões de dólares – equivalente a mais de 20% de toda a riqueza do mundo e cerca do dobro do valor total dos mercados de ações do mundo. Os Estados Unidos são vinte vezes maiores do que o Japão em termos de área física, mas os imóveis no Japão em 1990 estavam avaliados em cinco vezes mais que os americanos. Teoricamente, os japoneses poderiam ter comprado todos os imóveis nos Estados Unidos vendendo a Grande Tóquio. Só a venda do Palácio Imperial e de seus terrenos, por seu valor estimado, teria arrecadado dinheiro suficiente para comprar toda a Califórnia.

O mercado de ações reagiu subindo como um balão de hélio em dia sem vento. Os preços das ações aumentaram 100 vezes de 1955 a 1990. No seu pico, em dezembro de 1989, as ações japonesas tinham um valor de mercado total de aproximadamente 4 trilhões de dólares, quase 1,5 vez o valor de todas as ações americanas e perto de 45% da capitalização dos mercados de ações do mundo. Os investidores de base firme ficavam abismados com o fato de as ações japonesas serem vendidas a um índice P/L superior a 60, quase cinco vezes o valor contábil e mais de 200 vezes o valor dos dividendos. Em contraste, as ações americanas eram vendidas a um índice P/L de mais ou menos 15, e as de Londres a um índice de 12. O valor da NTT Corporation, a gigante japonesa da telefonia, excedia o da IBM, da Exxon, da General Electric e da General Motors juntas.

Os apoiadores do mercado de ações tinham respostas para todas as objeções lógicas que pudessem ser levantadas. Os índices P/L estavam na estratosfera? "Não", diziam os vendedores de Kabuto-cho (a Wall Street japonesa). "Os lucros japoneses são subestimados em relação aos americanos porque as despesas de depreciação são exageradas e os lucros não incluem aqueles de empresas parcialmente afiliadas. Os índices preço/lucro ajustados para esses efeitos seriam bem menores. Os rendimentos, abaixo de 0,5%, estavam excessivamente baixos? A resposta era que aquilo simplesmente refletia as baixas taxas de juros na época no Japão. Era perigoso os preços das ações serem cinco vezes o valor do ativo? De jeito nenhum. Os valores contábeis não refletiam a incrível valorização dos terrenos possuídos pelas empresas japonesas. E o alto valor dos terrenos japoneses era "explicado" pela densidade da população japonesa e pelas várias regulamentações e leis fiscais restringindo o uso de terras habitáveis.

Na verdade, nenhuma das "explicações" se sustentava. Mesmo quando os lucros eram ajustados, os índices P/L continuavam bem maiores do que em outros países e extraordinariamente inflados em relação ao próprio histórico do Japão. Além disso, a rentabilidade japonesa vinha declinando e o iene forte estava fadado a dificultar as exportações. Embora terrenos fossem escassos no Japão, seus fabricantes, como suas montadoras de carros, estavam achando terrenos abundantes para novas fábricas a preços atrativos em países estrangeiros. E a renda dos aluguéis vinha subindo mais devagar do que os valores dos terrenos, indicando uma queda da taxa de retorno dos imóveis. Finalmente, as taxas de juros baixas que vinham sustentando o mercado já tinham começado a subir em 1989.

Para decepção daqueles especuladores que haviam concluído que a lei fundamental da gravidade financeira não se aplicavam no Japão, Isaac Newton chegou ali em 1990. O interessante foi que o próprio governo deixou cair a maçã. O Banco do Japão (banco central japonês) viu o espectro assustador de uma inflação geral pairando em meio ao frenesi dos empréstimos e da abundância de liquidez respaldando o aumento dos preços de terrenos e ações. E assim o banco restringiu o crédito e engendrou um aumento das taxas de juros. A esperança era que mais aumentos dos preços dos imóveis fossem sufocados e que o mercado de ações caísse um pouco.

O mercado de ações não caiu um pouco. Em vez disso, desabou. A queda foi quase tão extrema quanto a do mercado de ações americano do fim de 1929 a meados de 1932. O índice Nikkei do mercado de ações japonês atingiu um pico de quase 40.000 pontos no último dia de negociação da década de 1980. Em meados de agosto de 1992, o índice estava em 14.309, uma queda de cerca de 63%. O gráfico a seguir mostra claramente que o aumento dos preços das ações de meados ao fim da década de 1980 representou uma mudança nas relações de avaliação. A queda dos preços das ações a partir de 1990 simplesmente refletiu o retorno às relações preço/valor contábil típicas do início da década de 1980. O mercado de ações japonês permaneceu deprimido nas décadas seguintes. Em março de 2018, o índice Nikkei chegava a 21.000.

A BOLHA DO MERCADO DE AÇÕES JAPONÊS:
PREÇOS DAS AÇÕES JAPONESAS EM RELAÇÃO AOS VALORES
CONTÁBEIS, 1980-2000

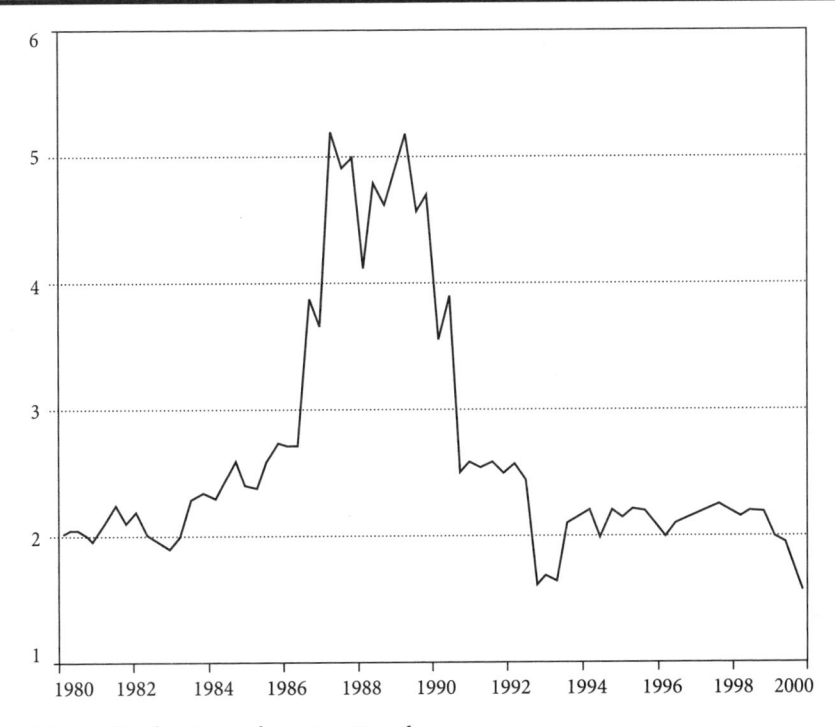

Fonte: Morgan Stanley Research e estimativas do autor.

O ar também escapou do balão imobiliário durante o início da década de 1990. Diversas medições de preços de terrenos e valores de imóveis indicam um declínio quase tão forte quanto no mercado de ações. A lei da gravidade financeira desconhece as fronteiras geográficas.

4

AS BOLHAS EXPLOSIVAS DO INÍCIO DA DÉCADA DE 2000

Se és capaz de manter tua calma quando
todo mundo ao redor já a perdeu [...]
tua é a Terra com tudo que existe nela.

– RUDYARD KIPLING, poema "Se"

POR MAIS DEVASTADORAS QUE FOSSEM, as bolhas das últimas décadas do século XX não se comparam às da primeira década do século XXI. Quando a bolha da internet estourou no início da década de 2000, mais de 8 trilhões de dólares em valor de mercado evaporaram. Foi como se a produção anual das economias de Alemanha, França, Inglaterra, Itália, Espanha, Países Baixos e Rússia tivesse desaparecido por completo. A economia mundial inteira quase desmoronou quando a bolha imobiliária americana estourou, seguida de uma recessão mundial prolongada. No fim da década de 2010 experimentamos uma enorme bolha nos preços do Bitcoin. Comparar qualquer dessas bolhas com a febre dos bulbos de tulipa é sem dúvida injusto com as flores.

A BOLHA DA INTERNET

A maioria das bolhas tem sido associada a alguma tecnologia nova (como no *tronics boom*) ou com alguma nova oportunidade de negócio (como quando novas perspectivas de comércio lucrativo geraram a Bolha dos Mares do Sul). A internet estava associada a ambas as coisas: representou uma tecnologia nova e ofereceu novas oportunidades de negócios que prometiam revolucionar a maneira como obtemos informações e adquirimos produtos e serviços. A promessa da internet gerou a maior criação e destruição de riqueza de todos os tempos no mercado de ações.

Em seu livro *Exuberância irracional*, Robert Shiller descreve as bolhas em termos de "ciclos de feedback positivo". Uma bolha começa quando qualquer grupo de ações, nesse caso aquelas associadas à empolgação da internet, começa a subir. A corrente ascendente encoraja mais pessoas a comprar as ações, causando mais cobertura da TV e da imprensa, fazendo com que ainda mais pessoas comprem, criando grandes lucros para os acionistas iniciais da internet. Os investidores bem-sucedidos contam como é fácil enriquecer, fazendo com que as ações subam ainda mais, atraindo grupos cada vez maiores de investidores. Mas o mecanismo todo é um tipo de esquema Ponzi em que cada vez mais investidores crédulos precisam ser achados para comprar as ações dos investidores anteriores. No final, o estoque de tolos acaba.

Mesmo empresas altamente respeitadas de Wall Street aderiram à onda. A venerável empresa de investimentos Goldman Sachs sustentou, em meados da década de 2000, que o dinheiro torrado pelas empresas pontocom era basicamente uma questão de "sentimento do investidor", e não um "risco de longo prazo" para o setor, ou "espaço", como costumava ser chamado. Alguns

**ÍNDICE DE AÇÕES NASDAQ COMPOSTO
JULHO DE 1999 A JULHO DE 2002**

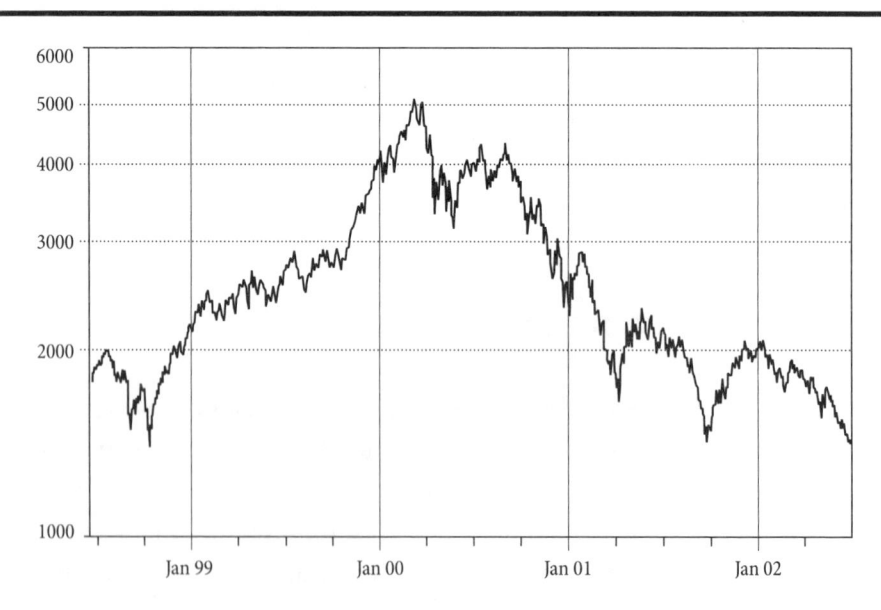

meses depois, centenas de empresas da internet faliram, provando que o relatório da Goldman estava inadvertidamente correto. A queima de dinheiro não era um risco de longo prazo – era um risco de curto prazo.

Até aquele momento, qualquer um que zombasse do potencial da "Nova Economia" era um ludita incorrigível. Como indica o gráfico da página 66, o Índice NASDAQ, que essencialmente representa empresas da Nova Economia de alta tecnologia, mais do que triplicou do fim de 1998 até março de 2000. Os índices preço/lucro das ações do NASDAQ que tiveram lucro dispararam para mais de 100.

Uma bolha de alta tecnologia em ampla escala

Pesquisas de investidores no início da década de 2000 revelaram que as expectativas de retornos futuros das ações oscilavam de 15% ao ano a 25% ou mais. Para empresas como Cisco e JDS Uniphase, que todos sabiam estarem produzindo a "espinha dorsal da internet", retornos de 15% ao ano eram considerados uma previsão segura. Mas as ações da Cisco eram vendidas a um índice P/L de três dígitos e sua capitalização de mercado se aproximava de 600 bilhões de dólares. Se o lucro da Cisco crescesse 15% ao ano, suas ações ainda estariam sendo vendidas bem acima do índice médio dez anos depois. E se a Cisco desse um retorno anual de 15% pelos 25 anos seguintes e a economia nacional continuasse crescendo 5% naquele mesmo período, a Cisco estaria maior do que a economia inteira. Havia um descompasso completo entre as avaliações do mercado de ações e quaisquer expectativas razoáveis de crescimento futuro. E mesmo a *blue chip* Cisco perdeu mais de 90% de seu valor de mercado quando a bolha estourou. Quanto à JDS Uniphase, o gráfico seguinte compara seus preços com o Índice NASDAQ. Na comparação, a bolha do índice geral mal se percebe.

No jogo dos nomes durante o *boom* da eletrônica, todo tipo de empresa acrescentou o sufixo *"tronics"* para aumentar sua atratividade. O mesmo aconteceu durante a febre da internet. Dezenas de empresas, mesmo aquelas que pouco ou nada tinham a ver com a rede, mudaram seus nomes para incluir designações baseadas nela, como ".com", ".net" ou "internet". As empresas que mudavam seus nomes desfrutavam de um aumento de preço, durante o período dos dez dias seguintes, 125% maior do que o das empresas

COMPARAÇÃO DAS AÇÕES DA JDS UNIPHASE COM O ÍNDICE NASDAQ COMPOSTO, JULHO DE 1997 A JULHO DE 2002

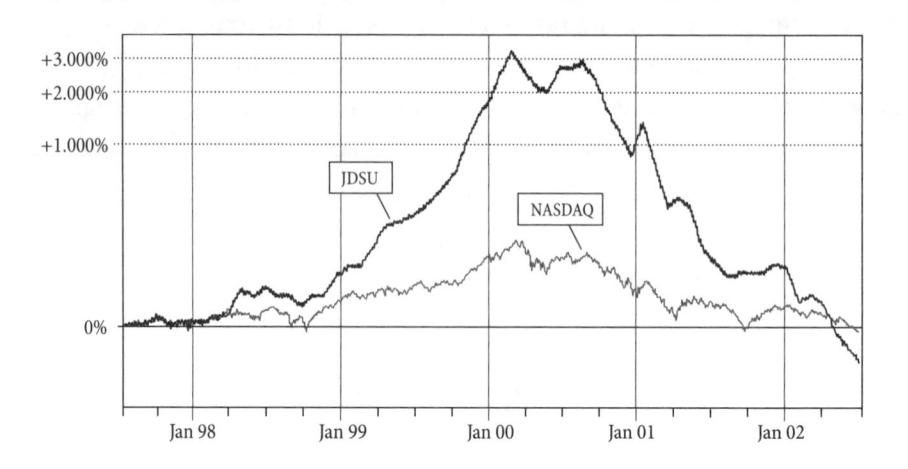

semelhantes, ainda que sua atividade básica não tivesse nenhuma ligação com a internet. Na queda subsequente do mercado, as ações dessas empresas perderam o valor. Como mostra a tabela abaixo, os investidores sofreram prejuízos violentos mesmo com as empresas líderes da internet.

COMO ATÉ AS AÇÕES LÍDERES DA NOVA ECONOMIA ARRUINARAM OS INVESTIDORES

Ação	Máximo 2000	Mínimo 2001-2002	Porcentagem da baixa
Amazon.com	75,25	5,51	92,7
Cisco Systems	82,00	11,04	86,5
Corning	113,33	2,80	99,0
JDS Uniphase	297,34	2,24	99,5
Lucent Technologies	74,93	1,36	98,3
Nortel Networks	143,62	0,76	99,7
Priceline.com	165,00	1,80	99,4
Yahoo.com	238,00	8,02	96,4

A PalmPilot, fabricante dos Assistentes Digitais Pessoais (PDAs), é um exemplo da insanidade que foi bem além da exuberância irracional. A Palm era propriedade de uma empresa chamada 3Com, que resolveu torná-la independente, vendendo-a aos seus acionistas. Como os PDAs eram apregoados como essenciais à revolução digital, supunha-se que a PalmPilot seria uma ação particularmente empolgante.

No início de 2000, a 3Com vendeu 5% de suas ações da Palm numa oferta pública inicial e anunciou sua intenção de vender todas as ações restantes aos seus acionistas. A Palm subiu tão rápido que sua capitalização de mercado tornou-se o dobro daquela da 3Com. O valor de mercado dos 95% da Palm nas mãos da 3Com era quase 25 bilhões de dólares maior que a capitalização de mercado total da própria 3Com. Era como se todos os demais ativos da 3Com valessem 25 bilhões negativos. Se você quisesse comprar a PalmPilot, poderia ter comprado a 3Com e ser dono do resto do negócio dessa empresa por 61 dólares negativos a ação! Em sua busca absurda por riquezas, o mercado criava anomalias bizarras.

Mais outra febre de novas emissões

No primeiro trimestre de 2000, 916 empresas de capital de risco investiram 15,7 bilhões de dólares em 1.009 startups da internet. Era como se o mercado de ações estivesse tomando esteroides. Como aconteceu durante a Bolha dos Mares do Sul, muitas empresas que receberam financiamento eram absurdas. Quase todas acabaram sendo catástrofes do pontocom. Vejamos estes exemplos de startups da internet:

- A Digiscents ofereceu um periférico de computador que faria com que sites e games tivessem cheiro. A empresa gastou milhões tentando desenvolver tal produto.
- A Flooz ofereceu uma moeda alternativa – Flooz – que poderia ser enviada por e-mail para amigos e familiares. Para pôr a empresa em movimento, a Flooz.com recorreu a uma velha máxima da escola de negócios de que "qualquer idiota consegue vender uma nota de 1 dólar por 80 cents". A Flooz.com lançou uma oferta especial para detentores de cartões platinum da American Express permitindo que comprassem mil dólares da moeda Flooz por apenas 800 dólares. Pouco depois de declarar falência, a própria Flooz foi vítima de seu esquema quando

quadrilhas filipinas e russas compraram 300 mil dólares de sua moeda usando números de cartões de crédito roubados.
- Vejamos a Pets.com. A empresa tinha uma mascote marionete que aparecia nos comerciais de TV e que participou da parada do Dia de Ação de Graças da Macy's. A popularidade de sua mascote não compensou o fato de que é difícil lucrar expedindo individualmente embalagens de ração de 11 quilos de baixa margem.

O simples nome de alguns dos empreendimentos da internet desafia a credibilidade: Bunions.com, Crayfish, Zap.com, Gadzooks, Fogdog, FatBrain, Jungle.com, Scoot.com e mylackey.com. Não eram modelos de negócios. Eram modelos de fracassos.

TheGlobe.com

Minha lembrança mais viva do *boom* dos lançamentos de ações remonta a um início de manhã em novembro de 1998, quando eu estava sendo entrevistado em um programa de TV. Enquanto esperava, de terno e gravata, nos bastidores, pensei em quão deslocado eu estava ao lado de dois jovens trajando jeans que pareciam adolescentes. Mal percebi que eram os primeiros superastros do *boom* da internet e as atrações especiais do programa. Stephan Paternot e Todd Krizelman haviam formado a TheGlobe.com no alojamento de Todd na Universidade Cornell. A empresa era um sistema de fórum de discussão on-line que esperava gerar grandes receitas vendendo propagandas em banners. Em épocas anteriores, eram necessários receitas e lucros para ir ao mercado com uma oferta inicial de ações. A TheGlobe.com não tinha nada daquilo. Mesmo assim, seus banqueiros, Credit Suisse e First Boston, levaram-na ao mercado ao preço de 9 dólares a ação. O preço logo disparou para 97 dólares, na época o maior ganho da história no primeiro dia, dando à empresa um valor de mercado de quase 1 bilhão e tornando os dois fundadores multimilionários. Naquele dia aprendemos que os investidores jogariam dinheiro em empresas que, apenas cinco anos antes, não teriam passado pelo crivo normal de uma auditoria.

O lançamento das ações da TheGlobe.com foi o catalisador que abriu a fase patológica da bolha da internet. A relação entre lucros e preço da ação havia sido rompida. Quanto a Paternot, uma câmera da CNN flagrou-o em 1999 numa casa noturna de Nova York dançando sobre uma mesa, com uma calça preta de plástico reluzente, ostentando sua namorada modelo como troféu. No vídeo ouvia-se Paternot dizer: "Consegui a garota, consegui o dinheiro. Agora estou pronto para viver uma vida frívola deplorável." Paternot e Krizelman ficaram conhecidos como os "meninos que representavam perfeitamente os excessos da internet". A TheGlobe.com fechou seu site em 2001. Paternot pode não estar mais vivendo uma vida "deplorável", mas em 2010 foi o produtor executivo do filme independente *Down and Dirty Pictures*.

Enquanto a festa ainda estava bombando no início de 2000, John Doerr, um importante capitalista de risco na proeminente empresa de Kleiner Perkins, chamou a ascensão das ações ligadas à internet de "a maior criação legal de riqueza da história do planeta". Em 2002, esqueceu de escrever que também foi a maior destruição legal de riqueza do planeta.

Analistas de valores mobiliários se manifestam

Os analistas de valores mobiliários badalados de Wall Street forneceram grande parte do ar quente para a bolha da internet flutuar. Mary Meeker, da Morgan Stanley, Henry Blodgett, da Merrill Lynch, e Jack Grubman, da Salomon Smith Barney, tornaram-se nomes famosos e receberam status de superastros. Meeker foi apelidada pela *Barron's* de "Rainha da Internet". Blodgett era conhecido como "Rei Henrique", enquanto Grubman adquiriu a alcunha de "Guru das Telecom". Como heróis dos esportes, cada um vinha ganhando um salário multimilionário. Suas receitas, porém, não se baseavam na qualidade de suas análises, mas na capacidade de direcionar os negócios lucrativos dos bancos de investimento para suas empresas, prometendo implicitamente que sua cobertura de pesquisa favorável daria apoio constante aos lançamentos de ações no pós-mercado.

Tradicionalmente, uma "Muralha da China" separava a área de pesquisa das empresas de Wall Street, supostamente agindo em benefício dos investidores, da área bem rentável de banco de investimento, que funciona em benefício dos clientes corporativos. Mas, durante a bolha, aquela muralha mais se assemelhou a um queijo suíço.

Os analistas eram os torcedores públicos do *boom*. Blodgett disse claramente que os indicadores de avaliação tradicionais não eram aplicáveis "no estágio de big bang de um setor". Meeker sugeriu, num perfil adulador na *The New Yorker* em 1999, que "aquela era uma época para ser racionalmente arrojado". Seus comentários públicos sobre ações individuais faziam os preços dispararem. As seleções de ações eram descritas em termos de lances poderosos do beisebol: uma ação com expectativa de quadruplicar era uma "Four Bagger" (sinônimo de *home run*). Ações mais empolgantes poderiam ser "Ten Baggers".

Analistas de valores mobiliários sempre acham razões para prever altas. Tradicionalmente, dez ações eram classificadas como "compráveis" para cada uma classificada como "vendável". Mas, durante a bolha, a relação foi de quase cem para uma. Quando a bolha estourou, os analistas celebridades sofreram ameaças de morte e processos, e suas empresas foram investigadas e multadas pela SEC. Blodgett foi renomeado o "príncipe palhaço" da bolha da internet pelo *New York Post*. Grubman foi ridicularizado diante de um comitê do Congresso por elogiar constantemente as ações da WorldCom e investigado por mudar suas avaliações de ações para ajudar a obter dinheiro dos bancos de investimento. Tanto Blodgett como Grubman deixaram suas empresas. A revista *Fortune* sintetizou a situação com uma foto de Mary Meeker na capa e a legenda "Poderemos voltar a confiar em Wall Street?".

Novos indicadores de avaliação

A fim de justificar preços cada vez maiores para empresas ligadas à internet, os analistas de valores mobiliários começaram a usar uma variedade de "indicadores novos" para avaliar as ações. Afinal, as ações da Nova Economia eram uma estirpe à parte – com certeza não deviam ser avaliadas por padrões antiquados e pedantes como os índices preço/lucro que haviam sido usados para avaliar empresas da velha economia tradicional.

De algum modo, no admirável mundo novo da internet, vendas, receitas e lucros eram irrelevantes. A fim de avaliar as empresas da internet, os analistas prefeririam olhar para os "acessos" – o número de pessoas que visitavam uma página da web. Particularmente importantes eram os números de "compradores engajados" – aqueles que passavam três minutos num site. Mary Meeker ficou entusiasmada com a Drugstore.com porque 48% dos visitantes do site eram "compradores engajados". Ninguém se importava se o comprador engajado gastava algum dinheiro. Vendas eram tão antiquadas. A ação da Drugstore.com atingiu 67,50 dólares durante a alta da bolha de 2000. Um ano depois, quando os visitantes do site começaram a olhar para os lucros, era uma ação de "1 cent".

Mind share (posicionamento da marca) era outro indicador não financeiro popular que me convenceu de que os investidores haviam perdido sua cabeça coletiva. Por exemplo, a empresa imobiliária Homestore.com foi altamente recomendada em outubro de 2000 pela Morgan Stanley porque 72% do tempo gasto por usuários da internet em sites imobiliários eram em imóveis listados pela Homestore.com. Mas *mind share* não levava os usuários da internet a decidir comprar os imóveis listados e não impediu as ações da Homestore.com de caírem 99% em relação ao seu pico durante 2001.

Indicadores especiais foram criados para empresas de telecomunicações. Os analistas de valores mobiliários penetraram em túneis para contar os quilômetros de cabos de fibra óptica no solo, em vez de examinarem a fração minúscula realmente ocupada com o tráfego de dados. Cada empresa de telecomunicações endividou-se descontroladamente, instalando-se fibra óptica suficiente para circundar a Terra 1.500 vezes. Como um sinal dos tempos, a provedora de telecomunicações e serviços de Internet PSI Net (agora falida) deu seu nome ao campo de futebol americano do Baltimore Ravens. Conforme os preços das ações de telecomunicações continuavam disparando bem além de quaisquer padrões de avaliação normais, os analistas de valores mobiliários fizeram o que costumam fazer: reduziram seus padrões.

A facilidade com que as empresas de telecomunicações conseguiam arrecadar dinheiro de Wall Street levou a uma oferta excessiva – excesso de cabos de fibra óptica de longa distância, excesso de computadores e excesso de empresas de telecomunicações. Em 2002, a poderosa WorldCom declarou falência. E as empresas de equipamentos de grande porte, como Lucent e Nortel, que se envolveram em esquemas de financiamento arriscados com fornecedores, sofreram fortes prejuízos. A maior parte dos trilhões de dólares direcionados para investimentos em empresas de telecomunicações durante a bolha evaporou. Uma das piadas que circularam na internet em 2001 foi a seguinte:

> Dica da semana:
> Se você comprou mil dólares em ações da Nortel um ano atrás, agora valeriam 49.
> Se você comprou mil dólares de Budweiser (a cerveja, não a ação) um ano atrás, bebeu toda a cerveja e vendeu as latinhas para o depósito de alumínio, agora teria 79.
> Meu conselho para você... comece a beber pesado.

No outono de 2002, os mil dólares investidos em ações da Nortel valiam somente 3 dólares.

Os escritos da mídia

A bolha foi ajudada e apoiada pela mídia, que transformou os Estados Unidos em uma nação de investidores. Como o mercado de ações, o jornalismo está sujeito à lei da oferta e procura. Já que os investidores queriam mais informações sobre oportunidades de investimentos na internet, o suprimento de revistas aumentou para preencher a necessidade. E, como os leitores não estavam interessados em análises céticas e pessimistas, preferiram as publicações que prometiam um caminho fácil para a riqueza. Revistas de investimentos publicavam matérias como "Ações da internet tendem a dobrar nos próximos meses". Como observou a jornalista Jane Bryant Quinn, era a "pornografia dos investimentos" – "implícita em vez de explícita, mas pornografia ainda assim".

Uma série de revistas de negócios e tecnologia dedicadas à internet surgiu para satisfazer o desejo insaciável do público por mais informações. A *Wired* descrevia-se como a vanguarda da revolução digital. O rastreador de lançamentos de ações da *Industry Standard* era o indicador mais amplamente seguido. A *Business 2.0* era o "oráculo da Nova Economia". A proliferação de publicações foi um sinal clássico de uma bolha especulativa. O historiador Edward Chancellor observou que, durante a década de 1840, 14 semanários e dois jornais diários cobriram o novo setor ferroviário. Durante a crise financeira de 1847, muitos pereceram. Quando a *Industry Standard* faliu em 2001, o *The New York Times* escreveu em editorial: "Esse poderá ser lembrado como o dia em que a badalação morreu."

Os corretores on-line também foram um fator crucial para alimentar o *boom* da internet. Negociar era barato, ao menos no tocante aos poucos dólares de comissões cobrados. Na verdade, os custos das transações ultrapassaram o que a maioria dos corretores on-line apregoava, já que grande parte do custo está enterrado na diferença entre o preço de "oferta" de um vendedor, o preço pelo qual um cliente poderia vender, e o preço "pedido", o preço pelo qual um cliente poderia comprar. As corretoras de desconto faziam forte publicidade e davam a impressão de que era fácil superar o mercado. Num comercial, a cliente se vangloriava de não querer simplesmente superar o mercado, mas "sufocar seu corpinho esquelético no chão e fazê-lo pedir arrego". Em outro comercial de TV popular, Stuart, o cibermaníaco da sala de expedição, encorajava seu chefe antiquado a fazer sua primeira compra on-line de ações. "Vamos acender esta vela." Quando o chefe protestou que não sabia nada sobre a ação, Stuart disse: "Vamos pesquisar." Após um toque no teclado, o chefe, achando-se bem mais inteligente, comprou suas primeiras cem ações.

Redes de TV a cabo como a CNBC e a Bloomberg tornaram-se fenômenos culturais. No mundo inteiro, academias, aeroportos, bares e restaurantes estavam permanentemente sintonizados na CNBC. O mercado de ações era tratado como um evento esportivo, com um programa pré-jogo (o que esperar), uma cobertura lance a lance durante as horas de negociação e um pós-jogo para analisar a ação do dia e preparar os investidores para a próxima. A CNBC insinuava que, ao assisti-la, você ficaria "acima da média". A maioria dos convidados previa altas. Não havia necessidade de lembrar a um âncora da CNBC que, assim como o cão da família que morde o bebê perderá seus privilégios, os céticos rabugentos não eram muito bem-vistos. O mercado era mais quente que sexo. Mesmo Howard Stern interrompia as discussões mais comuns sobre estrelas pornô e partes do corpo para ponderar sobre o mercado de ações e depois elogiar algumas ações específicas da internet.

A rotatividade atingiu uma altura recorde. E havia dez milhões de "operadores de *day trade*" da internet, muitos tendo largado seus empregos para trilhar o caminho fácil para a riqueza. Para eles, longo prazo significava o fim da manhã. Pura loucura. Pessoas que passariam horas pesquisando os prós e os contras de comprar um eletrodoméstico de 50 dólares arriscavam dezenas de milhares só por causa de uma dica em uma sala de bate-papo. Terrance Odean, um professor de finanças que estuda o comportamento dos investidores, descobriu com seus colegas que a maioria dos negociadores da internet perdera dinheiro mesmo durante a bolha e que seu desempenho piorava quanto mais negociava. O tempo de sobrevivência médio de operadores de *day trade* era de cerca de seis meses.

A fraude se insinua e estrangula o mercado

As febres especulativas, como a bolha da internet, trazem à luz os piores aspectos de nosso sistema. Não nos enganemos: foi a extraordinária febre da Nova Economia que incentivou uma série de escândalos empresariais que abalaram o sistema capitalista. Um exemplo espetacular foi a ascensão e subsequente falência da Enron – em dado momento, a sétima maior empresa dos Estados Unidos. O colapso da Enron, em que mais de 65 bilhões de dólares em valor de mercado foram obliterados, pode ser entendido somente no contexto da enorme bolha na parte da Nova Economia do mercado de ações. A empresa era vista como a ação perfeita da Nova Economia, capaz de dominar o mercado não apenas pela energia, mas também pelas comunicações de banda larga, o comércio eletrônico e o comércio em geral.

A Enron era uma franca favorita dos analistas de Wall Street. As velhas empresas de serviços públicos e energia eram comparadas pela revista *Fortune* a "um bando de velhos antiquados e suas esposas dançando ao som de Guy de Lombardo". A Enron foi comparada ao jovem Elvis Presley fazendo uma entrada triunfal em seu terno justo de lamê dourado. O autor deixou de fora a parte em que Elvis se empanturrou de comida até morrer. A Enron fixou o padrão do pensamento fora da caixa – a empresa perfeita, do aplicativo formidável e transformadora de paradigmas. Infelizmente, também fixou novos padrões de ilusão e engodo.

Um dos golpes perpetrados pelos gestores da Enron foi o estabelecimento de um sem-número de sociedades complexas que ofuscavam a verdadeira posição financeira da empresa e levavam a superestimar sua receita. Eis como funcionou um dos mais simples. A Enron formou uma *joint-venture* com a Blockbuster para alugar filmes on-line. O negócio fracassou alguns meses depois. Mas logo que o empreendimento foi formado a Enron secretamente fez uma parceria com um banco canadense que essencialmente lhe emprestou 115 milhões de dólares em troca de lucros futuros do negócio com a Blockbuster. Claro que este nunca rendeu um tostão, mas a Enron contabilizou o empréstimo como "lucro". Os analistas de Wall Street aplaudiram e chamaram Ken Lay, o presidente da Enron, de "gênio do ano", e a então empresa de contabilidade Arthur Andersen certificou os livros contábeis como "refletindo razoavelmente" a condição financeira da Enron. Wall Street adorava arrecadar taxas lucrativas das parcerias criativas que eram montadas.

O engodo parecia ser um estilo de vida da Enron. O *The Wall Street Journal* informou que Ken Lay e Jeff Skilling, os altos executivos da Enron, envolveram-se pessoalmente na criação de uma sala de negociação falsa para impressionar os analistas de valores mobiliários de Wall Street, num episódio que os funcionários chamaram de "Golpe de Mestre". Os melhores equipamentos foram comprados, funcionários representaram papéis fechando negócios fictícios e até as linhas telefônicas foram pintadas de preto para que a operação parecesse particularmente ágil. A coisa toda foi uma farsa elaborada. Em 2006, Lay e Skilling foram condenados por conluio e fraude. Um homem destruído, Ken Lay veio a falecer naquele mesmo ano.

Um funcionário que perdeu seu emprego e seu plano de aposentadoria com a falência da Enron foi para a web, onde vendia camisetas com a mensagem "A Enron ferrou comigo".

Mas a Enron foi apenas uma dentre uma série de fraudes contábeis perpetradas contra investidores confiantes. Diversas empresas de telecomunicações exageravam receitas via *swaps* de capacidade de fibra óptica a preços inflados. A WorldCom admitiu que havia exagerado os lucros e o fluxo de caixa em 7 bilhões de dólares, classificando despesas comuns, que deveriam ter sido deduzidas das receitas, como investimentos de capital. Em inúmeros casos, CEOs das empresas agiram mais como desfalcadores e alguns diretores financeiros (CFOs) poderiam ser mais apropriadamente chamados de diretores de fraudes. Enquanto os analistas vinham elogiando com entusiasmo ações como Enron e WorldCom, alguns dirigentes corporativos vinham transformando o significado de lucro antes de juros, impostos, depreciação e amortização para "lucro antes de eu enganar o auditor burro".

Deveríamos ter sabido dos perigos?

Mesmo deixando as fraudes de lado, deveríamos ter aberto mais o olho. Deveríamos ter sabido que investimentos em tecnologias transformadoras muitas vezes se mostraram frustrantes para investidores. Na década de 1850, era grande a expectativa de que as ferrovias aumentariam muito a eficiência das comunicações e do comércio. Foi o que aconteceu, mas isso não justificou os preços das ações de ferrovias, que subiram a enormes alturas especulativas antes de desabarem em agosto de 1857. Um século depois, fabricantes de aviões e televisões transformaram os Estados Unidos, mas a maioria dos investidores iniciais teve prejuízo. A chave para investir não é quanto um setor afetará a sociedade ou mesmo quanto crescerá, e sim sua capacidade de obter e sustentar lucros. E a história nos ensina que todos os mercados exuberantes demais acabam sucumbindo à lei da gravidade. Os perdedores sistemáticos no mercado, por minha experiência pessoal, são aqueles incapazes de resistir a serem arrebatados por algum tipo de febre dos bulbos de tulipa. Na verdade, não é difícil ganhar dinheiro no mercado. Como veremos adiante, um investidor que simplesmente compra e mantém uma carteira de ações de base ampla pode obter retornos razoavelmente generosos a longo prazo. O que é difícil de evitar é a tentação sedutora de jogar seu dinheiro fora em farras especulativas que prometem a riqueza a curto prazo.

Houve muitos vilões nessa historinha moral: os subscritores obcecados por taxas, que não deveriam ter vendido todo o lixo que trouxeram ao mercado; os analistas de pesquisas que foram os chefes de torcida dos departamentos bancários ávidos por recomendar ações da internet que pudessem ser empurradas por corretores sedentos por comissões; os executivos corporativos usando "contabilidade criativa" para inflar seus lucros. Mas foi a ganância contagiante de investidores individuais e sua suscetibilidade a esquemas para enriquecer rápido que permitiram a expansão da bolha.

E no entanto a melodia prossegue. Tenho um amigo que transformou um modesto investimento numa pequena fortuna com um portfólio diversificado de títulos de dívida, fundos imobiliários e fundos de ações com uma ampla seleção de empresas *blue chip*. Mas ele estava inquieto. Nos coquetéis ouvia as pessoas se vangloriando da ação da internet que triplicou ou do fabricante de chips cuja ação dobrou de valor. Ele queria participar daquela farra. Até que surgiu uma ação chamada Boo.com, um varejista da internet que planejava vender sem descontos "roupas urbanas chiques – tão descoladas como nunca se viu". Em outras palavras, a Boo.com ia vender pelo preço pleno roupas que as pessoas ainda não estavam usando. Mas meu amigo tinha visto a capa da *Time* com a manchete: "Diga tchau ao seu shopping: compra on-line é mais rápida, barata e melhor". O prestigioso J. P. Morgan havia investido milhões na empresa e a *Fortune* a chamou de uma das "empresas descoladas de 1999".

Meu amigo ficou fascinado. "Essa história da Boo.com vai deixar todos os investidores babando de empolgação e evocando visões de castelos no ar. Qualquer demora na compra seria autodestrutiva." E assim meu amigo teve que ir correndo antes que os tolos maiores chegassem.

A empresa torrou 135 milhões de dólares em dois anos antes de ir à falência. A cofundadora, respondendo a acusações de que sua empresa gastara com extravagâncias demais, explicou: "Só voei de Concorde três vezes, e foram todas ofertas especiais." Claro que meu amigo havia comprado no auge da bolha e perdeu todo o seu investimento quando a empresa declarou falência. A capacidade de evitar erros horrendos assim é provavelmente o fator mais importante para preservar seu capital e permitir que ele cresça. A lição é óbvia demais e fácil demais de ignorar.

A BOLHA IMOBILIÁRIA DOS ESTADOS UNIDOS E O COLAPSO DO INÍCIO DA DÉCADA DE 2000

Embora a bolha da internet possa ter sido a maior bolha do mercado de ações nos Estados Unidos, a bolha dos preços de residências unifamiliares, que inflaram nos primeiros anos do novo milênio, foi sem dúvida a maior bolha imobiliária de todos os tempos no país. Além disso, o aumento e posterior colapso dos preços das casas teve bem mais impacto sobre o americano comum do que quaisquer reviravoltas no mercado de ações. A residência unifamiliar representa o maior ativo nos portfólios da maioria dos investidores comuns, de modo que a queda dos preços das casas tem impacto imediato sobre a riqueza e a sensação de bem-estar das famílias. A deflação da bolha imobiliária quase derrubou o sistema financeiro americano (bem como o internacional) e iniciou uma forte e dolorosa recessão mundial. Para entendermos como essa bolha foi financiada e por que gerou danos colaterais tão poderosos, precisamos entender as mudanças fundamentais nos sistemas bancário e financeiro.

Uma história que gosto de contar envolve uma mulher de meia-idade que sofreu um forte ataque cardíaco. Deitada na sala de emergência, ela tem uma experiência de quase morte durante a qual fica cara a cara com Deus. "Quer dizer que vou morrer?", pergunta ela. Deus assegura que ela vai sobreviver e tem mais trinta anos de vida. De fato, ela sobrevive, recebe *stents* para desobstruir suas artérias e se sente melhor do que nunca. Então diz a si mesma: "Se ainda tenho trinta anos para viver, vou aproveitar ao máximo." E, como já está no hospital, decide se submeter ao que poderia complacentemente ser chamado de "cirurgia cosmética abrangente". Agora ela se sente o máximo. Com passo jovial, sai do hospital, mas é atropelada por uma ambulância apressada, morrendo na mesma hora. Ela vai para os portões celestes e encontra de novo Deus. "O que aconteceu?", pergunta ela. "Pensei que ainda tivesse trinta anos para viver." "Sinto muito, senhora", responde Deus, "Eu não a reconheci."

O novo sistema bancário

Se um financista tivesse despertado de uma soneca de trinta anos no início do século XXI, o sistema financeiro pareceria irreconhecível também. Sob o sistema antigo, que poderia ser chamado de sistema de "originar e manter", os bancos concederiam empréstimos hipotecários (bem como empréstimos para empresas e consumidores) e manteriam tais empréstimos até serem reembolsados. Em tal ambiente, os banqueiros tomavam muito cuidado com os empréstimos concedidos. Afinal, se um empréstimo hipotecário não fosse saldado, alguém voltaria para o analista de crédito e questionaria a avaliação de crédito original. Nesse ambiente, pagamentos de entradas e documentação substancial eram exigidos para confirmar a capacidade creditícia do tomador do empréstimo.

Esse sistema mudou fundamentalmente no início da década de 2000 para o que poderia ser chamado de modelo bancário de "originar e distribuir". Os empréstimos hipotecários ainda eram concedidos por bancos (bem como por grandes caixas hipotecárias especializadas). Mas os empréstimos ficavam em mãos da instituição originadora por apenas uns dias, até serem vendidos para um banqueiro de investimento. Este reuniria então pacotes dessas hipotecas e emitiria títulos mobiliários lastreados em hipotecas – títulos de dívida derivados "securitizados" pelas hipotecas subjacentes. Esses títulos mobiliários colateralizados dependiam dos pagamentos dos juros e do principal das hipotecas subjacentes para também poderem pagar juros.

Para complicar ainda mais as coisas, não havia apenas um título de dívida emitido para um pacote de hipotecas. Os títulos lastreados em hipotecas eram fatiados em diferentes "parcelas", cada uma com diferentes prioridades de reivindicação de pagamentos das hipotecas subjacentes e com diferentes classificações de risco. Aquilo se chamava "engenharia financeira". Ainda que os empréstimos hipotecários subjacentes fossem de baixa qualidade, as agências de classificação de risco não hesitavam em conceder uma nota AAA às parcelas de títulos de dívida com as primeiras reivindicações de pagamentos das hipotecas subjacentes. O sistema poderia ser mais exatamente chamado de "alquimia financeira", e a alquimia era usada não somente com hipotecas, mas com todo tipo de instrumento subjacente, como empréstimos de cartões de crédito e para a compra de automóveis. Esses títulos mobiliários derivados eram, por sua vez, vendidos no mundo todo.

A situação fica ainda mais nebulosa. Derivativos de segunda ordem eram vendidos sobre os títulos derivativos lastreados em hipotecas. *Swaps* de crédito eram emitidos como apólices de seguros sobre os títulos lastreados em hipotecas. Em suma, o mercado de *swaps* permitia que duas partes – chamadas contrapartes – apostassem a favor ou contra o desempenho dos títulos hipotecários ou dos títulos de dívida de qualquer outro emitente. Por exemplo, se eu possuo títulos de dívida emitidos pela General Electric e começo a me preocupar com a capacidade creditícia da companhia, poderia comprar uma apólice de seguro de uma empresa como a AIG (a maior emissora de *swaps* de crédito), que me pagaria se a GE desse calote. O problema desse mercado era que os emitentes de seguros como a AIG tinham reservas insuficientes para pagar as indenizações caso ocorressem problemas. E qualquer pessoa de qualquer país podia comprar o seguro, mesmo sem possuir os títulos de dívida subjacentes. No final, a negociação de *swaps* de crédito no mercado cresceu até um valor dez vezes maior que o dos títulos de dívida subjacentes, impelida pela demanda de instituições ao redor do mundo. Essa mudança, em que os mercados de derivativos cresceram bem além do valor dos mercados subjacentes, foi um aspecto crucial do novo sistema financeiro, tornando o sistema financeiro mundial bem mais arriscado e interligado.

Padrões de empréstimo mais frouxos

Para refinar esse quadro perigoso, os financistas criaram veículos de investimentos estruturados (na sigla em inglês: SIVs – *structured investment vehicles*), que mantinham os títulos mobiliários derivados fora dos livros contábeis, em lugares onde os reguladores bancários não pudessem vê-los. O SIV de títulos lastreados em hipotecas obtinha emprestado o dinheiro necessário para comprar os derivativos e tudo que aparecia no balanço do banco de investimento era um pequeno investimento no patrimônio do SIV. No passado, os reguladores bancários poderiam ter detectado a vasta alavancagem e o risco subsequente, mas aquilo era ignorado no novo sistema financeiro.

Esse novo sistema levou a padrões de empréstimo cada vez mais frouxos por parte de banqueiros e caixas hipotecárias. Se o único risco era o de que um empréstimo hipotecário se deteriorasse nos poucos dias antes de poder ser vendido ao banco de investimento, o credor não precisava ter tanto cuidado assim com a capacidade creditícia do devedor. E assim os padrões para empréstimos hipotecários se deterioraram fortemente. Quando contraí minha primeira hipoteca imobiliária, o credor insistiu no pagamento de uma entrada de *ao menos* 30%. Mas no sistema novo os empréstimos eram concedidos sem nenhuma entrada, na esperança de que os preços dos imóveis subissem para sempre. Além disso, eram comuns os chamados empréstimos NINJA, para pessoas sem renda (*No INcome*), sem emprego (*no Job*) e sem patrimônio (*no Asset*). Cada vez mais os emprestadores nem sequer se davam ao trabalho de cobrar a documentação sobre a capacidade de pagar – tratava-se de empréstimos NO-DOC. O dinheiro para o mercado imobiliário estava prontamente disponível e os preços das moradias subiram rápido.

O próprio governo desempenhou um papel ativo em inflar a bolha imobiliária. Pressionada pelo Congresso para tornar os empréstimos hipotecários facilmente disponíveis, a Federal Housing Administration foi orientada a garantir as hipotecas de mutuários de baixa renda. De fato, quase dois terços das hipotecas ruins no sistema financeiro no início de 2010 foram comprados por órgãos do governo. O governo não apenas falhou como regulador das instituições financeiras, mas também contribuiu para a bolha com suas políticas. Nenhuma história exata da bolha imobiliária pode deixar de reconhecer que não foram simplesmente "emprestadores predatórios", pois o próprio governo fez com que muitos empréstimos hipotecários fossem concedidos a pessoas sem os recursos para saldá-los.

A bolha imobiliária

A combinação de políticas governamentais com mudança nas práticas de empréstimos levou a um enorme aumento na demanda por residências. Alimentados pelo crédito fácil, os preços começaram a subir rapidamente. O aumento inicial dos preços encorajou ainda mais compradores. Comprar casas ou apartamentos parecia livre de riscos, já que os preços das casas pareciam subir de modo sistemático. E alguns fizeram suas aquisições não com o objetivo de achar um lugar para morar, e sim de rapidamente revender o imóvel a um futuro comprador por um preço mais alto.

O primeiro gráfico da página seguinte ilustra as dimensões da bolha. Os dados vêm dos índices de preços de casas Case-Shiller ajustados pela inflação. O ajuste funciona levando em conta que, se os preços das casas aumentaram 5% quando os preços em geral aumentaram 5%, não ocorreu aumento do preço da moradia ajustado pela inflação. Mas, se os preços das casas subiram 10%, o preço ajustado pela inflação seria registrado como um aumento de 5%.

O gráfico mostra que, para o período de cem anos do fim do século XIX ao fim do século XX, os preços das casas ajustados pela inflação estiveram estáveis. Os preços das casas subiram, mas tanto quanto o nível geral de preços. Os preços caíram durante a Grande Depressão da década de 1930, mas acabaram o século no mesmo nível em que começaram. No início da década de 2000, o índice de preços das casas dobrou. Trata-se de um índice composto dos preços em vinte cidades. Em algumas delas, os preços subiram bem mais do que a média nacional.

PREÇOS DAS CASAS AJUSTADOS PELA INFLAÇÃO

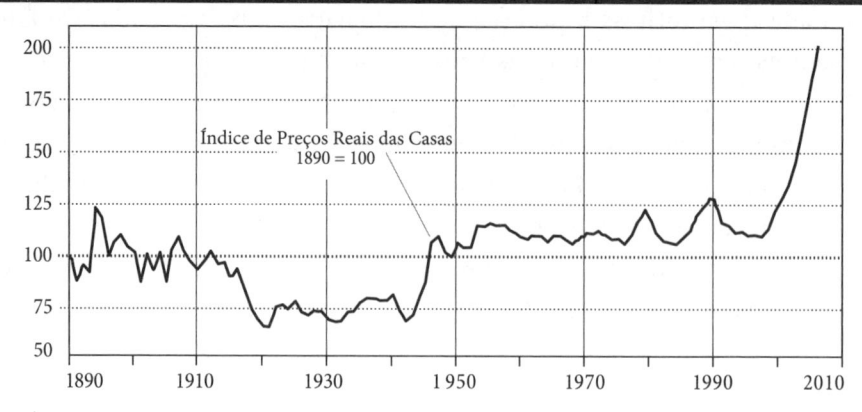

Índice de Preços Reais das Casas 1890 = 100

Fonte: Case-Shiller.

O que sabemos sobre todas as bolhas é que uma hora acabam estourando. O gráfico abaixo mostra o dano. O declínio foi amplo e devastador. Muitos compradores de casas descobriram que o montante de suas hipotecas excedia

O ESTOURO DA BOLHA

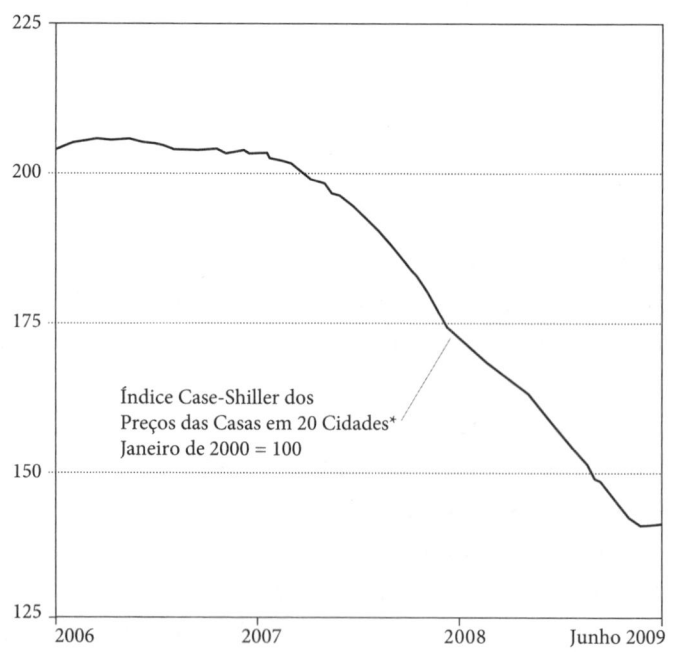

Índice Case-Shiller dos Preços das Casas em 20 Cidades* Janeiro de 2000 = 100

Dados: Standard and Poor's.

* Sazonalmente ajustados.

de longe o valor de suas residências. Cada vez mais, ficaram inadimplentes e devolveram as chaves das casas aos credores.

Os efeitos sobre a economia foram devastadores. Com o colapso imobiliário, os consumidores passaram a agir com cautela e refrearam seus gastos. E os consumidores que antes poderiam ter contraído uma segunda hipoteca ou um empréstimo imobiliário sobre suas casas já não conseguiam financiar seu consumo dessa maneira.

A queda nos preços das casas destruiu o valor dos títulos lastreados em hipotecas, bem como as instituições financeiras que haviam provado do próprio veneno e mantido aqueles ativos tóxicos com dinheiro emprestado. Falências espetaculares ocorreram e algumas das maiores instituições financeiras americanas tiveram que ser socorridas pelo governo. As instituições de crédito fecharam as torneiras, e as linhas de empréstimo para pequenas empresas e consumidores foram canceladas. A recessão que se seguiu nos Estados Unidos foi dolorosa e prolongada, excedida em intensidade apenas pela Grande Depressão dos anos 1930.

BOLHAS E ATIVIDADE ECONÔMICA

Nossa pesquisa das bolhas históricas deixa claro que o estouro das bolhas foi invariavelmente seguido de graves perturbações na atividade econômica real. Os efeitos adversos das bolhas de preços de ativos não se restringiram aos especuladores. As bolhas são particularmente perigosas quando associadas a crescimento do crédito e aumentos generalizados na alavancagem para consumidores e instituições financeiras.

A bolha imobiliária fornece uma ilustração dramática. O aumento da demanda por moradias elevou seus preços, o que por sua vez estimulou mais empréstimos hipotecários, levando a mais aumentos de preços, num ciclo de retroalimentação positiva contínua. O ciclo de alavancagem maior envolveu um afrouxamento dos padrões de concessão de crédito e um aumento ainda maior da alavancagem. No fim do processo, indivíduos e instituições tornaram-se perigosamente vulneráveis.

Quando a bolha estoura, o ciclo se reverte. Os preços declinam e os indivíduos constatam não apenas que sua riqueza também foi reduzida, mas que, em muitos casos, seu endividamento hipotecário excede o valor de suas casas.

Os empréstimos então degringolam e os consumidores reduzem seus gastos. Instituições financeiras excessivamente alavancadas começam um processo de desalavancagem. A contração do crédito resultante enfraquece ainda mais a atividade econômica e o resultado do ciclo de retroalimentação negativa é a recessão grave. As bolhas de crescimento do crédito são as que representam o maior perigo para a atividade econômica real.

Quer dizer que os mercados são ineficientes?

A análise das bolhas da internet e imobiliária neste capítulo parece incompatível com a visão de que nossos mercados de ações e imóveis são racionais e eficientes. A lição, porém, não é que os mercados ocasionalmente possam ser irracionais e que deveríamos portanto abandonar a teoria da base firme dos preços de ativos financeiros. Pelo contrário, a conclusão clara é que, em todos os casos, o mercado se corrigiu. O mercado acaba corrigindo qualquer irracionalidade – se bem que de sua forma lenta e inexorável. Anomalias podem surgir, os mercados podem se tornar irracionalmente otimistas e com frequência atraem investidores incautos. Mas no final o valor real é reconhecido pelo mercado – e esta é a lição principal que os investidores devem aprender.

Também estou convencido da sabedoria de Benjamin Graham, autor de *O investidor inteligente*, que escreveu que, em última análise, o mercado de ações não é um mecanismo de votação, mas um mecanismo de avaliação. Os indicadores de avaliação não mudaram. No frigir dos ovos, cada ação só pode valer o valor presente de seu fluxo de caixa. Na análise final, o valor real sairá ganhando.

Os mercados podem ser altamente eficientes mesmo cometendo erros. Alguns são crassos, como quando as ações da internet no início da década de 2000 pareciam descontar não apenas o futuro, mas o além. Previsões são invariavelmente incorretas. Além disso, o risco do investimento nunca é claramente percebido, de modo que a taxa apropriada à qual o futuro deveria ser descontado nunca é certa. Desse modo, os preços do mercado devem sempre estar errados. Mas em qualquer momento específico não é óbvio a ninguém se estão altos ou baixos demais. Os indícios que apresentarei a seguir mostram que investidores profissionais não são capazes de ajustar seus portfólios de modo a manter apenas as ações "subvalorizadas" e evitar as "supervalorizadas". As melhores e mais brilhantes mentes em Wall Street não conseguem distinguir sistematicamente as avaliações corretas das incorretas. Não há indícios de que alguém consiga gerar retornos excedentes fazendo apostas certas de maneira sistemática contra a sabedoria coletiva do mercado. Os mercados nem sempre nem em geral estão corretos. Mas NENHUMA PESSOA OU INSTITUIÇÃO SABE SISTEMATICAMENTE MAIS DO QUE O MERCADO.

Nem a bolha sem precedentes dos preços das casas e seu estouro durante a primeira década do século XXI fincaram uma estaca no coração da hipótese do mercado eficiente. Se os indivíduos têm a oportunidade de comprar casas sem pagar nenhuma entrada, pode ser o auge da racionalidade estar disposto a pagar um preço inflado. Se a casa aumenta de valor, o comprador lucrará. Se a bolha estoura e o preço da casa cai, o comprador cai fora e deixa o prejuízo para o credor (e talvez no final para o governo). Sim, os incentivos são perversos, a regulação é frouxa e algumas políticas governamentais são mal pensadas. Mas em nenhum sentido esse episódio lastimável e a recessão profunda subsequente foram causados por uma fé cega na hipótese do mercado eficiente.

A BOLHA DAS CRIPTOMOEDAS

Nossa bolha final do início da década de 2000 é bem menos importante, uma vez que o mercado de criptomoedas inteiro é pequeno se comparado com mercados de outros ativos, bem como com a atividade econômica mundial. Mas o aumento nos preços do Bitcoin e de muitas outras criptomoedas foi ainda mais acentuado que a subida dos preços dos bulbos de tulipas. E a forma como capturou a imaginação do público e os efeitos sobre outros mercados foram sinistramente semelhantes à loucura que acompanhou a bolha do pontocom.

Bitcoin e Blockchain

O Bitcoin, a criptomoeda mundial, tem sido alternadamente rotulado de "moeda do futuro" ou "fraude sem valor", cujo crescimento se assemelha ao esquema de pirâmide e tende a se revelar uma das maiores bolhas financeiras de todos os tempos. O preço de um Bitcoin tem oscilado drasticamente, subindo de alguns cents por token digital a até mesmo mais de 63 mil dólares em abril de 2021, por exemplo. Tem flutuado quase 50% em questão de dias, subindo ou caindo vários milhares de dólares.

O Bitcoin foi criado por uma pessoa (ou mais de uma) escrevendo sob o pseudônimo de "Satoshi Nakamoto". O objetivo foi criar uma "versão puramente de pessoa para pessoa de dinheiro eletrônico", como ele escreveu num relatório técnico publicado em 2008. O esquivo Nakamoto comunicava-se apenas por e-mail e mídia social. Embora diversas pessoas tenham sido identificadas como Nakamoto, a identidade real do criador nunca foi confirmada. Tendo criado as regras originais da rede de Bitcoin e lançado o software correspondente em 2009, Nakamoto desapareceu dois anos depois. Consta que ele possui um milhão de tokens, que passaram a valer bilhões de dólares no início de 2018 e o tornariam uma das pessoas mais ricas do mundo.

O sistema do Bitcoin funciona por meio de um livro-razão público seguro chamado blockchain. Um lançamento codificado e protegido por senha (embora anonimamente) no livro-razão registra a propriedade da criptomoeda. A blockchain fornece a prova de quem possui os tokens em qualquer dado momento, bem como o histórico de pagamento de cada uma dessas moedas digitais em circulação. A rede é mantida por computadores independentes ao redor do mundo. O pagamento pela manutenção desses computadores e o processamento de novas transações são feitos em Bitcoin num processo chamado "mineração". Todos os tokens existentes foram criados por esse processo. Existe um limite máximo de 21 milhões de tokens em circulação.*

A blockchain é um livro-razão público em constante crescimento de registros, conhecidos como blocos, que estão ligados a blocos anteriores e documentam as transações na rede. Cópias são espalhadas pelos computadores ou "nodos" da rede para que qualquer pessoa possa checar se algo está errado. Isso preserva a honestidade da rede. Se algum partícipe ajudando na manutenção do banco de dados tentasse alterar sua cópia dos registros para acrescentar dinheiro à própria conta, outros computadores reconheceriam

---

* Quando o limite máximo for atingido, um método diferente de pagamento pela manutenção da rede será requerido, como o compartilhamento das taxas das transações. (N. do A.)

a discrepância. Conflitos se resolvem por consenso e um forte sistema de criptografia até agora tem garantido a segurança da rede.

Em 2018 havia milhões de usuários individuais e tanto transações legais quanto ilegais se realizavam pelo protocolo do Bitcoin. O nível da taxa de câmbio do Bitcoin não importa. As transações podem ser completadas quer a moeda digital valha 1 dólar ou 63 mil dólares. Pode-se comprar a criptomoeda e simultaneamente enviá-la a um fornecedor, que pode convertê-la imediatamente em dólares. Contanto que o valor do Bitcoin não flutue durante o curto período em que a transação transcorre, o valor em dólares não importa. O argumento a favor da tecnologia disruptiva envolvida é que ela pode permitir transações contínuas e anônimas sem precisar passar pelo sistema bancário e sem o uso de moedas nacionais.

Bitcoin é dinheiro real?

Profissionais das finanças tradicionais têm se mostrado profundamente céticos em relação ao fenômeno das criptomoedas. Jamie Dimon, CEO do JPMorgan Chase, originalmente chamou o Bitcoin de uma "fraude sem valor" e ameaçou que despediria qualquer um no seu banco que mexesse com aquela moeda. Investidores lendários como Howard Marks e Warren Buffett afirmaram que as criptomoedas não são reais e não possuem valor. Mas o mesmo pode ser dito de qualquer moeda nacional. Uma nota de 1 dólar não possui nenhum valor intrínseco. Todas as moedas em papel sofrem de diferentes graus de ceticismo, embora não sejam normalmente depreciadas como um tipo de esquema Ponzi. Então vamos examinar se o Bitcoin e outras moedas digitais deveriam ser considerados ou não dinheiro.

Qual é a definição de dinheiro? Pode parecer uma pergunta estranha, mas levanta algumas questões sutis a respeito do Bitcoin. Para um economista, dinheiro é o que o dinheiro faz. O dinheiro desempenha três funções na economia. Primeira: é um meio de troca. Valorizamos o dinheiro porque permite comprar produtos e serviços. Mantemos dinheiro na nossa carteira para poder comprar um sanduíche no almoço e uma lata de refrigerante quando temos sede.

Segunda: o dinheiro é uma unidade de conta, o padrão necessário para anunciar preços e registrar dívidas agora e no futuro. O *The New York Times* custava 3 dólares em 2018. Se eu contrair uma hipoteca de 100 mil dólares com juros a uma taxa de 5%, meus pagamentos anuais de juros serão de 5 mil dólares e deverei 100 mil dólares quando o empréstimo vencer.

Terceira: o dinheiro é uma reserva de valor. Uma vendedora pode aceitar dinheiro pela venda de um produto ou serviço porque pode usar o dinheiro para comprar algo no futuro. Embora pudesse manter outro ativo, como ações ordinárias, para armazenar valor, o dinheiro é o ativo mais líquido disponível. O dinheiro é o ativo preferido para fazer as compras provavelmente necessárias no futuro imediato.

Até que ponto o Bitcoin satisfaz as exigências tradicionais para um ativo ser considerado dinheiro? Ele parece até certo ponto atender à primeira exigência. É aceito mundialmente para muitos tipos de transação diferentes. E, embora o processo de autenticação seja complicado, ele poderia potencialmente envolver custos de transação menores para alguns tipos de negócio efetuados pelo sistema bancário internacional. Para transações que beiram o ilegal, fornece também um anonimato que os participantes valorizam e que sem dúvida faz dele o veículo de pagamento preferido. E pode dar ao detentor uma garantia maior de que será mais difícil de ser confiscado por alguma autoridade governamental num país com direitos de propriedade fracos. Não surpreende que a maior parte das negociações iniciais com criptomoedas tenha ocorrido em países asiáticos onde o medo de confisco é mais forte.

É a extrema volatilidade do valor do Bitcoin que impede que satisfaça à segunda e à terceira definições comuns de dinheiro. Um ativo que ganha e perde uma porcentagem substancial de seu valor inicial a cada dia não servirá como uma unidade de conta útil nem como uma reserva confiável de valor. É nessa volatilidade que reside o perigo do Bitcoin. Não existe âncora natural para o valor de uma criptomoeda. Para aqueles que querem evitar o risco de assumir a alta volatilidade no mercado de Bitcoin, uma transação adicional – converter o Bitcoin em um ativo ou uma moeda nacional cujo valor seja mais estável – será necessária. Ao menos para o dólar americano e a maioria das grandes moedas nacionais, existe um banco central cujas metas envolvem manter a estabilidade do valor da moeda.

A situação me lembra a história clássica do vendedor de sardinhas que mantinha um depósito cheio de latas do produto. Um dia, um trabalhador faminto abriu uma das latas, esperando um almoço saboroso, mas descobriu que a lata estava cheia de areia. Confrontando o negociante, o trabalhador foi informado de que as latas eram para vender, não para comer. Parece que a história se aplica ao Bitcoin também.

Para a maioria dos negociantes de Bitcoin e outras criptomoedas, o jogo é uma aposta especulativa de que o preço continuará subindo. Para quem entrou no jogo cedo, as recompensas foram enormes. Lembra dos gêmeos remadores olímpicos Cameron e Tyler Winklevos, que acusaram Mark Zuckerberg de roubar sua ideia do Facebook quando estudavam na Harvard College? O processo dos gêmeos foi liquidado por 65 milhões de dólares e Zuckerberg veio a se tornar bilionário com sua posse de ações do Facebook. Não fique com pena dos gêmeos, que acharam que mereciam mais dinheiro. Eles pegaram 11 milhões do acordo e investiram em Bitcoin a 120 por token. Em 2017, os gêmeos tornaram-se bilionários do Bitcoin.

O fenômeno do Bitcoin deveria ser chamado de bolha?

Então qual é a conclusão? Estamos testemunhando o advento de uma tecnologia nova e promissora que melhorará gradualmente o sistema de pagamentos internacional? Ou se trata simplesmente de outra bolha especulativa que levará muitos dos participantes à ruína financeira? Talvez a resposta a ambas as perguntas seja sim. A tecnologia da blockchain por trás do fenômeno do Bitcoin é real e versões melhoradas poderiam se tornar mais generalizadas. De qualquer modo, o sistema de pagamentos internacional será profundamente transformado pela tecnologia. Os próprios bancos centrais do mundo, incluindo os principais, como o Federal Reserve, dos Estados Unidos, discutem a criação de moedas digitais atreladas às moedas oficiais.

A promessa da blockchain e de tecnologias semelhantes de "livro-razão distribuído" é que os sistemas possam ser usados para outros propósitos, como prontuários médicos e um histórico de reparos de veículos. O estado de Delaware, que explora o negócio de incorporar empresas do mundo inteiro, está tentando usar blockchain para o registro de informações corporativas. Dubai anunciou que quer ter todos os documentos governamentais seguros em uma blockchain em 2020. Tipos de registro de informações descentralizados semelhantes estão associados a outras criptomoedas que proliferaram após o sucesso do Bitcoin.

A tecnologia tem o potencial de reduzir os custos e aumentar a velocidade das transações. Moedas digitais podem facilitar transações seguras entre vendedores e compradores sem a mediação de instituições financeiras ou governos. Mas o fato de um fenômeno subjacente ser "real" não significa que não seja suscetível a preços de "bolha". A promessa da internet foi real no fim da década de 1990, o que não impediu uma empresa como a Cisco Systems, que produzia os comutadores e roteadores que constituem a "espinha dorsal da internet", de perder 90% de seu valor quando a bolha estourou. E existem indicações claras de que o aumento dos preços do Bitcoin e de outras moedas digitais representa uma bolha clássica.

Uma indicação de uma bolha especulativa é o grau em que o preço do objeto sobe. Em 10 anos, o preço de um Bitcoin subiu de alguns cents para 30 mil dólares Em 2010, um Bitcoin podia ser comprado por menos de 1 cent. Seu preço mais alto registrado naquele ano foi 39 cents. Em 2011, era vendido por até 31 dólares por token, tendo caído para 2 dólares no fim do ano. Grandes oscilações para cima e para baixo caracterizaram a negociação nos anos seguintes, mas a tendência era claramente ascendente. No início de janeiro de 2017, um Bitcoin era vendido por 750 dólares. Fechou o ano em torno de 14 mil dólares após subir brevemente para perto de 20 mil. Em 2020, fechou a quase 30 mil dólares e, em 2021, já atingiu até o dobro disso. Os tokens têm sido extremamente voláteis, subindo ou caindo até um terço num único período de 24 horas. Os preços de outras criptomoedas têm seguido padrões semelhantes. O aumento do preço excedeu de longe o dos bulbos de tulipas nos Países Baixos do século XVII e nenhuma das bolhas descritas antes neste livro chegou perto da inflação dos preços do Bitcoin. Tanto a magnitude dos aumentos do preço como sua volatilidade indicam uma das maiores bolhas da história.

As bolhas são propagadas por histórias atraentes que se tornam parte da cultura popular. A história do Bitcoin é um exemplo ideal de como um meme gerou um entusiasmo especial na geração dos *millennials*. Menções ao Bitcoin apareceram cada vez mais na imprensa, na TV e no cinema. Histórias sobre criptomoedas não se limitaram às publicações financeiras. Elas também capturaram a mídia predominante. O Bitcoin e outras criptomoedas representaram a segunda notícia mais pesquisada globalmente em 2017 (logo depois do Furacão Irma) no Google Trends. O mundialmente famoso rapper Pitbull aderiu a uma longa fila de celebridades que investiram em Bitcoin. Superastros como Katy Perry e personalidades como Paris Hilton falaram sobre o assunto em suas redes sociais. O selo de aprovação também foi dado pelo astro do boxe Floyd Mayweather e pela lenda do futebol Lionel Messi.

Milhões de telespectadores foram apresentados ao mundo das criptomoedas por meio de séries como *Grey's Anatomy* e *The Big Bang Theory*. *The Good Wife* teve um episódio inteiro sobre o "Sr. Bitcoin". Muitas perguntas sobre Bitcoin foram feitas no programa *Jeopardy!*. O documentário *Banking on Bitcoin* descreveu-o como uma "revolução monetária" e "a inovação mais disruptiva desde a internet". O desenho animado *Os Simpsons* fez diversas referências à moeda digital, levando um menininho a perguntar aos pais se poderia receber sua mesada em Bitcoin.

Lembre-se de que, durante a bolha da internet na virada do século, muitas empresas acrescentaram os sufixos ".com" ou ".net" aos seus nomes para dar brilho às suas ações. A história se repetiu quase perfeitamente. A deficitária Long Island Iced Tea Corp. subiu 289% depois que mudou seu nome para Long Blockchain Corp. A empresa anunciou que ia "buscar parcerias com ou investir em" empresas que desenvolvessem livros-razão descentralizados, mas não tinha nenhum acordo fechado nem pôde dar quaisquer garantias de que acordos seriam fechados no futuro. Houve um fenômeno quase diário de empresas de microcapitalização obscuras mudando de nome para explorar algum aspecto da febre das criptomoedas. Como resultado, os preços de suas ações subiram – às vezes mais de dez vezes. O fenômeno não se restringiu aos Estados Unidos. Uma empresa britânica, Online PLC, que vinha investindo em licenças da internet, teve seu melhor dia de negociação de todos os tempos no fim de 2017. As ações subiram 394% depois que a empresa anunciou que tinha mudado seu nome para Online Blockchain PLC.

Mais exemplos vieram em 2018. A icônica Eastman Kodak havia entrado com pedido de proteção contra falência em 2012, ao não conseguir acompanhar a revolução das imagens digitais. Ao emergir da falência no ano seguinte, esperava reativar o negócio focando em impressão digital, empacotamento e um negócio de filmes clássicos, mas nada disso deu certo. Então a Kodak encontrou vida nova como uma empresa de criptomoeda, anunciando o desenvolvimento da KODAKCoin, uma nova moeda digital que seria usada para a compra e venda de conteúdo digital. Para assegurar que não perderia nenhuma oportunidade de se beneficiar da onda das criptomoedas, prometeu também entrar no negócio de mineração de Bitcoin. A ação imediatamente subiu de 2,50 para 10 dólares.

Minha empresa favorita da época foi a startup Glance Technologies, que tentou a trifeta combinando Bitcoin, fintech e maconha. A Glance concordou em licenciar sua plataforma de pagamento móvel para uma empresa chamada Cannabis Big Data Holdings. O plano era permitir que varejistas comprassem maconha com criptomoedas, beneficiando-se assim dos casos de amor dos investidores por três novos negócios. Como esperado, durante a febre o preço da ação da Glance disparou.

O que pode fazer a bolha do Bitcoin desinflar?

Talvez a maior vantagem de usar Bitcoin como moeda para transações e como reserva de valor seja sua natureza anônima. A moeda digital pode facilitar transações de modo a contornar a capacidade dos governos de regulá-las, e manter Bitcoin como uma reserva de valor fornece maior garantia de que será mais difícil para um governo confiscar a riqueza do proprietário. Aumentos nos preços do Bitcoin geralmente têm acompanhado o aumento das tensões internacionais e os proprietários do token costumam residir em países com um primado da lei fraco e direitos de propriedade tênues.

Transações ilegais foram com frequência realizadas com o uso de Bitcoin. Se você vivesse na Coreia do Norte ou na Venezuela ou fosse um traficante de drogas, o Bitcoin, não o dólar americano, seria sua moeda predileta. E transações com a criptomoeda têm sido usadas na tentativa de evitar sanções econômicas internacionais. O crescimento das transações em Bitcoin tem sido chamado de "índice da lavagem de dinheiro".

Transações com pornografia também são um dos usos favoritos das moedas digitais. A Bacchus Entertainment, uma empresa produtora de "pornô de microfetiche de alta qualidade", foi, segundo seus criadores, o primeiro site pornográfico a aceitar somente pagamentos com Bitcoin. "Como o que fazemos é tabu para algumas pessoas", anunciaram Saffron e Dennis Bacchus, "o Bitcoin mudou tudo." A Bacchus Entertainment pôde então parar de censurar seus vídeos "para agradar às políticas morais das empresas de cartões de crédito". O Bitcoin permitiu à empresa "evitar as taxas dos cartões de crédito e manter baixos os preços das assinaturas". Como bônus, a transação não aparecia na fatura do cartão do comprador.

Mas o uso do Bitcoin para transações ilegais cria um perigo para os tokens. É de esperar que os governos reprimam o uso do Bitcoin e de outras criptomoedas para transações ilegais. Os governos podem ameaçar prender indivíduos que usem Bitcoin, forçando-os a ingressar no mercado paralelo. Em 1933, o presidente americano Franklin D. Roosevelt tornou ilegal a posse de ouro pelos cidadãos do país. Todos os governos têm defendido seu direito único de emitir e controlar moedas.

Além disso, os governos podem fechar as bolsas em que criptomoedas são negociadas. Como as operações de mineração de Bitcoin usam um poder computacional considerável e energia intensiva, restrições podem ser impostas aos computadores que executam o livro-razão distribuído à rede de transações. Criar um só token requer tanta eletricidade quanto uma casa americana típica consome em dois anos. A cadeia total de computadores abrangendo a rede de Bitcoin consome, anualmente, tanta energia quanto alguns países de tamanho médio.

Os entusiastas do Bitcoin o defenderam enfatizando que o tamanho total do mercado de tokens foi limitado a 21 milhões. Mas o argumento era falho. Inexiste limite para as criptomoedas concorrentes que proliferaram. Os apoiadores da Ethereum e sua moeda, chamada "Ether", argumentariam que ela é superior ao Bitcoin. O protocolo da Ethereum foi projetado para fornecer mais flexibilidade e maior funcionalidade. A Ripple e sua moeda, "XRP", foram especificamente criadas para melhorar as transações internacionais, reduzindo os custos e reduzindo a duração das transações. Ao longo de 2017, mais de 700 novas criptomoedas, algumas fraudulentas, foram lançadas. O tamanho conjunto de todas as criptomoedas no mercado é ilimitado.

A bolha dos bulbos de tulipa estourou quando "investidores" e especuladores em bulbos enfim decidiram realizar seus lucros. Os detentores de grandes quantidades de Bitcoin são chamados de "baleias" e podem fazer os preços despencarem se venderem ainda que uma pequena parte de suas posses. Em 2018, acreditava-se que metade de todo o Bitcoin existente estava nas mãos de menos de 50 proprietários. Eles também podem se agrupar e manipular o mercado. Não é necessariamente ilegal que grandes proprietários discutam estratégias de negociação entre si. Como o Bitcoin é uma moeda tão distinta de uma ação ordinária, que é negociada num mercado altamente regulado, o mercado da criptomoeda é especialmente traiçoeiro para pequenos investidores individuais.

Finalmente, se da noite para o dia alguém decifrasse o sistema de criptografia subjacente ao protocolo do Bitcoin, o mercado desabaria no caos. Não haveria tempo de atualizar o protocolo do sistema para manter o dinheiro de todos em segurança.

A tecnologia acabará melhorando muito o sistema de pagamentos intencionais. E sempre haverá vantagens em manter um ativo que é anônimo, transportável e sem nenhum traço físico. Mas as lições da história são imutáveis. Bolhas especulativas persistirão. E acabarão levando a maioria de seus participantes à ruína financeira. Mesmo revoluções tecnológicas reais não garantem benefícios para os investidores.

Parte Dois

COMO OS PROFISSIONAIS JOGAM O MAIOR JOGO DA CIDADE

5

ANÁLISES TÉCNICA E FUNDAMENTALISTA

Uma imagem vale mais que mil palavras.

– Antigo provérbio

O maior de todos os dons é o poder de estimar as coisas pelo seu valor real.

– La Rochefoucauld, *Reflexões ou sentenças e máximas morais*

NUM DIA TÍPICO DE negociações, ações com um valor de mercado total de centenas de bilhões de dólares são transacionadas na Bolsa de Valores de Nova York, no mercado NASDAQ e nas várias redes de cruzamento eletrônico através dos Estados Unidos. Incluindo os mercados de futuros, opções e *swaps*, trilhões de dólares em transações ocorrem a cada dia. Analistas e consultores de investimentos profissionais estão envolvidos no que tem sido chamado de o maior jogo da cidade.

Se os riscos são altos, as recompensas também são. Quando Wall Street está tendo um bom ano, novos trainees da Harvard Business School rotineiramente extraem salários anuais de 200 mil dólares. No alto da escala salarial estão os próprios gestores de investimentos de renome – os homens e as mulheres que administram os grandes fundos mútuos e de pensão e que gerem os trilhões de dólares de ativos dos fundos hedge e participações privadas. "Adam Smith", após escrever *O jogo do dinheiro*, vangloriou-se de conseguir ganhar 250 mil dólares com seu best-seller. Seus amigos de Wall Street retrucaram: "Você só vai ganhar tanto quanto um vendedor institucional de segunda classe." Embora não seja a mais antiga, a profissão das altas finanças é certamente uma das mais generosamente remuneradas.

A Parte Dois deste livro concentra-se nos métodos usados pelos gestores de portfólio profissionais. Mostra como acadêmicos analisaram os resultados de seus investimentos e concluíram que não valem o dinheiro pago por eles. Apresenta então a hipótese do mercado eficiente (HME) e sua implicação prática: o melhor que os investidores em ações podem fazer é simplesmente comprar e manter um fundo indexado que possua uma carteira composta por todas as ações no mercado.

ANÁLISE TÉCNICA *VERSUS* FUNDAMENTALISTA

A tentativa de prever o desenrolar futuro dos preços das ações, e portanto o momento apropriado para comprar ou vender uma ação, é considerada uma das atividades mais persistentes dos investidores. Essa busca do ovo de ouro tem gerado uma diversidade de métodos, variando dos científicos aos ocultistas. Existem pessoas hoje que preveem os preços das ações medindo manchas solares, observando as fases da lua ou mensurando as vibrações ao longo da Falha de San Andreas. Mas a maioria opta por um destes dois métodos: análise técnica e análise fundamentalista.

As técnicas alternativas usadas pelos profissionais de investimentos estão relacionadas às duas teorias do mercado de ações abordadas na primeira parte do livro. A análise técnica é o método de prever o momento apropriado para comprar ou vender uma ação usado pelos que acreditam na visão do castelo no ar dos preços das ações. A análise fundamentalista é a técnica de aplicar os princípios da teoria da base firme à seleção das ações individuais.

A análise técnica é essencialmente a feitura e a interpretação de gráficos de ações. Assim, seus adeptos, uma seita pequena mas anormalmente dedicada, são chamados de analistas técnicos. Eles estudam os movimentos passados dos preços das ações ordinárias e o volume de negociação para prever a direção das mudanças futuras. Muitos analistas técnicos acreditam que o mercado é apenas 10% lógico e 90% psicológico. Geralmente adotam a escola do castelo no ar, e o jogo de investimentos consiste para eles em prever como os demais jogadores se comportarão. Claro que os gráficos informam apenas o que outros jogadores fizeram no passado. A esperança do analista técnico, porém, é que um estudo do que os outros jogadores estão fazendo lançará uma luz sobre o que a multidão tende a fazer no futuro.

Os analistas fundamentalistas seguem o caminho inverso, acreditando que o mercado é 90% lógico e apenas 10% psicológico. Pouco se importando com o padrão particular dos movimentos dos preços no passado, os fundamentalistas buscam calcular o valor apropriado de uma ação. Valor neste caso está associado aos ativos de uma empresa e à taxa de crescimento esperada dos lucros e dividendos, taxas de juros e risco. Estudando esses fatores, os fundamentalistas chegam a uma estimativa do valor intrínseco ou base firme de valor de um título mobiliário. Caso esteja acima do preço de mercado, o investidor é aconselhado a comprar. Os fundamentalistas acreditam que o mercado acabará refletindo o valor real do título mobiliário. Talvez 90% dos analistas de valores mobiliários de Wall Street considerem-se fundamentalistas. Muitos concordariam que falta aos analistas técnicos dignidade e profissionalismo.

O QUE OS GRÁFICOS PODEM INFORMAR?

O primeiro princípio da análise técnica é que todas as informações sobre lucros, dividendos e o desempenho futuro de uma empresa estão automaticamente refletidas nos preços de mercado passados dessa empresa. Um gráfico mostrando esses preços e o volume de negociação já compreende todas as informações essenciais, boas ou ruins, que o analista de valores mobiliários pode esperar saber. Um segundo princípio é que os preços tendem a se mover em tendências: uma ação que vem subindo tende a continuar subindo, enquanto uma ação parada tende a permanecer parada.

Um verdadeiro analista técnico nem sequer se importa em saber em qual setor determinada empresa atua, desde que possa estudar o gráfico de sua ação. Um gráfico em forma de "campânula invertida" ou "flâmula" significa o mesmo para a Microsoft ou a Coca-Cola. Informações essenciais sobre lucros e dividendos são consideradas, na melhor hipótese, inúteis – e, na pior, uma distração positiva. Ou não têm nenhuma importância para o preço de uma ação, ou, caso tenham, já foram refletidas previamente nos dias, semanas ou mesmo meses de funcionamento do mercado.

Um dos primeiros analistas técnicos, John Magee, operava de um pequeno escritório em Springfield, Massachusetts, onde até as janelas estavam tapadas com tábuas para impedir que quaisquer influências externas atrapalhassem sua análise. Magee certa vez foi citado dizendo: "Quando entro neste escritório, deixo o resto do mundo lá fora para me concentrar inteiramente nos meus gráficos. Esta sala é exatamente a mesma, seja numa nevasca ou numa noite enluarada de junho. Aqui não posso prestar a mim e aos meus clientes o desserviço de dizer 'compre' só porque o sol está brilhando ou 'venda' porque está chovendo."

As figuras a seguir mostram como é fácil construir um gráfico. Simplesmente trace uma linha vertical cuja base seja o preço mínimo da ação no dia e cujo topo seja o preço máximo. Essa linha é cruzada para indicar o preço de fechamento do dia. O processo pode ser repetido para cada dia de negociação e usado para ações individuais ou um índice de ações.

Com frequência o analista técnico indicará o volume de ações negociadas durante o dia por outra linha vertical no fundo do gráfico. Gradualmente, as altas e baixas no gráfico da ação em questão ziguezagueiam o suficiente para produzir padrões. Para o analista técnico, esses padrões possuem a mesma importância de chapas de raios X para o cirurgião.

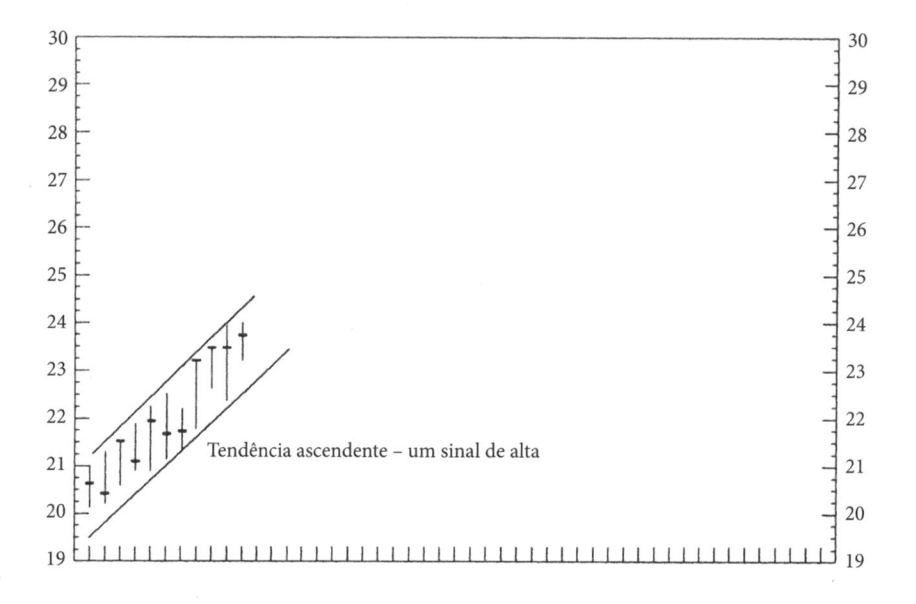

Uma das primeiras coisas que o analista técnico procura é uma tendência. A figura anterior mostra uma em formação. É o histórico das mudanças de preço de uma ação por uma série de dias – e os preços estão obviamente em alta. Os analistas técnicos traçam duas linhas ligando os preços máximos e mínimos, criando um "canal" para delinear a tendência ascendente. Como o pressuposto é de que o impulso no mercado tenderá a se perpetuar, espera-se que a ação continue subindo. Como escreveu Magee na bíblia da análise técnica, *Technical Analysis of Stock Trends*, "os preços movem-se em tendências, e as tendências costumam continuar até que aconteça algo que mude o equilíbrio entre oferta e demanda".

Suponha, porém, que a ação, quando estiver valendo mais ou menos 24, enfim tenha problemas e não consiga avançar mais. Trata-se do nível de resistência. A ação pode oscilar um pouco e depois começar a cair. Um padrão que, segundo os analistas técnicos, revela um claro sinal de que o mercado chegou ao topo é uma formação cabeça e ombros (mostrada na figura abaixo).

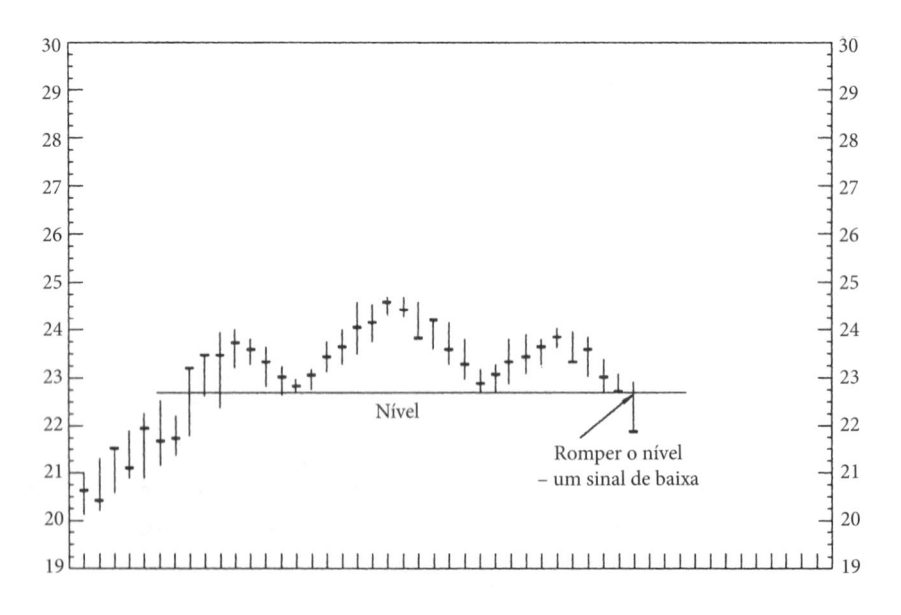

A ação primeiro sobe e depois cai ligeiramente, formando um ombro arredondado. Ela sobe de novo, indo um pouco mais alto, antes de recuar outra vez, formando uma cabeça. Finalmente o ombro direito se forma e os analistas técnicos aguardam com a respiração suspensa o sinal de vender, que soa alto e claro quando a ação rompe o nível. Com a euforia do conde Drácula examinando uma de suas vítimas, os analistas técnicos põem-se a vender, prevendo que uma tendência de baixa prolongada se seguirá, como supostamente ocorreu no passado. Claro que às vezes o mercado surpreende o analista técnico. Por exemplo, depois de dar um sinal de baixa, a ação pode "dar um drible" e subir até 30, como mostra o gráfico a seguir. Trata-se da "armadilha de urso". Para o analista técnico, a exceção que confirma a regra.

Constata-se que o analista técnico é um aplicador, não um investidor de longo prazo. Ele compra quando os augúrios parecem favoráveis e vende quando há maus presságios. Flerta com as ações como alguém flerta com uma pessoa numa festa, e suas conquistas são negociações de compra e venda bem-sucedidas, não compromissos de longo prazo recompensadores. De fato, o psiquiatra Don D. Jackson, coautor com Albert Haas Jr. de *Bulls, Bears and Dr. Freud*, sugeriu que tal indivíduo pode estar jogando um jogo com claras insinuações sexuais.

Quando o analista técnico escolhe uma ação, existe tipicamente um período de observação e flerte antes de se comprometer, porque para o analista técnico – como no romance e na conquista sexual – o timing é essencial. Existe uma excitação crescente quando a ação penetra na formação de base e sobe mais alto. Finalmente, se o caso foi bem-sucedido, existe o momento de satisfação – a realização de lucro e a liberação e a satisfação seguintes. O vocabulário do analista técnico inclui termos como "fundos duplos", "avanço decisivo", "violar as baixas", "firme e forte", "grande tacada", "picos ascendentes" e "clímax de compra". E tudo isso sob a flâmula do grande símbolo da sexualidade, o touro, representação de um mercado aquecido (*bull market*).

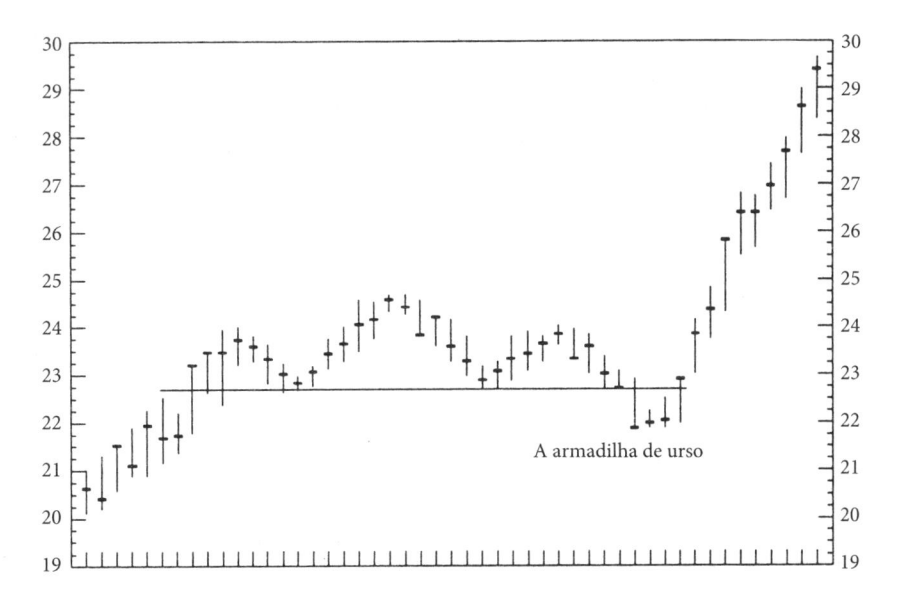

A armadilha de urso

O FUNDAMENTO LÓGICO DA ANÁLISE TÉCNICA

Por que se supõe que a análise técnica funciona? Muitos analistas técnicos admitem sinceramente que não sabem por que a análise deveria funcionar – a história simplesmente tem o hábito de se repetir.

Para mim, as três explicações seguintes da análise técnica parecem mais plausíveis. Primeira, tem-se argumentado que o instinto de multidão da psicologia de massas leva as tendências a se perpetuarem. Ao verem o preço de uma ação especulativa favorita subir sem parar, os investidores querem aderir à onda e participar da alta. Na verdade, o próprio aumento de preço alimenta o entusiasmo, numa profecia autorrealizável. Cada aumento de preço estimula o apetite e leva os investidores a esperarem mais aumento.

Segunda, pode haver um acesso desigual às informações essenciais sobre uma empresa. Quando uma notícia favorável ocorre, como a descoberta de um rico depósito de minérios, alega-se que os *insiders* são os primeiros a saber e agem, comprando a ação e fazendo seu preço subir. Os *insiders* então contam aos amigos, que agem a seguir. Depois os profissionais descobrem a notícia e as grandes instituições incluem lotes das ações em suas carteiras. Finalmente, os pobres coitados como você e eu obtêm a informação e compram, empurrando o preço para ainda mais alto. Supõe-se que esse processo resulte num aumento gradual do preço da ação quando as notícias são boas e um declínio quando são ruins.

Terceira, os investidores de início costumam reagir timidamente a novas informações. Existem alguns indícios de que, quando se anunciam lucros superiores (ou inferiores) às estimativas do mercado (surpresas positivas ou negativas nos lucros), o preço da ação reage positivamente (ou negativamente), mas o ajuste inicial é incompleto. Assim, o mercado de ações muitas vezes se ajustará às informações de lucro apenas gradualmente, resultando num período sustentado de impulso (ou derrocada) do preço.

Os analistas técnicos também acreditam que as pessoas têm o hábito nocivo de lembrar de quanto pagaram por uma ação ou do preço que gostariam de ter pagado. Por exemplo, suponha que uma ação fosse vendida por 50 dólares por um longo período, durante o qual uma série de investidores a compraram. Suponha que então o preço caia para 40 dólares.

Os analistas técnicos afirmam que o público estará ansioso por vender as ações quando subirem de volta ao preço pelo qual foram compradas, equilibrando assim a transação. Consequentemente, o preço de 50 pelo qual a ação foi inicialmente vendida torna-se uma "área de resistência". A cada vez que a área de resistência é alcançada e a ação declina, o nível de resistência torna-se mais difícil de transpor, porque mais investidores passam a acreditar que o mercado ou a ação individual em questão não consegue subir mais.

Um argumento semelhante está por trás da ideia de "níveis de apoio". Os analistas técnicos sustentam que muitos investidores que deixaram de comprar quando o mercado flutuava em torno de um nível de preço relativamente baixo sentirão que cometeram um engano quando os preços sobem. Presume-se que esses investidores aproveitarão a chance de comprar quando os preços caírem de volta ao nível mais baixo original. Na teoria dos gráficos, uma área de apoio que se repete em sucessivas baixas fica cada vez mais forte. Assim, se uma ação cai para uma área de suporte e depois começa a subir, os operadores aderirão, acreditando que a ação está "começando a se recuperar". Outro sinal de alta é emitido quando uma ação enfim rompe a barreira de resistência. No linguajar dos analistas técnicos, a antiga área de resistência torna-se uma área de apoio e a ação não deve ter dificuldade em ganhar mais terreno.

POR QUE A ANÁLISE TÉCNICA PODE NÃO FUNCIONAR?

Existem vários argumentos lógicos contra esse tipo de análise. Primeiro, os analistas técnicos compram só depois que as tendências de preço se consolidaram e vendem apenas depois que foram interrompidas. Como reversões fortes no mercado podem ocorrer subitamente, o analista técnico muitas vezes perde a oportunidade. No momento em que uma tendência ascendente é sinalizada, pode já ser tarde demais. Segundo, essas técnicas devem, em última análise, ser autodestrutivas. À medida que cada vez mais pessoas as utilizam, o valor de qualquer técnica se deprecia. Nenhum sinal de comprar ou vender pode ser compensador se todos tentam agir simultaneamente. Além disso, os operadores tendem a prever sinais técnicos. Quanto mais cedo preveem, menor a certeza de que o sinal irá ocorrer e de que a transação será rentável.

Talvez o argumento mais revelador contra os métodos técnicos venha das implicações lógicas do comportamento maximizador de lucros. Suponha que a Universal Polymers esteja sendo vendida em torno de 20 quando Sam, o chefe da pesquisa química, descobre uma nova técnica de produção que promete dobrar os lucros da empresa. Sam está convicto de que o preço da Universal atingirá 40 quando a notícia de sua descoberta vier a público. Como quaisquer compras abaixo de 40 fornecerão um lucro rápido, Sam e seus amigos podem perfeitamente ficar comprando até o preço atingir 40, um processo que não poderia durar mais que alguns minutos. O mercado pode ser um mecanismo bem eficiente. Se algumas pessoas sabem que o preço subirá para 40 amanhã, ele subirá para 40 hoje.

DO ANALISTA AO TÉCNICO

Na época pré-computador, a tarefa trabalhosa de traçar um rumo pelo mercado era feita à mão. Os analistas técnicos costumavam ser vistos como pessoas estranhas que ficavam isoladas em pequenos compartimentos nos fundos do escritório. Agora os analistas técnicos têm sistemas de computador ligados a uma variedade de redes de dados e cheios de grandes terminais que, ao toque de um dedo, podem produzir qualquer gráfico imaginável. O analista (agora chamado de técnico) pode, com a alegria de uma criança brincando com um novo trem elétrico, produzir um gráfico completo do desempenho passado de uma ação, incluindo indicadores de volume, a média móvel de 200 dias (uma média dos preços nos últimos 200 dias recalculada a cada dia), a força da ação relativamente ao mercado e seu setor, e literalmente centenas de outras médias, relações, osciladores e indicadores. Além disso, os indivíduos podem acessar uma variedade de gráficos para diferentes períodos em sites.

A TÉCNICA DA ANÁLISE FUNDAMENTALISTA

Fred Schwed Jr., em sua encantadora e espirituosa denúncia da comunidade financeira na década de 1930, *Where Are the Customers' Yachts?*, conta sobre um corretor texano que vendeu uma ação por 760 dólares a um cliente no momento em que poderia ter sido comprada por 730. Quando o cliente indignado descobriu o que havia ocorrido, reclamou amargamente com o corretor. O texano o interrompeu. "Olha", disse ele, "nenhum de vocês entende a política desta firma. Esta corretora seleciona investimentos para seus clientes com base não no preço, mas no valor."

Em certo sentido, essa história ilustra a diferença entre o técnico e o fundamentalista. O técnico está interessado apenas no histórico de preços da ação, enquanto a preocupação básica do fundamentalista é com o valor real de uma ação. O fundamentalista procura ficar relativamente imune ao otimismo e ao pessimismo da multidão e faz uma distinção clara entre o preço atual de uma ação e seu valor real.

Ao estimar o valor de base firme de uma ação, a tarefa mais importante do fundamentalista é estimar o fluxo futuro de lucros e dividendos da empresa. O valor de uma ação é considerado o valor presente ou descontado de todos os fluxos de caixa que se espera que o investidor receba. O analista deve estimar nível de vendas, custos operacionais, alíquotas de impostos, depreciação e as fontes e os custos dos requisitos de capital da empresa.

Basicamente, o analista de valores mobiliários precisa ser um profeta sem o benefício da inspiração divina. Como um pobre substituto, o analista volta-se a um estudo do histórico da empresa, uma análise das demonstrações de resultados, balanços e planos de investimentos da empresa, e uma visita em primeira mão à equipe gestora da empresa, com sua subsequente avaliação. O analista precisa então separar os fatos importantes dos sem importância. Nas palavras de Benjamin Graham em *O investidor inteligente*, "às vezes ele nos lembra um pouco o general de divisão erudito de *Os piratas de Penzance*, com seus 'muitos fatos divertidos sobre o quadrado da hipotenusa'".

Como as perspectivas gerais de uma empresa são fortemente influenciadas pela posição econômica de seu setor de atividade, o ponto de partida para o analista de valores mobiliários é um estudo das perspectivas do setor. De fato, os analistas especializam-se em grupos setoriais específicos. O fundamentalista espera que um estudo minucioso das condições do setor produzirá insights valiosos dos fatores ainda não refletidos nos preços do mercado.

O fundamentalista usa quatro determinantes básicos para ajudar a estimar o valor correto de qualquer ação:

Determinante 1: A taxa de crescimento esperada. A maioria das pessoas não reconhece as implicações do crescimento capitalizado para as decisões financeiras. Albert Einstein certa vez descreveu os juros compostos como a "maior descoberta matemática de todos os tempos". Costuma-se dizer que o indígena americano que vendeu a ilha de Manhattan em 1626 por 24 dólares foi enganado pelo homem branco. Na verdade, ele pode ter sido um vendedor bem esperto. Se tivesse aplicado o dinheiro a juros de 6% capitalizados semestralmente, ele valeria agora mais de 100 bilhões de dólares e com ele seus descendentes poderiam comprar de volta grande parte da terra melhorada. Tal é a magia dos juros compostos!

A capitalização é o processo que faz com que 10 mais 10 seja igual a 21 em vez de 20. Suponha que você aplique 100 dólares este ano, e no ano seguinte, num investimento que produza um retorno anual de 10%. Quanto você ganhou ao final do segundo ano? Se você respondeu 21%, merece uma estrela dourada e ser promovido a chefe da turma.

A aritmética é simples. Seus 100 dólares crescem para 110 ao final do ano um. No ano seguinte, você também obtém 10% dos 110 dólares com que começou, tendo portanto 121 ao final do ano dois. Desse modo, o retorno total no período de dois anos é de 21%. Isso acontece porque os juros que você recebe do seu investimento inicial também recebem juros. Continuando no ano três, você terá 133,10 dólares. A capitalização é bem poderosa.

Uma regra útil, chamada "a regra dos 72", fornece um atalho para descobrir quanto tempo o dinheiro leva para dobrar. Pegue a taxa de juros que você ganha, divida 72 por ela e você obtém o número de anos necessário para dobrar seu dinheiro. Por exemplo, se a taxa de juros é de 15%, são necessários pouco menos de cinco anos para seu dinheiro dobrar (72 divididos por 15 = 4,8 anos). As implicações de diferentes taxas de crescimento para o tamanho dos dividendos futuros são mostradas na tabela abaixo.

Taxa de crescimento dos dividendos	Dividendo presente	Dividendo em cinco anos	Dividendo em dez anos	Dividendo em 25 anos
5%	$1,00	$1,28	$1,63	$3,39
15%	$1,00	$2,01	$4,05	$32,92
25%	$1,00	$3,05	$9,31	$264,70

A armadilha (e não é que sempre existe ao menos uma?) é que o crescimento dos dividendos não prossegue para sempre, pelo simples motivo de que as empresas possuem ciclos de vida semelhantes aos da maioria dos seres vivos. Vejamos as maiores empresas nos Estados Unidos cem anos atrás. Nomes como Eastern Buggy Whip Company, La Crosse and Minnesota Steam Packet Company, Savannah and St. Paul Steamboat Line e Hazard Powder Company estariam nas alturas na lista das 500 maiores da *Fortune* daquela época. Todas deixaram de existir.

E, ainda que o ciclo de vida natural não atinja uma empresa, existe sempre o fato de que fica cada vez mais difícil crescer à mesma taxa percentual. Uma empresa que lucra 1 milhão de dólares precisa aumentar seu lucro em apenas 100 mil para obter uma taxa de crescimento de 10%, enquanto uma empresa começando de uma base de lucro de 10 milhões de dólares precisa de um lucro adicional de 1 milhão para produzir o mesmo resultado.

O absurdo de contar com taxas de crescimento de longo prazo muito altas é perfeitamente ilustrado ao se trabalhar com projeções de população para os Estados Unidos. Se as populações do país e da Califórnia continuarem crescendo às mesmas taxas recentes, 120% da população dos Estados Unidos viverão na Califórnia em 2043!

Por mais enganosas que possam ser as projeções, se as avaliações do mercado fazem sentido, os preços das ações precisam refletir as diferenças nas perspectivas de crescimento. Além disso, a duração provável da fase de crescimento é muito importante. Se uma empresa espera auferir uma rápida taxa de crescimento de 20% por dez anos e outra empresa em crescimento espera sustentar a mesma taxa por apenas cinco anos, a primeira é, com os demais fatores permanecendo inalterados, mais valiosa para o investidor do que a segunda. O fato é que as taxas de crescimento são verdades gerais, e não absolutas, o que nos traz à primeira regra fundamental para avaliar títulos mobiliários:

Regra 1: Um investidor racional deveria estar disposto a pagar tanto mais por uma ação quanto maior a taxa de crescimento dos dividendos e lucros.

A essa regra acrescenta-se um importante corolário:

Corolário da Regra 1: Um investidor racional deveria estar disposto a pagar tanto mais por uma ação quanto maior a expectativa de duração de uma taxa de crescimento extraordinária.

Essa regra parece se adequar às práticas atuais? Vamos primeiro reformular a pergunta em termos de índice preço/lucro (P/L) em vez de preço do mercado. Esse índice fornece um bom parâmetro para compararmos ações com diferentes preços e lucros. Uma ação vendida a 100 dólares com lucro de 10 dólares por ação teria o mesmo índice P/L (10) de uma ação vendida a 40 com lucro de 4 por ação. É o P/L, não o preço, que informa como uma ação é valorizada no mercado.

Nossa pergunta reformulada agora diz: os índices preço/lucro reais são maiores para ações com previsão de alta taxa de crescimento? Foi fácil coletar dados sobre preços e lucros necessários para calcular índices P/L. As taxas de crescimento de longo prazo esperadas foram obtidas do Institutional Brokers' Estimate Source (IBES). O gráfico a seguir, com alguns títulos mobiliários representativos, confirma a Regra 1. Altos índices P/L estão associados a altas taxas de crescimento esperadas.

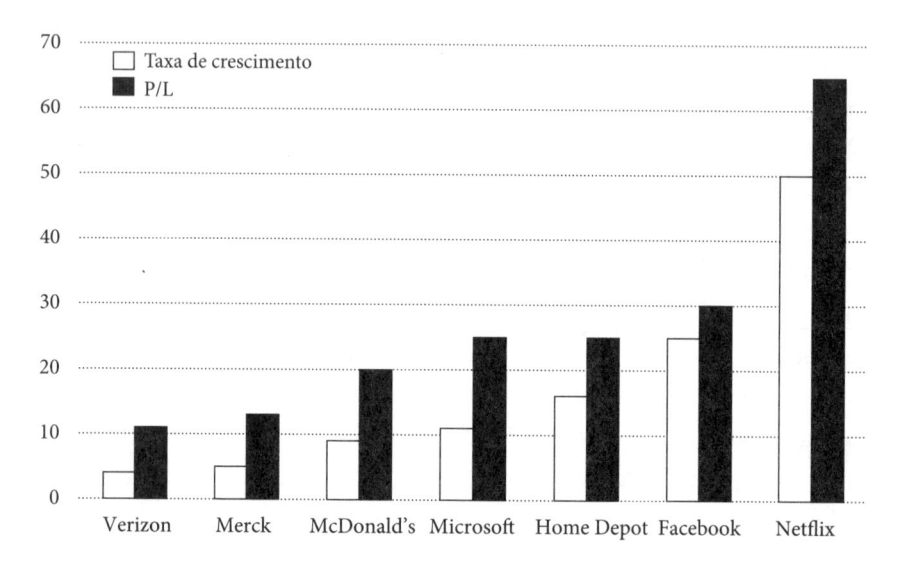

Além de demonstrar como o mercado valoriza diferentes taxas de crescimento, o gráfico também pode ser usado como um guia prático de investimento. Suponha que você estivesse cogitando a compra de uma ação com uma taxa de crescimento esperada de 5% e soubesse que, na média, ações com 5% de crescimento eram vendidas, como a Merck, a 13 vezes seu lucro. Se a ação que você estivesse avaliando fosse vendida a um índice preço/lucro de 20, você poderia rejeitar a ideia de comprá-la, a favor de uma com preço mais razoável de acordo com as normas atuais do mercado.

Determinante 2: O pagamento de dividendos esperado. A quantidade de dividendos que você recebe – ao contrário de sua taxa de crescimento – é prontamente entendida como um fator importante na determinação do preço de uma ação. Quanto maior o pagamento de dividendos, permanecendo inalterados os demais fatores, maior o valor da ação. A armadilha aqui é a expressão "permanecendo inalterados os demais fatores". Ações que pagam uma alta porcentagem dos lucros como dividendos podem ser maus investimentos se suas perspectivas de crescimento forem desfavoráveis. Inversamente, muitas das empresas de crescimento mais dinâmico costumam não pagar dividendos. Algumas empresas costumam recomprar suas ações em vez de aumentar seus dividendos. Para duas empresas cujas taxas de crescimento esperadas sejam iguais, você se dará melhor com aquela que devolve mais dinheiro aos acionistas.

Regra 2: Um investidor racional deveria pagar tanto mais por uma ação, permanecendo inalterados os demais fatores, quanto maior a proporção do lucro da empresa paga em dividendos em dinheiro ou usada para recomprar ações.

Determinante 3: O grau de risco. O risco desempenha um papel importante no mercado de ações e é isso que o torna tão fascinante. O risco também afeta a avaliação de uma ação. Algumas pessoas acham que o risco é o único aspecto de uma ação a ser examinado.

Quanto mais respeitável for uma ação – ou seja, quanto menos arriscada for –, maior sua qualidade. Dizem que as ações das chamadas empresas *blue chip*, por exemplo, merecem um prêmio de qualidade. (Por que ações de alta qualidade recebem uma denominação derivada das mesas de pôquer é um fato que só Wall Street sabe.) A maioria dos investidores prefere ações menos arriscadas, que podem obter índices preço/lucro maiores que ações mais arriscadas, de baixa qualidade.

Embora exista um consenso de que a compensação para o maior risco devem ser recompensas futuras maiores (e assim, preços atuais menores), medir o risco é quase impossível. Mas isso não desanimou os economistas. Uma grande dose de atenção tem sido destinada à medição do risco.

De acordo com uma teoria bem conhecida, quanto maiores as oscilações – em relação ao mercado como um todo – dos preços das ações de uma empresa individual (ou de seus retornos anuais, incluindo dividendos), maior o risco. Por exemplo, uma empresa estável como a Johnson & Johnson obtém o selo de aprovação de Boa Administração para investidores conservadores. Isso porque seus lucros são relativamente estáveis durante recessões e seus dividendos são seguros. Portanto, quando o mercado cai 20%, a J&J talvez sofra apenas um declínio de 10%. Essa ação é considerada de risco abaixo da média. A Salesforce.com, por outro lado, tem um histórico bem volátil e costuma cair 30% ou mais quando o mercado cai 20%. O investidor está se arriscando ao possuir ações de tal empresa, particularmente se for forçado a vendê-las durante condições de mercado desfavoráveis.

Mas, quando os negócios vão bem e o mercado mantém um impulso ascendente sustentado, é de esperar que a Salesforce.com se distancie da J&J. Mas, se você for como a maioria dos investidores, valorizará retornos estáveis em vez de esperanças especulativas, a despreocupação com seu portfólio em vez de noites insones e uma exposição limitada ao prejuízo em vez da possibilidade de uma queda ladeira abaixo. Isso nos leva a uma terceira regra da avaliação de títulos mobiliários:

> **Regra 3:** Um investidor racional (e avesso ao risco) deveria pagar tanto mais pela ação de uma empresa – permanecendo inalterados os demais fatores – quanto menos arriscada for essa ação.

Devo alertar o leitor de que um indicador de "volatilidade relativa" pode não captar plenamente o risco pertinente a uma empresa. O Capítulo 9 apresentará uma discussão minuciosa a respeito desse importante elemento do risco.

Determinante 4: O nível das taxas de juros do mercado. O mercado de ações não existe como um mundo à parte. Os investidores deveriam levar em conta quanto lucro conseguem obter em outros lugares. As taxas de juros, se altas o suficiente, podem oferecer uma alternativa estável e rentável ao mercado de ações. Considere períodos como o início da década de 1980, quando o rendimento dos títulos de dívida de empresas de primeira linha nos Estados Unidos disparou para quase 15%. Os retornos esperados dos preços das ações tiveram dificuldade em acompanhar essas taxas dos títulos de dívida. O dinheiro fluiu para os títulos, enquanto os preços das ações caíram fortemente. Enfim, os preços das ações atingiram um nível tão baixo que um número suficiente de investidores foi atraído para conter o declínio. De novo, em 1987, as taxas de juros subiram substancialmente, precedendo o grande colapso do mercado de ações de 19 de outubro. Mais recentemente, os juros globais se mantiveram em um patamar baixo por um período prolongado, impulsionando os mercados de ações. Em outras palavras, para atrair os investidores em títulos de dívida de alto rendimento, as ações precisam oferecer preços compensadores.*

Por outro lado, quando as taxas de juros estão muito baixas, os títulos mobiliários de juros fixos fornecem uma remuneração muito baixa, pois o mercado de ações e os preços das ações tendem a ser relativamente altos. Isso fornece a justificativa para a última regra básica da análise fundamentalista:

Regra 4: Um investidor racional deveria pagar tanto mais por uma ação – permanecendo inalterados os demais fatores – quanto menores forem as taxas de juros.

TRÊS IMPORTANTES ADVERTÊNCIAS

As quatro regras de avaliação implicam que o valor de base firme de um título mobiliário e seu índice preço/lucro serão tanto maiores quanto maior a taxa de crescimento de uma empresa e sua duração, quanto maior o pagamento de dividendos pela empresa, quanto menos arriscadas as ações da empresa e quanto menor o nível geral das taxas de juros.

---

* Esse argumento pode ser apresentado diferentemente observando que, como taxas de juros mais altas permitem ganhar mais agora, qualquer renda diferida deveria ser "descontada" mais fortemente. Assim, o valor presente de qualquer fluxo de retornos de dividendos futuros será menor quando as taxas de juros atuais forem relativamente altas. A relação entre taxas de juros e preços das ações é um tanto mais complicada, porém, do que esta discussão pode indicar. Suponha que os investidores esperem que a taxa de inflação aumentará de 5% para 10%. Tal expectativa tende a fazer com que as taxas de juros subam cerca de 5 pontos percentuais para compensar os investidores por conservarem obrigações de dólar fixo cujo poder de compra será adversamente afetado pela inflação maior. Se os demais fatores permanecerem inalterados, deveria haver uma queda dos preços das ações. Porém, com maior inflação esperada, os investidores podem razoavelmente projetar que os lucros e os dividendos corporativos também aumentarão num ritmo mais veloz, causando a subida dos preços das ações. No Capítulo 13 você poderá conferir uma discussão mais completa sobre inflação, taxas de juros e preços das ações. *(N. do A.)*

Em princípio, tais regras são bem úteis para indicar uma base racional para os preços das ações e fornecer aos investidores algum padrão de valor. Mas, antes de pensarmos em aplicar essas regras, precisamos ter em mente três advertências importantes.

Advertência 1: Expectativas sobre o futuro não podem ser comprovadas no presente. Prever lucros e dividendos é uma tarefa bem arriscada. É extremamente difícil ser objetivo. O otimismo exagerado e o pessimismo extremo costumam concorrer pela preferência. Em 2008, a economia sofria uma grave recessão e uma crise de crédito mundial. O melhor que os investidores puderam fazer naquele ano foi projetar taxas de crescimento modestas para a maioria das empresas. Durante a bolha da internet no fim da década de 1990 e início da de 2000, os investidores se convenceram de que um novo período de alto crescimento e prosperidade ilimitada era uma conclusão previsível.

O fato a ser lembrado é que, não importando a fórmula que você usa para prever o futuro, ela sempre repousa em parte sobre uma premissa vaga. Como Samuel Goldwyn costumava dizer, "previsões são difíceis de fazer – particularmente aquelas sobre o futuro".

Advertência 2: Cifras precisas não podem ser calculadas a partir de dados vagos. É lógico que não é possível obter cifras precisas usando fatores indefinidos. No entanto, para obter os fins desejados, investidores e analistas de valores mobiliários fazem isso o tempo todo.

Considere uma empresa sobre a qual você ouviu um monte de coisas boas. Você estuda as perspectivas da empresa e conclui que ela pode sustentar uma alta taxa de crescimento por um longo período. Por quanto tempo? Bem, por que não dez anos?

Você então calcula qual deveria ser o "valor" da ação com base no pagamento atual de dividendos, na taxa de crescimento futuro esperada e no nível geral das taxas de juros, talvez deixando uma margem para o risco das ações. Para sua decepção, o preço que a ação vale mostra-se apenas ligeiramente inferior a seu preço de mercado atual.

Você agora tem duas alternativas. Poderia considerar a ação cara demais e recusar-se a comprá-la ou poderia dizer: "Talvez essa ação pudesse manter uma taxa de crescimento alta por onze anos em vez de dez. Afinal, os dez anos foram apenas um palpite, então por que não onze?" Assim, você retorna ao computador e eis que obtém um valor para as ações superior ao preço de mercado atual.

O motivo pelo qual o jogo funcionou é que quanto mais longe se projeta um crescimento extraordinário, maior é o fluxo de dividendos futuros. Assim, o valor presente de uma ação fica a critério de quem faz os cálculos. Se onze anos não forem suficientes, doze ou treze poderiam perfeitamente ser. Existe sempre alguma combinação de taxa de crescimento com período de crescimento que vai produzir qualquer preço específico. É impossível calcular o valor intrínseco de uma ação. Acredito que existe uma indeterminação fundamental sobre o valor de ações ordinárias mesmo em princípio. Deus Todo-Poderoso não conhece o índice preço/lucro certo para uma ação ordinária.

Advertência 3: O que é crescimento para fulano nem sempre é crescimento para beltrano. A dificuldade advém do valor que o mercado atribui a fundamentos específicos. É sempre verdade que o mercado valoriza o crescimento e que taxas de crescimento maiores provocam índices P/L maiores. Mas a pergunta crucial é: quanto mais você deveria pagar pelo maior crescimento?

Não existe uma resposta uniforme. Em alguns períodos, como no início das décadas de 1960 e 1970, quando o crescimento era considerado especialmente desejável, o mercado estava disposto a pagar um preço enorme por ações que exibam altas taxas de crescimento. Em outras épocas, como o fim da década de 1980 e o início da de 1990, ações de alto crescimento obtinham índices P/L apenas ligeiramente superiores aos das ações ordinárias em geral. No início dos anos 2000, as ações de crescimento que compunham o Índice NASDAQ 100 eram vendidas com índices P/L de três dígitos. O crescimento podia estar tão em voga quanto bulbos de tulipas, como os investidores em ações de crescimento aprenderam dolorosamente.

De um ponto de vista prático, as mudanças rápidas ocorridas nas avaliações do mercado indicam que seria bem perigoso usar quaisquer relações de avaliação de um ano como indicadores das normas do mercado. Porém, ao compararem a avaliação atual das ações de crescimento com precedentes históricos, os investidores deveriam ao menos ser capazes de isolar aqueles períodos em que um toque da febre das tulipas derrotou os investidores.

POR QUE A ANÁLISE FUNDAMENTALISTA PODE NÃO FUNCIONAR?

Apesar de sua plausibilidade e da aparência científica, existem três falhas potenciais nesse tipo de análise. Primeira, as informações e análises podem estar incorretas. Segunda, a estimativa de "valor" do analista pode estar equivocada. Terceira, o preço da ação pode não convergir para seu valor estimado.

O analista de valores mobiliários, estudando cada empresa e consultando especialistas do setor, receberá uma grande dose de informações fundamentais. Alguns críticos têm sustentado que, tomadas como um todo, essas informações serão inúteis. O que os investidores ganham com as notícias válidas (supondo que ainda não sejam reconhecidas pelo mercado) perderão com as informações que não servem de nada. Além disso, o analista desperdiça um esforço considerável coletando as informações e os investidores pagam taxas de transações ao se valerem delas. Os analistas de valores mobiliários também podem ser incapazes de traduzir fatos corretos em estimativas exatas de lucros futuros. Uma análise defeituosa de informações válidas poderia resultar em uma taxa de crescimento dos lucros e dividendos bem distante da realidade.

O segundo problema é que, ainda que as informações sejam corretas e suas implicações para o crescimento futuro sejam corretamente avaliadas, o analista poderia fazer uma estimativa de valor errada. É praticamente impossível traduzir estimativas de crescimento específicas em uma só previsão do valor intrínseco. Na verdade, as tentativas de obter um indicador do valor fundamental podem ser uma busca inútil por algo ilusório. Todas as informações disponíveis ao analista podem já estar refletidas. Quaisquer diferenças entre o preço de um título mobiliário e seu "valor" podem resultar de uma estimativa de valor incorreta.

O problema final é que, mesmo com informações e estimativas de valor corretas, a ação que você compra poderia ainda assim cair. Por exemplo, suponha que a ação da Biodegradable Bottling Company esteja sendo vendida a um índice P/L de 30 e o analista estime que a empresa consiga sustentar uma taxa de crescimento de longo prazo de 25%. Se, na média, ações com taxa de crescimento antecipada de 25% estão sendo vendidas a um índice P/L de 40, o fundamentalista poderia concluir que a Biodegradable é uma ação "barata" e recomendar a compra.

Mas suponha que, alguns meses depois, ações com taxa de crescimento de 25% estejam sendo vendidas no mercado com índices P/L de apenas 20. Ainda que o analista estivesse correto em sua estimativa da taxa de crescimento, seus clientes podem não ganhar, porque o mercado reavaliou suas estimativas do valor de ações de crescimento. O mercado poderia corrigir seu "erro" reavaliando todas as ações para baixo em vez de aumentar o preço da Biodegradable Bottling.

Tais mudanças de avaliação não são extraordinárias – são as flutuações rotineiras do sentimento do mercado que experimentamos no passado. Não apenas o índice P/L médio pode mudar rapidamente para as ações em geral, mas também pode mudar o preço extra atribuído ao crescimento. Por isso não se deve acreditar piamente no sucesso da análise fundamentalista.

USANDO AS ANÁLISES FUNDAMENTALISTA E TÉCNICA JUNTAS

Muitos analistas usam uma combinação de técnicas para julgar se ações individuais são atraentes para compra. Um dos procedimentos mais sensatos pode ser facilmente sintetizado pelas três regras seguintes. O leitor persistente e paciente reconhecerá que as regras se baseiam nos princípios dos preços das ações que expus anteriormente.

Regra 1: Compre apenas empresas com crescimento dos lucros esperado acima da média nos próximos cinco ou mais anos. Uma taxa de crescimento dos lucros de prazo extraordinariamente longo é o elemento individual mais importante para o sucesso da maioria dos investimentos em ações. Amazon, Netflix e praticamente todas as outras ações ordinárias realmente excepcionais do passado eram ações de crescimento. Por mais difícil que seja a tarefa, escolher as ações com lucros crescentes é o xis da questão. Um crescimento consistente não apenas aumenta os lucros e os dividendos de uma empresa, mas pode também aumentar o índice P/L da ação. Assim, o comprador de uma ação cujo lucro começa a crescer rapidamente pode obter um duplo benefício potencial: tanto o lucro quanto o índice P/L podem aumentar.

Regra 2: Nunca pague por uma ação mais do que sua base firme de valor. Embora eu tenha argumentado, espero que de modo convincente, que você nunca consegue julgar o valor intrínseco exato de uma ação, muitos analistas sentem que é possível fazer uma avaliação aproximada de quando uma ação parece ter um preço razoável. Em geral, o índice P/L do mercado como um todo é um referencial útil. Ações de crescimento vendidas com índices P/L alinhados ao do mercado, ou não muito acima dele, costumam representar um bom valor.

Existem vantagens importantes em comprar ações de crescimento com índices P/L bem razoáveis. Se sua estimativa de crescimento se mostra correta, você pode obter o duplo bônus que mencionei em relação à Regra 1: o preço tenderá a subir simplesmente porque o lucro subiu, mas também o índice P/L tende a crescer. Daí o duplo bônus. Suponha, por exemplo, que você escolha um papel com lucro por ação de 1 dólar e vendido a 7,50. Se o lucro por ação subir para 2 dólares e o P/L aumentar de 7,5 para 15 (em reconhecimento do fato de que a ação da empresa agora pode ser considerada de crescimento), você não apenas dobra seu dinheiro – você o quadruplica. Isso porque sua ação de 7,50 dólares valerá 30 (o índice de 15 multiplicado pelo lucro de 2).

Agora vejamos o outro lado da moeda. Existem riscos especiais em comprar "ações de crescimento" que o mercado já reconheceu e cujo índice preço/lucro aumentou fortemente em relação às ações mais comuns. O problema é que índices P/L muito altos podem já refletir plenamente o crescimento previsto e, se esse crescimento não se materializar e o lucro na verdade cair (ou crescer mais lentamente), você vai se dar mal. Os duplos benefícios que são possíveis se o lucro de ações de baixo índice P/L crescer podem se tornar duplos prejuízos se o lucro de ações de alto índice P/L declinar.

O que se propõe é uma estratégia de comprar ações de crescimento não reconhecido cujos índices P/L não estejam tão valorizados em relação ao mercado. Ainda que o crescimento não se materialize e o lucro decline, o dano tende a ser um só se o índice estiver baixo bem no início, enquanto os benefícios podem dobrar se o crescimento se materializar. Essa é uma forma extra de pôr as chances a seu favor.

Peter Lynch, o gestor bem-sucedido mas agora aposentado do Magellan Fund, usou essa técnica com grande benefício durante os anos iniciais do fundo. Lynch calculava a relação entre o P/L de cada ação potencial e seu crescimento (indicador PEG) e comprava para seu portfólio apenas aquelas ações com alto crescimento em relação a seus P/Ls. Não era uma simples estratégia de baixo P/L, porque uma ação com taxa de crescimento de 50% e um P/L de 25 (indicador PEG = 0,5) era considerada bem melhor do que uma ação com crescimento de 20% e um P/L de 20 (indicador PEG = 1). Se a pessoa estiver correta nas projeções de crescimento, e por um período Lynch esteve, essa estratégia pode produzir excelentes retornos.

Podemos sintetizar a discussão até agora reafirmando as duas primeiras regras: *Procure situações de crescimento com índices preço/lucro baixos. Se o crescimento ocorre, geralmente existe um duplo bônus: tanto o lucro quanto o índice P/L aumentam, produzindo grandes ganhos. Cuidado com ações com índice muito alto cujo crescimento futuro já está descontado. Se o crescimento não se materializa, as perdas são duplamente pesadas: tanto o lucro quanto o índice P/L caem.*

Regra 3: Procure ações cujas histórias de crescimento previsto são do tipo que permite aos investidores construir castelos no ar. Tenho enfatizado a importância de elementos psicológicos na determinação dos preços das ações. Os investidores individuais e institucionais não são computadores que calculam índices preço/lucro garantidos e imprimem decisões de compra e venda. São seres humanos emocionais – movidos por ganância, instintos de jogo, esperança e medo de suas decisões no mercado de ações. Por isso o sucesso nos investimentos exige acuidade intelectual e psicológica.

Ações que produzem "boas sensações" na mente dos investidores podem ser vendidas com índices P/L altos por longos períodos, ainda que a taxa de crescimento seja apenas mediana. Aquelas menos aquinhoadas podem ser vendidas por índices P/L baixos por longos períodos, ainda que sua taxa de crescimento esteja acima da média. Sem dúvida, se uma taxa de crescimento parece estar consolidada, a ação quase certamente atrairá algum tipo de seguidor. O mercado não é irracional. Mas as ações são como pessoas – o que estimula uma pode deixar a outra indiferente, e a melhoria do índice P/L pode ser menor e mais lenta se a história não chega a se popularizar.

Assim, a Regra 3 diz para você se perguntar se a história sobre sua ação tende a capturar a imaginação da multidão. Trata-se de uma história que permite gerar sonhos contagiantes? Uma história que permite aos investidores construir castelos no ar – mas castelos no ar que realmente repousem sobre uma base firme?

Não é preciso ser um técnico para seguir a Regra 3. Você poderia simplesmente usar sua intuição ou seu senso especulativo para julgar se a "história" de sua ação vai capturar a imaginação da multidão – particularmente a atenção dos investidores institucionais. Os analistas técnicos, porém, buscariam algum indício tangível antes de se convencerem de que a ideia do investimento estava de fato se popularizando. Esse indício tangível é, certamente, o início de uma tendência ascendente ou um sinal técnico que prevê uma tendência ascendente.

Embora as regras que delineei pareçam sensatas, a questão importante é se realmente funcionam. Afinal, muitas outras pessoas estão jogando o jogo e não é nada óbvio que alguém consiga ganhar de modo sistemático.

Nos próximos dois capítulos vou examinar o desempenho real. O Capítulo 6 considerará a pergunta: a análise técnica funciona? O 7 examinará o histórico de desempenho dos fundamentalistas. Juntos, devem nos ajudar a avaliar até que ponto poderíamos confiar no conselho dos profissionais de investimentos.

6

ANÁLISE TÉCNICA E A TEORIA DO PASSEIO ALEATÓRIO

As coisas raramente são o que parecem.
Leite desnatado finge ser nata.

– GILBERT E SULLIVAN, *H.M.S. Pinafore*

NEM LUCROS, NEM DIVIDENDOS, nem risco, nem a tristeza das altas taxas de juros detêm os técnicos em sua tarefa designada: estudar os movimentos dos preços das ações. Tal devoção obstinada aos números tem gerado o linguajar e as teorias mais exuberantes: "Mantenha as vencedoras, venda as perdedoras", "Mude para as ações fortes", "Venda esse lançamento, o desempenho está ruim".

Todas são prescrições populares de analistas técnicos. Eles baseiam suas estratégias em sonhos de castelos no ar e esperam que suas ferramentas informem qual castelo está sendo erguido e como entrar no andar térreo. A pergunta é: funcionam?

FUROS EM SEUS SAPATOS E AMBIGUIDADE EM SUAS PREVISÕES

Professores universitários às vezes ouvem esta pergunta de seus alunos: "Se você é tão inteligente, por que não é rico?" A pergunta costuma irritar os professores, que acham que estão abrindo mão das riquezas mundanas para se dedicarem a uma profissão tão socialmente útil como o magistério. A mesma pergunta é mais apropriadamente formulada aos técnicos. Se todo o objetivo da análise técnica é ganhar dinheiro, seria de esperar que aqueles que a pregam devessem praticá-la com sucesso.

A um exame atento, os técnicos costumam ser vistos com furos nos seus sapatos e colarinho da camisa puído. Pessoalmente nunca conheci um técnico bem-sucedido, mas tenho visto a ruína de muitos malsucedidos. Curiosamente, porém, o técnico sem dinheiro nunca se justifica. Se você comete o erro social de lhe perguntar por que está sem dinheiro, ele responderá bem francamente que cometeu o erro demasiadamente humano de não acreditar nos próprios gráficos. Para meu constrangimento, certa vez ri abertamente à mesa de jantar quando um analista técnico fez tal comentário. Desde então, sigo a regra de nunca comer com um analista técnico. Faz mal à digestão.

Embora os técnicos possam não enriquecer seguindo os próprios conselhos, seu estoque de palavras é bem refinado. Veja este conselho oferecido por um serviço técnico:

> A subida do mercado após um período de reacumulação é um sinal de alta. Não obstante, características de fulcro ainda não estão claramente presentes e uma área de resistência existe 40 pontos acima no Dow, sendo portanto claramente prematuro dizer que a próxima etapa do mercado em alta está no fim. Se, nas semanas seguintes, um teste das baixas se sustentar e o mercado sair de sua marca, um aumento adicional seria indicado. Se as baixas forem violadas, uma continuação da tendência de baixa de médio prazo seria prevista. Em vista da situação atual, constitui uma possibilidade clara que os operadores vão ficar de sobreaviso aguardando uma delineação mais clara da tendência e o mercado avançará numa faixa de negociação estreita.

Se você me perguntar o que isso significa, não sei dizer, mas creio que o técnico provavelmente teve o seguinte em mente: "Se o mercado não subir nem cair, permanecerá inalterado." Até a previsão do tempo consegue um resultado melhor.

Obviamente, sou tendencioso. Não é apenas um viés pessoal, mas profissional também. A análise técnica é um anátema para grande parte do mundo acadêmico. Adoramos criticá-la. Temos dois motivos principais: (1) depois do pagamento dos custos das transações e dos impostos, o método não é melhor do que uma estratégia de comprar e manter; e (2) é fácil criticar. E, ainda que possa parecer um tanto injusto, lembre-se de que é o seu dinheiro que estamos tentando salvar.

Embora o computador talvez realçasse a posição do técnico por um tempo e os serviços de gráficos estejam amplamente disponíveis na internet, a tecnologia acabou se mostrando a ruína do técnico. Com a mesma rapidez com que este cria gráficos para mostrar para onde o mercado está rumando, o acadêmico se ocupa em desenvolver gráficos mostrando onde o técnico esteve. É tão fácil testar todas as regras de negociação técnicas no computador que se tornou um dos passatempos favoritos dos acadêmicos ver se realmente funcionam.

EXISTE IMPULSO NO MERCADO DE AÇÕES?

O técnico acredita que o conhecimento do comportamento passado de uma ação pode ajudar a prever seu provável comportamento futuro. Em outras palavras, a sequência de mudanças de preço antes de qualquer dado dia é importante para se prever a mudança de preço daquele dia. Poderíamos chamá-lo de "princípio do papel de parede". O analista técnico tenta prever os preços futuros das ações assim como poderíamos prever que o padrão do papel de parede atrás do espelho é igual ao padrão acima do espelho. A premissa básica é que existem padrões repetíveis no espaço e no tempo.

Os analistas técnicos acreditam na existência de impulso no mercado. Supostamente, ações que vêm subindo continuarão a subir e aquelas que começam a cair continuarão caindo. Os investidores deveriam, portanto, comprar ações que começam a subir e continuar a manter suas ações fortes. Caso a ação comece a cair, os investidores são aconselhados a vender.

Essas regras técnicas foram testadas exaustivamente usando dados de preços das ações retrocedendo até o começo do século XX. Os resultados revelam que movimentos passados dos preços das ações não podem ser usados de forma confiável para prever movimentos futuros. O mercado de ações possui pouca memória, se é que tem alguma. Embora o mercado exiba algum impulso, ele não ocorre de forma confiável e são frequentes os colapsos do impulso. Não existe persistência suficiente nos preços das ações para tornar sistematicamente lucrativas as estratégias de acompanhamento de tendências. Embora exista algum impulso de curto prazo no mercado de ações, como será descrito mais detalhadamente no Capítulo 11, qualquer investidor que pague custos de transações e impostos dificilmente se beneficiará dele.

Os economistas também examinaram a tese dos técnicos de que costuma haver sequências de mudanças de preço na mesma direção por vários dias (ou várias semanas ou meses). As ações são comparadas a *fullbacks*, jogadores de futebol americano: uma vez que obtêm algum impulso, espera-se que prossigam para uma longa conquista. Acontece que esse não é o caso. Às vezes há mudanças de preços positivas (preços em elevação) por vários dias seguidos. Mas outras vezes, quando está jogando uma moeda justa, você também obtém uma longa sequência de "caras" seguidas, mas as sequências de mudanças de preço positivas (ou negativas) obtidas não são mais frequentes do que as sequências aleatórias de caras ou coroas esperadas. Os chamados "padrões persistentes" no mercado de ações não são mais frequentes do que os golpes de sorte no destino de qualquer jogador. É isso que os economistas têm em mente quando dizem que os preços das ações comportam-se muito como um passeio aleatório.

O QUE EXATAMENTE É UM PASSEIO ALEATÓRIO?

Para muitas pessoas, isso parece um total absurdo. Mesmo o leitor mais superficial das páginas financeiras consegue detectar facilmente padrões no mercado. Por exemplo, veja o gráfico de ação da página seguinte.

Ele parece exibir padrões óbvios. Após uma subida inicial, a ação declinou e aí avançou de modo persistente morro abaixo. Mais tarde, o declínio foi detido e a ação teve outro movimento ascendente sustentado. Não dá para olhar um gráfico de ação como esse sem observar a autoevidência dessas afirmações. Como o economista pode ser tão míope a ponto de não ver o que é tão claramente visível a olho nu?

A persistência dessa crença em padrões repetitivos no mercado de ações se deve à ilusão estatística. Para ilustrar, vou descrever um experimento para o qual convidei meus alunos. Eles foram instruídos a traçar um gráfico mostrando os movimentos de uma ação hipotética vendida inicialmente por 50 dólares. Para cada dia de negociação sucessivo, o preço de fechamento da ação seria determinado pela jogada de uma moeda. Se desse cara, os alunos presumiam que a ação fechou meio ponto acima do fechamento precedente. Se desse coroa, o preço suposto era meio ponto abaixo. O gráfico hipotético a seguir derivou-se de um daqueles experimentos.

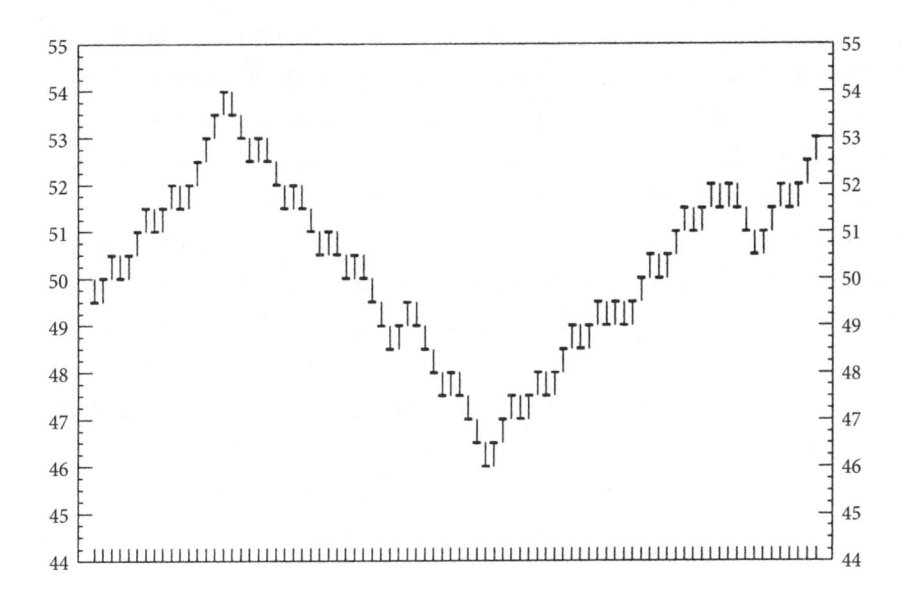

O gráfico derivado de jogadas aleatórias de uma moeda se assemelha bastante a um gráfico de preços de ação e até parece exibir ciclos. Claro que os "ciclos" acentuados que parecemos observar na jogada de moedas não ocorrem a intervalos regulares como os ciclos reais, mas as altas e baixas do mercado de ações tampouco ocorrem.

É essa falta de regularidade que é crucial. Os "ciclos" nos gráficos de ações não são mais verdadeiros do que os lances de sorte ou azar do jogador comum. E o fato de ações parecerem estar com tendência ascendente, semelhante à alta de algum período anterior, não fornece qualquer informação útil sobre a confiabilidade ou a duração da tendência ascendente atual. Sim, a história tende a se repetir no mercado de ações, mas numa variedade de maneiras infinitamente surpreendentes que frustra quaisquer tentativas de lucrar com o conhecimento de padrões de preço passados.

Em outros gráficos simulados derivados de jogadas de moedas por estudantes, ocorreram formações de cabeça e ombros, triplas máximas e mínimas e outros padrões mais complexos. Um gráfico mostrou um surto ascendente de cabeça e ombros invertidos (uma formação bem altista).

Mostrei-o a um analista técnico amigo meu, que se surpreendeu. "Que empresa é essa?", exclamou ele. "Temos que comprar imediatamente. Esse padrão é clássico. Com certeza a ação terá subido 15 pontos semana que vem". Ele não reagiu com gentileza quando revelei que o gráfico havia sido produzido pela jogada de uma moeda. Os analistas técnicos não têm senso de humor. Recebi minha merecida punição quando a *Business Week* contratou um analista técnico com espírito crítico para resenhar a primeira edição deste livro.

Meus alunos usaram um processo completamente aleatório para produzir seus gráficos de ações. A cada jogada, desde que as moedas usadas não estivessem viciadas, havia uma chance de 50% de dar cara, implicando uma alta do preço da ação, e uma chance de 50% de dar coroa – ou seja, uma baixa. Mesmo que obtivessem dez caras seguidas, as chances de obter uma cara na próxima jogada continuavam sendo de 50%. Os matemáticos chamam de "passeio aleatório" uma sequência de números obtida por um processo aleatório (como aquele em nosso gráfico de ação simulado). O lance seguinte no gráfico é completamente imprevisível com base no que ocorreu antes.

O mercado de ações não se conforma perfeitamente ao ideal do matemático de movimentos de preço atuais completamente independentes daqueles do passado. Existe certo impulso nos preços das ações. Quando boas notícias chegam, os investidores muitas vezes ajustam apenas parcialmente suas estimativas do preço apropriado da ação. Ajustes lentos podem levar os preços das ações a subir gradualmente por um período, comunicando um grau de impulso. O fato de os preços das ações não se adequarem perfeitamente à definição de passeio aleatório levou os economistas financeiros Andrew Lo e A. Craig MacKinlay a publicar um livro intitulado *A Non-Random Walk Down Wall Street* (Um passeio não aleatório por Wall Street). Além de alguns indícios de impulso de curto prazo, tem havido uma tendência ascendente de longo prazo na maioria dos índices de preços das ações, alinhada com o crescimento de longo prazo de lucros e dividendos.

Mas não conte com o impulso de curto prazo para fornecer uma estratégia certeira que permita superar o mercado. Em primeiro lugar, os preços das ações nem sempre reagem de forma moderada às notícias – às vezes reagem exageradamente e reversões de preços podem ocorrer com uma rapidez assustadora. Veremos no Capítulo 11 que fundos de investimento geridos de acordo com uma estratégia de impulso começaram com resultados medíocres. E, mesmo durante períodos em que o impulso está presente (e o mercado deixa de se comportar como um passeio aleatório), os relacionamentos sistemáticos que existem costumam ser tão pequenos que não são úteis aos investidores. As taxas de transações e impostos envolvidas na tentativa de tirar vantagem dessas dependências são bem maiores que quaisquer lucros que possam ser obtidos. Assim, um enunciado preciso da forma "fraca" da hipótese do passeio aleatório reza:

> O histórico dos movimentos de preços das ações não contém nenhuma informação útil que permitirá ao investidor superar sistematicamente uma estratégia de comprar e manter na gestão de um portfólio.

Se a forma fraca da hipótese do passeio aleatório for válida, então, como diz meu colega Richard Quandt, a "análise técnica se compara à astrologia e é tão científica quanto ela".

Não estou dizendo que estratégias técnicas jamais ganham dinheiro. Com grande frequência resultam em lucros. O fato é que uma estratégia simples de comprar e manter (ou seja, comprar uma ação ou grupo de ações e manter por um longo período) tipicamente ganha o mesmo dinheiro ou mais.

Quando querem testar a eficácia de algum remédio novo, cientistas costumam realizar um experimento em que pílulas são ministradas a dois grupos de pacientes: um contendo o remédio em questão e outro recebe um placebo sem valor (uma pílula de açúcar). Os resultados dos dois grupos são comparados e o remédio só é considerado eficaz se o grupo que recebeu o remédio se saiu melhor que aquele do placebo. Obviamente, se ambos os grupos melhorarem no mesmo período, o crédito não se deve ao remédio, ainda que os pacientes tenham se recuperado.

Nos experimentos do mercado de ações, o placebo com que as estratégias técnicas são comparadas é a estratégia de comprar e manter. Esquemas técnicos muitas vezes são lucrativos, mas uma estratégia de comprar e manter também é. Na verdade, uma estratégia simples de comprar e manter usando um portfólio que abranja todas as ações de um índice amplo do mercado de ações tem fornecido aos investidores uma taxa anual média de retorno de cerca de 10% nos últimos noventa anos. Os esquemas técnicos só poderão ser considerados eficazes se produzirem retornos superiores aos do mercado. Até hoje, nenhum deles passou sistematicamente no teste.

ALGUNS SISTEMAS TÉCNICOS MAIS ELABORADOS

Os partidários da análise técnica podem argumentar que fui injusto. Os testes simples que acabei de descrever não fazem justiça à "riqueza" da análise técnica. Infelizmente para o técnico, regras de negociação ainda mais elaboradas foram submetidas a testes científicos. Vamos examinar algumas regras populares em detalhes.

O sistema do filtro

Sob o popular sistema do "filtro", considera-se que uma ação que atingiu um preço mínimo e subiu, digamos, 5% (ou qualquer outro percentual que você desejar) está numa tendência ascendente. Uma ação que caiu 5% em relação ao pico está numa tendência descendente. Você deveria comprar qualquer ação que subiu 5% em relação ao preço mínimo e conservá-la até que o preço caia 5% em relação ao preço máximo subsequente, momento em que você vende, até mesmo a termo. A posição vendida é mantida até que o preço suba ao menos 5% em relação a um preço mínimo subsequente.

Esse esquema é bem popular entre corretores. De fato, o método do filtro está por trás da popular ordem de "cessar o prejuízo" favorecida pelos corretores, em que o cliente é aconselhado a vender sua ação se cair 5% abaixo do seu preço de compra a fim de "limitar suas perdas potenciais".

Testes exaustivos de várias regras do filtro foram realizados. Permitiu-se que a queda ou a subida percentual que filtra os candidatos a compra e venda variasse de 1% a 50%. Os testes cobriram diferentes intervalos de tempo e envolveram ações individuais, bem como índices de ações. Os resultados foram notadamente uniformes. Quando as taxas de transações maiores sob as regras do filtro são levadas em conta, essas técnicas não conseguem superar de maneira sistemática uma política de apenas comprar a ação individual (ou o índice de ações) e manter pelo período de realização do teste. O investidor individual faria bem em evitar qualquer regra do filtro e, eu poderia acrescentar, qualquer corretor que a recomende.

A teoria do Dow

A teoria do Dow é um grande cabo de guerra entre resistência e apoio. Quando o mercado chega ao topo e cai, esse pico anterior define uma área de resistência, porque as pessoas que deixaram de vender no topo estarão ansiosas por fazê-lo em outra oportunidade. Se o mercado voltar a subir e se aproximar do pico anterior, diz-se que está "testando" a área de resistência. Agora vem o momento da verdade. Se o mercado romper a área de resistência, é provável que continue subindo por um tempo e a área de resistência anterior torna-se uma área de apoio. Se, por outro lado, o mercado "não penetrar na área de resistência" e, em vez disso, cair pela baixa precedente onde havia um apoio anterior, um sinal de mercado em baixa é dado e o investidor é aconselhado a vender.

O princípio básico do Dow implica uma estratégia de comprar quando o mercado supera o último pico e vender quando cai abaixo do vale precedente. Existem muitas peculiaridades na teoria, mas a ideia básica faz parte do evangelho dos gráficos.

Infelizmente, os sinais gerados pelo mecanismo do Dow são irrelevantes na previsão de futuros movimentos de preço. O desempenho do mercado após sinais de venda não difere de seu desempenho após sinais de compra. Em relação a simplesmente comprar e manter uma lista representativa de ações dos índices do mercado, o seguidor do Dow na verdade fica um pouco atrás, porque a estratégia acarreta uma série de custos de corretagem extras.

O sistema da força relativa

No sistema da força relativa, um investidor compra e conserva aquelas ações que estão com bom desempenho, ou seja, superando o desempenho dos índices gerais do mercado. Inversamente, as ações que estão com mau desempenho em relação ao mercado deveriam ser evitadas ou, talvez, até vendidas a termo. Embora pareça haver períodos em que uma estratégia da força relativa teria superado o desempenho de uma estratégia de comprar e manter, não existem indícios de que seja capaz de fazer isso sistematicamente. Como indicado, existem alguns sinais de impulso no mercado de ações. Mesmo assim, um teste de computador das regras da força relativa em um período de 25 anos indica que tais regras, depois de contabilizados os custos e os impostos, não são úteis aos investidores.

Sistemas de preço/volume

Os sistemas de preço/volume sugerem que, quando uma ação (ou o mercado em geral) sobe num volume grande ou crescente, existe um excesso não satisfeito de interesse na compra e a ação continuará sua subida. Inversamente, quando uma ação cai em grande volume, uma pressão de venda é indicada e um sinal de venda é dado.

De novo, o investidor seguindo tal sistema tende a se desapontar com os retornos. Os sinais de comprar e vender gerados pela estratégia não contêm nenhuma informação útil para a previsão dos movimentos de preço futuros. Como com todas as estratégias técnicas, porém, o investidor é obrigado a fazer uma grande quantidade de negociações de compra e venda, e assim seus custos de transações e impostos são bem superiores aos necessários numa estratégia de comprar e manter.

Interpretação de padrões de gráficos

Talvez alguns dos padrões de gráficos mais complicados, como aqueles descritos no capítulo anterior, sejam capazes de revelar o curso futuro dos preços das ações. Por exemplo, a penetração descendente de uma formação de cabeça e ombros é um prenúncio confiável de baixa? Num estudo elaborado, o computador foi programado para traçar gráficos de 548 ações em um período de cinco anos e identificar qualquer um dos 32 padrões de gráficos mais popularmente seguidos. O computador foi instruído a ficar de olho em cabeças e ombros, triplas máximas e mínimas, canais, cunhas, losangos e assim por diante.

Quando a máquina descobria que um dos padrões de gráfico de baixa, como cabeça e ombros, era seguido por um movimento de baixa, gola adentro rumo ao decote (um forte presságio de baixa), registrava um sinal de venda. Se, por outro lado, uma tripla mínima era seguida por um surto ascendente, um sinal de compra era registrado. De novo, parecia não haver qualquer relação entre o sinal técnico e o desempenho subsequente. Se você tivesse comprado somente aquelas ações com sinais de compra e vendido a um sinal de venda, seu desempenho após os custos das transações não teria sido melhor do que aquele obtido com uma estratégia de comprar e manter.

É difícil aceitar a aleatoriedade

A natureza humana gosta de ordem. As pessoas têm dificuldade em aceitar a noção de aleatoriedade. Não importa o que as leis da probabilidade possam nos informar, buscamos padrões entre eventos aleatórios sempre que possam ocorrer – não apenas no mercado de ações, mas mesmo na interpretação de fenômenos esportivos.

Ao descrever um desempenho excepcional de um jogador de basquete, os repórteres e espectadores costumam usar expressões como *hot hand* (mão quente) ou *streak shooter* (cestinha em série). Os jogadores, técnicos ou espectadores do basquete estão quase universalmente convencidos de que, se um jogador fez uma cesta em seu último arremesso, ou nos últimos, tem mais chances de fazer no próximo. Um estudo de um grupo de psicólogos, porém, indica que o fenômeno da "mão quente" não passa de mito.

Os psicólogos fizeram um estudo detalhado de cada arremesso à cesta dos Philadelphia 76ers durante uma temporada e meia. Não descobriram qualquer correlação positiva entre os resultados de arremessos sucessivos. Na verdade, descobriram que uma cesta de um jogador seguida de uma tentativa perdida era mais provável do que duas cestas em sequência. Além disso, os pesquisadores examinaram sequências de mais de duas cestas. De novo, acharam que o número de *long streaks* (várias cestas em sequência) não era maior do que seria de esperar num conjunto aleatório de dados (como jogar moedas com cada evento independente de seu predecessor). Embora o evento de fazer as últimas duas ou três cestas influenciasse a percepção de sucesso futuro do jogador, as provas concretas eram de que não havia nenhum efeito. Os pesquisadores então confirmaram seu estudo examinando o histórico de lances livres dos Boston Celtics e realizando experimentos de arremessos controlados com os homens e mulheres dos times de basquete da Universidade Cornell.

Essas descobertas não significam que o basquete seja um jogo de azar, e não de habilidade. Obviamente existem jogadores mais exímios em converter cestas e lances livres do que outros. O fato, porém, é que a probabilidade de acertar uma cesta independe do resultado das cestas anteriores. Os psicólogos conjecturam que a crença persistente na "mão quente" poderia se dever a uma distorção da memória. Se longas sequências de cestas acertadas ou perdidas são mais memoráveis do que sequências alternadas, os observadores tendem a superestimar a correlação entre cestas sucessivas. Quando eventos às vezes ocorrem em grupos e sequências, as pessoas se recusam a acreditar que sejam aleatórios, embora tais grupos e sequências ocorram com frequência em dados aleatórios como aqueles derivados de jogar uma moeda.

UM BANDO DE OUTRAS TEORIAS TÉCNICAS PARA AJUDÁ-LO A PERDER DINHEIRO

Assim que terminou de analisar as regras de negociação técnicas padrão, o mundo acadêmico voltou sua venerável atenção para alguns dos esquemas mais imaginativos. O mundo da análise financeira seria bem mais tranquilo e banal sem os analistas técnicos, como as técnicas seguintes demonstram amplamente.

O indicador da bainha da saia

Não contentes com os movimentos dos preços, alguns analistas técnicos ampliaram suas investigações para incluir também outros movimentos. Um dos mais encantadores desses esquemas foi chamado pelo autor Ira Cobleigh de teoria dos "mercados em alta e joelhos de fora". Verifique as bainhas das saias das mulheres nos Estados Unidos em qualquer ano e você terá uma ideia da direção dos preços das ações. O gráfico a seguir sugere uma vaga tendência de associação dos mercados em alta com joelhos nus e dos mercados em depressão com joelhos cobertos para os observadores de garotas.

Por exemplo, no fim do século XIX e no início do século XX, o mercado de ações foi um pouco sem graça, assim como as bainhas das saias. Mas aí as bainhas subiram e veio a grande alta do mercado da década de 1920, seguida por saias longas e o colapso da década de 1930. (Na verdade, o gráfico mente um pouco: as bainhas caíram em 1927, antes da fase mais dinâmica da alta do mercado.)

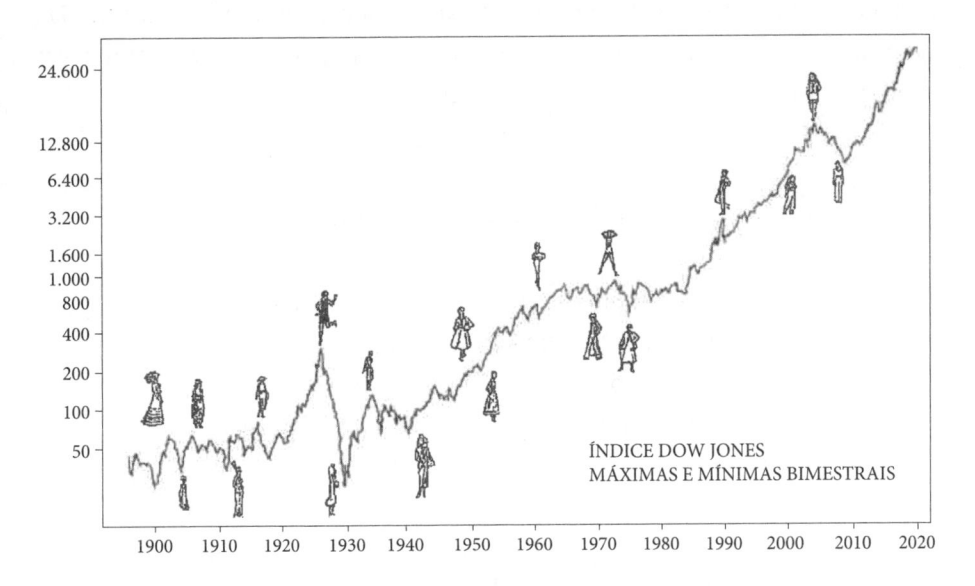

ÍNDICE DOW JONES
MÁXIMAS E MÍNIMAS BIMESTRAIS

As coisas não funcionaram tão bem assim no período depois da Segunda Guerra Mundial. O mercado caiu acentuadamente durante o verão de 1946, bem antes do lançamento do "New Look" apresentando saias mais longas em 1947. De forma semelhante, o forte declínio do mercado de ações que começou no fim de 1968 precedeu o lançamento da minissaia, que esteve em moda em 1969 e especialmente em 1970.

Como a teoria se saiu durante o colapso de 1987? Você pode pensar que o indicador da bainha falhou. Afinal, na primavera de 1987, quando os estilistas começaram a pensar em suas coleções de outono, saias curtíssimas foram decretadas como a moda da época. Porém, mais ou menos no início de outubro, quando os primeiros ventos gélidos começaram a soprar pelo país, algo estranho aconteceu. A maioria das mulheres decidiu que não queria minissaias. Enquanto as mulheres retornavam às saias longas, os estilistas rapidamente seguiram a tendência. O resto é história do mercado de ações. E quanto aos mercados em forte baixa da primeira década do século XXI? Infelizmente, você adivinhou, as calças entraram na moda. Mulheres líderes empresariais e políticas sempre apareciam em terninhos. Agora conhecemos o verdadeiro culpado dos punitivos mercados em baixa do período.

Embora pareça haver alguns indícios a favor da teoria, não fique otimista demais achando que o indicador da bainha dará alguma ajuda sobre a tendência do mercado. As mulheres não são mais prisioneiras da tirania das bainhas. Nas palavras da *Vogue*, você agora pode se vestir como homem ou mulher e todos os comprimentos de bainha são aceitáveis.

O indicador do Super Bowl

Por que o mercado subiu em 2009? Uma pergunta fácil de responder para um analista técnico que use o indicador do Super Bowl. Esse indicador prevê o desempenho do mercado de ações com base no time que vencer o Super Bowl. Uma vitória de um time originário da National Football League (NFL), como os Steelers em 2009, prevê um mercado de ações em alta, enquanto uma vitória de um time originário da American Football League (AFL) é má notícia para os investidores no mercado de ações. Em 2002, os Patriots (time da AFL) derrotaram os Rams (NFL) e o mercado reagiu corretamente com forte queda. Embora o indicador às vezes falhe, tem acertado com mais frequência do que errado. Naturalmente, isso não faz o menor sentido. Os resultados do indicador do Super Bowl simplesmente ilustram o fato de que às vezes é possível correlacionar dois eventos completamente desvinculados. De fato, Mark Hulbert informa que o pesquisador do mercado de ações David Leinweber descobriu que o indicador mais de perto associado ao Índice S&P 500 é o volume da produção de manteiga em Bangladesh.

A teoria do lote fracionário

Essa teoria sustenta que, com exceção do investidor que sempre tem razão, ninguém pode contribuir mais para uma estratégia de investimento bem-sucedida do que um investidor que está invariavelmente errado. O *odd-lotter* ("investidor em lotes fracionários"), de acordo com a superstição popular, é esse tipo de pessoa. Assim, o sucesso está assegurado comprando o que o *odd-lotter* vende e vendendo o que ele compra.

Odd-lotters são as pessoas que negociam ações em lotes pequenos, ou seja, com menos de 100 ações. Muitos amadores no mercado de ações não dispõem do investimento de 5 mil dólares para comprar um lote redondo (100 ações) de uma ação vendida a 50 dólares. Eles costumam comprar, digamos, dez ações em um investimento mais modesto de 500 dólares.

Examinando o coeficiente entre compras e vendas de lotes fracionários durante determinado dia e olhando quais ações específicas são compradas e vendidas, pode-se supostamente ganhar dinheiro. Esses amadores desinformados, presumivelmente agindo com base apenas na emoção, são carneiros sendo conduzidos ao matadouro.

Acontece que o *odd-lotter* não é tão estúpido assim. Um pouco? Talvez. O desempenho desses investidores pode ser ligeiramente pior do que as médias do mercado. Porém os indícios disponíveis mostram que conhecer as ações dos *odd-lotters* não ajuda na formulação de estratégias de investimento.

Desprezados do Dow

Essa estratégia interessante explorou uma convicção divergente geral de que ações impopulares acabam tendendo a reverter sua direção. A estratégia implicava comprar a cada ano as dez ações do índice Dow Jones 30-Stock Industrial com os maiores dividendos. A ideia era que essas dez ações eram as mais desprezadas, tendo normalmente os menores índices preço/lucro e relações preço/valor contábil também. A teoria é atribuída a um administrador de investimentos chamado Michael O'Higgins. James O'Shaughnessy testou a teoria retrocedendo até a década de 1920 e constatou que os Desprezados do Dow tinham superado o índice geral por mais de 2 pontos percentuais por ano sem nenhum risco adicional.

Os partidários dessa teoria em Wall Street se empolgaram e comercializaram bilhões de dólares em fundos mútuos com base nesse princípio. E aí, como seria de esperar, o feitiço virou contra o feiticeiro. Os Desprezados do Dow sistematicamente ficaram atrás do mercado em geral. Como opinou O'Higgins, o astro dos Desprezados, "a estratégia tornou-se popular demais" e acabou se autodestruindo. Os Desprezados do Dow já não estão em voga.

Efeito janeiro

Um número expressivo de pesquisadores descobriu que janeiro tem sido um mês bem incomum para os retornos do mercado de ações. Estes têm tendido a ser especialmente altos durante as duas primeiras semanas do mês, em particular para empresas menores. Mesmo depois de descontado o risco, as pequenas empresas parecem oferecer aos investidores retornos anormalmente generosos – com os retornos excedentes produzidos em grande parte durante os primeiros poucos dias do ano. Tal efeito também foi documentado em diversos mercados de ações fora dos Estados Unidos. O fenômeno levou à publicação de um livro com o título provocador *The Incredible January Effect* (O incrível efeito janeiro).

Mas infelizmente os custos de transação de ações de empresas pequenas são bem maiores do que aqueles das empresas maiores (em razão de maiores *spreads* de compra e venda e menor liquidez), e parece não haver nenhuma maneira de o investidor comum explorar essa anomalia. Além disso, o efeito não é confiável a cada ano. Em outras palavras, os "retornos extras" de janeiro são caros de obter e em alguns anos não passam de miragem.

Alguns outros sistemas

Continuar esta análise de esquemas técnicos logo geraria retornos cada vez menores. Provavelmente poucas pessoas acreditam seriamente que a teoria das manchas solares dos movimentos do mercado de ações possa resultar em algum lucro. Mas você acredita que, acompanhando o coeficiente entre ações em alta e em declínio na Bolsa de Nova York, consegue achar um indicador avançado confiável dos picos do mercado de ações em geral? Um cuidadoso estudo de computador diz que não. Você acha que um aumento do número de ações vendidas a termo é um sinal de alta (porque a ação acabará sendo recomprada pelo vendedor a termo para cobrir sua posição)? Testes exaustivos não indicam nenhuma relação para o mercado de ações como um todo ou ações individuais. Você acha que um sistema de média móvel defendido por algumas das redes de televisão financeira (por exemplo, comprar uma ação se seu preço, ou seu preço médio em cinquenta dias, ultrapassa o preço médio nos últimos 200 dias e vendê-la se cair abaixo de tal média) pode levá-lo a lucros extraordinários no mercado de ações? Não se você tiver que pagar taxas de transações – para comprar e vender! Você acha que poderia "vender em maio e cair fora até outubro"?* Na verdade, é mais comum o mercado subir entre maio e outubro.

Gurus técnicos do mercado

Os analistas técnicos podem não fazer previsões precisas, mas os primeiros eram bem pitorescos. Uma das mais populares foi Elaine Garzarelli, então vice-presidente executiva da empresa de investimentos Lehman Brothers. Elaine não era uma mulher de um só indicador. Ela mergulhava no oceano de dados financeiros e usava treze indicadores diferentes para prever a evolução do mercado. Elaine sempre gostava de estudar detalhes vitais. Quando criança, obtinha órgãos de animais do açougue local para dissecá-los.

Ela foi a Roger Babson do colapso de 1987. Em 13 de outubro, numa previsão quase assustadoramente presciente, ela contou ao *USA Today* que uma queda de mais de 500 pontos (um declínio de 20%) no Dow era iminente. Dentro de uma semana, sua profecia se realizou.

Mas o colapso foi o último brado de vitória de Elaine. Justo quando a mídia a coroava como "Guru da Segunda-Feira Negra" e artigos adulatórios apareciam em artigos da *Cosmopolitan* à *Fortune*, ela se afogou em sua presciência – ou sua notoriedade. Após o colapso, ela disse que não tocaria no mercado e previu que o Dow cairia mais 200 a 400 pontos. Desse modo, Elaine ignorou a recuperação do mercado. Ademais, aqueles que confiaram dinheiro a suas mãos ficaram tristemente desapontados. Ao explicar sua falta de consistência, ela forneceu a velha explicação dos técnicos: "Eu não acreditei nos meus gráficos."

Talvez os gurus de investimentos mais pitorescos de meados da década de 1990 fossem as caseiras Beardstown Ladies, mais parecendo vovós (idade

---

* *"Sell in May and go away"*, ou "venda em maio e caia fora", é um ditado que sugere que os investidores devem vender as ações em maio e deixar o mercado até outubro, quando os preços começariam a se recuperar. Não se sabe a origem dele, mas há quem faça referência ao hábito de homens de negócios venderem seus ativos e saírem de Londres no verão. *(N. do E.)*

média de 70 anos). Chamadas pelos jornalistas "as maiores mentes de investimentos de nossa geração", essas vovós celebridades acumulavam lucros e fama, vendendo mais de um milhão de livros e aparecendo com frequência em programas de televisão e revistas semanais. Elas misturavam explicações de seu sucesso nos investimentos (virtudes "interioranas" do trabalho duro e frequência à igreja) com receitas de culinária deliciosas (como *muffins* ao mercado de ações – crescimento garantido). Em seu livro best-seller de 1995 *The Beardstown Ladies Common-Sense Investment Guide*, alegaram que os retornos de seus investimentos foram de 23,9% ao ano na década anterior, ofuscando o retorno anual de 14,9% do Índice S&P 500. Que linda história: velhinhas do Meio-Oeste americano usando o bom senso conseguiam superar os profissionais de investimentos regiamente remunerados de Wall Street e deixavam até os fundos indexados envergonhados.

Infelizmente, descobriu-se que as velhinhas estavam manipulando os números também. Aparentemente, os membros do grupo de Beardstown estavam contando as mensalidades de seu clube de investimentos como parte dos lucros no mercado de ações. A firma de contabilidade Price Waterhouse foi chamada e calculou que o retorno do investimento real das velhinhas naquela década foi de 9,1% ao ano – quase 6 pontos abaixo do mercado em geral. E chega de esquemas de enriquecimento venerando ídolos dos investimentos.

A moral da história é óbvia. Com grande número de técnicos prevendo o mercado, sempre haverá alguns que previram a(s) última(s) reviravolta(s), mas nenhum deles será sistematicamente preciso. Parafraseando a advertência bíblica: "Aquele que recorda as previsões dos gurus do mercado morre de remorsos."

AVALIAÇÃO DO CONTRA-ATAQUE

Como você poderia imaginar, o pouco-caso da teoria do passeio aleatório pelos gráficos não é muito popular entre os técnicos. Os proponentes acadêmicos da teoria são saudados em alguns setores de Wall Street com o mesmo entusiasmo de Bernie Madoff dirigindo-se ao Better Business Bureau de sua cela na prisão. Os analistas técnicos consideram a teoria "puro disparate acadêmico". Vamos pausar, então, e avaliar o contra-ataque dos técnicos acossados.

Talvez a queixa mais comum sobre a fraqueza da teoria do passeio aleatório se baseie numa desconfiança da matemática e numa ideia equivocada do significado da teoria. Segundo a queixa, o mercado não é aleatório e "nenhum matemático vai convencer alguém de que é. No longo prazo, os lucros futuros devem influenciar o valor presente e, no curto prazo, o fator dominante é o temperamento da multidão".

Claro que lucros e dividendos influenciam os preços do mercado, e o temperamento da multidão também influencia. Vimos amplos indícios disso em capítulos anteriores deste livro. Mas, mesmo que os mercados fossem dominados por certos períodos pelo comportamento irracional da multidão, o mercado de ações poderia ainda assim ser abordado por um passeio aleatório. A analogia ilustrativa original de um passeio aleatório envolvia um bêbado cambaleando por um campo vazio. Ele não é racional, tampouco é previsível.

Além disso, novas informações fundamentais sobre uma empresa (uma grande descoberta de minérios, a morte de um CEO etc.) também são imprevisíveis. Na verdade, aparições sucessivas de notícias devem ser aleatórias. Se uma notícia não fosse aleatória, ou seja, se dependesse de notícias anteriores, não seria uma notícia. A forma fraca da teoria do passeio aleatório afirma apenas que os preços das ações não podem ser previstos com base nos preços passados.

O analista técnico também citará textualmente que o mundo acadêmico com certeza não testou cada esquema técnico já concebido. Ninguém pode provar de maneira conclusiva que os métodos técnicos nunca funcionam. Tudo que se pode dizer é que as poucas informações contidas nos padrões de preços do mercado de ações não se mostraram suficientes para superar os custos de transação e os impostos envolvidos quando se age baseado nessas informações.

A cada ano, uma série de pessoas ávidas por ganhos visitam os cassinos de Las Vegas e Atlantic City e examinam as últimas centenas de números da roleta em busca de algum padrão repetitivo. Geralmente acham. No fim, perdem tudo porque não testam novamente o padrão. O mesmo vale para os técnicos.

Se você examina os preços das ações em qualquer dado período, quase sempre consegue achar algum tipo de sistema que teria funcionado em outro dado período. Se critérios diferentes suficientes de selecionar ações são testados, acabará se achando um que funciona. Claro que o problema real é se o esquema funciona num período diferente. O que a maioria dos defensores da análise técnica costuma ignorar é a necessidade de testar seus esquemas com dados do mercado derivados de períodos diferentes daqueles durante os quais o esquema foi desenvolvido.

Ainda que o técnico siga meu conselho, teste seu esquema em muitos períodos diferentes e descubra ser um previsor confiável dos preços das ações, acredito que a análise técnica, em última instância, não deve ter valor. À guisa de argumento, suponhamos que o técnico descobriu uma alta de fim de ano confiável, a saber, a cada ano os preços das ações subiram entre o Natal e o Ano-Novo. O problema é que, uma vez que essa regularidade seja conhecida pelos participantes do mercado, as pessoas agirão de forma a impedir que isso aconteça no futuro.

Qualquer esquema técnico bem-sucedido deve em última análise conduzir ao próprio fracasso. No momento em que percebo que no dia de Ano-Novo os preços estarão mais altos do que antes do Natal, começo a comprar antes que o Natal sequer chegue. Se as pessoas sabem que uma ação subirá amanhã, esteja certo de que subirá hoje. Qualquer regularidade no mercado de ações que possa ser descoberta e levar ao lucro está fadada a se destruir. Essa é a razão fundamental de minha convicção de que ninguém terá sucesso usando métodos técnicos para obter retornos acima da média no mercado de ações.

IMPLICAÇÕES PARA INVESTIDORES

O histórico dos preços das ações não pode ser usado para prever o futuro de alguma forma significativa. As estratégias técnicas costumam ser divertidas, muitas vezes reconfortantes, mas sem valor real. Essa é a forma fraca da hipótese do mercado eficiente. As teorias técnicas enriquecem somente as pessoas que preparam e comercializam o serviço técnico ou as corretoras que contratam os técnicos na esperança de que suas análises possam ajudar a encorajar os investidores a fazer mais compras e vendas e assim gerar mais comissões.

Usar a análise técnica para prever a tendência do mercado é especialmente perigoso. Como existe uma tendência ascendente de longo prazo no mercado de ações, pode ser bem arriscado manter uma parcela de dinheiro (ativo de menor risco e maior liquidez) no portfólio. Um investidor que com frequência mantém uma grande posição em dinheiro para evitar períodos de declínio do mercado provavelmente estará fora do mercado durante alguns períodos em que ele vai bem. O professor H. Negat Seybun, da Universidade de Michigan, descobriu que 95% dos ganhos significativos no mercado num período de trinta anos advieram em 90 dentre os aproximadamente 7.500 dias de negócios. Se você por acaso perdesse aqueles 90 dias, apenas 1% dos dias totais, os retornos generosos de longo prazo do mercado de ações no período teriam sido eliminados. Estudando um período mais longo, Laszlo Birinyi, em seu livro *Master Trader*, calculou que um investidor que adota a estratégia de comprar e manter teria visto 1 dólar investido no Índice Dow Jones em 1900 subir para 290 dólares no início de 2013. Mas, se esse investidor tivesse perdido os melhores cinco dias de cada ano, aquele dólar investido valeria menos de 1 cent em 2013. O fato é que aqueles que tentam prever a tendência do mercado correm o risco de perder os grandes avanços ocasionais que dão as maiores contribuições ao desempenho.

As implicações são simples. Se os preços do passado contêm pouca ou nenhuma informação útil para a previsão dos preços do futuro, não faz sentido seguir as regras de negociação técnicas. Uma simples política de comprar e manter será ao menos tão boa quanto qualquer procedimento técnico. Além disso, comprar e vender, na medida em que é rentável, tende a gerar ganhos de capital tributáveis. Ao seguir qualquer estratégia técnica, você tende a realizar lucros de capital de curto prazo e pagar impostos maiores (bem como pagá-los mais cedo) do que com uma estratégia de comprar e manter. Simplesmente comprar e manter um portfólio diversificado permitirá que você poupe em despesas de investimento, taxas de corretagem e impostos.

7

QUÃO BOA É A ANÁLISE FUNDAMENTALISTA? A HIPÓTESE DO MERCADO EFICIENTE

Como pude ter errado tanto em confiar nos especialistas?
– JOHN F. KENNEDY, após o fiasco da tentativa de invasão da Baía dos Porcos

NO PRINCÍPIO ELE ERA um estatístico. Trajava uma camisa branca engomada e terno azul puído. Colocava sua viseira verde, sentava-se à sua escrivaninha e registrava meticulosamente o histórico das informações financeiras das empresas que seguia. O retorno: cãibra de escrivão. Mas então uma metamorfose ocorreu. Ergueu-se de sua escrivaninha, comprou camisas azuis com colarinho americano e ternos de flanela cinza, jogou fora sua viseira e começou a fazer viagens de campo para visitar as empresas que antes conhecera apenas como uma coleção de estatísticas financeiras. Seu cargo agora se tornou analista de valores mobiliários.

Com o tempo, seu salário e suas vantagens atraíram a atenção de suas colegas mulheres, que também passaram a usar terninhos. E quase todos que tinham alguma importância estavam agora voando de primeira classe e conversando sobre dinheiro, dinheiro, dinheiro. A nova geração era descolada: ternos se tornaram antiquados e sapatos Gucci e calças Armani entraram na moda. Eles eram tão incrivelmente brilhantes e bem informados que os gestores de portfólio dependiam de suas recomendações e as empresas de Wall Street os usavam cada vez mais para cultivar clientes de bancos de investimento. Eles eram agora astros da pesquisa de patrimônio. Alguns, porém, sussurravam maldosamente que não passavam de prostitutas de bancos de investimento.

AS VISÕES DE WALL STREET E DO MEIO ACADÊMICO

Não importa a designação, depreciativa ou não, desses indivíduos, a grande maioria é fundamentalista. Assim, estudos lançando dúvidas sobre a eficácia da análise técnica não seriam considerados surpreendentes pela maioria dos profissionais. No fundo, os profissionais de Wall Street são fundamentalistas. A questão realmente importante é se a análise fundamentalista tem alguma validade.

Foram adotadas duas visões opostas sobre a eficácia da análise fundamentalista. O pessoal de Wall Street sente que esse tipo de análise está se tornando mais poderoso a cada dia. O investidor individual tem pouca chance contra o gestor de portfólio profissional e uma equipe de analistas fundamentalistas.

Muitos na comunidade acadêmica zombam dessa pompa. Alguns acadêmicos chegaram ao ponto de insinuar que um macaco de olhos vendados, lançando dardos nas listas de ações, consegue selecioná-las com mais sucesso do que gestores de portfólio profissionais. Eles argumentaram que administradores de fundos e seus analistas não conseguem escolher ações melhor do que um simples amador. Este capítulo contará a grande batalha em uma guerra permanente entre acadêmicos e profissionais do mercado, explicará o que significa "a hipótese do mercado eficiente" e dirá por que é importante para sua carteira.

OS ANALISTAS DE TÍTULOS MOBILIÁRIOS SÃO FUNDAMENTALMENTE CLARIVIDENTES?

Prever lucros é a razão de ser dos analistas de valores mobiliários. Nas palavras da *Institutional Investor*: "Lucros são o xis da questão e sempre serão."

Para prever os rumos, os analistas geralmente começam examinando as perambulações do passado. "Uma pontuação comprovada de desempenho anterior no crescimento do lucro é", um analista me disse, "um indicador bem confiável do crescimento futuro dos lucros." Se a gestão for realmente hábil, não existe motivo para achar que perderá seu toque de Midas no futuro. Se a mesma equipe gestora hábil permanece no timão, o desenrolar do crescimento futuro de lucros deve continuar como no passado, segundo o argumento.

Embora soe suspeitamente semelhante a um argumento usado por analistas técnicos, os fundamentalistas se orgulham do fato de se basearem no desempenho específico e comprovado da empresa.

Tal pensamento fracassa no mundo acadêmico. Cálculos do crescimento dos lucros no passado não ajudam a prever o crescimento futuro. Se você soubesse as taxas de crescimento de todas as empresas, digamos, no período de 1980-1990, isso não o ajudaria em nada a prever seu crescimento no período de 1990-2000. E conhecer as empresas de rápido crescimento na década de 1990 não ajudou os analistas a descobrir aquelas da primeira década do século XXI. Esse resultado surpreendente foi informado por pesquisadores britânicos para empresas do Reino Unido num artigo com o título encantador de "Higgledy Piggledy Growth" (Crescimento desordenado). Acadêmicos doutos de Princeton e Harvard aplicaram o estudo britânico às empresas americanas e, surpresa, foi válido ali também!

Por um tempo a IBM constituiu uma exceção gritante. Mas, após meados da década de 1980, ela não conseguiu continuar seu padrão de crescimento confiável. A Polaroid, a Kodak, a Nortel Networks, a Xerox e dezenas de outras empresas obtiveram taxas de crescimento sistematicamente altas até a casa cair. Espero que você se lembre não das atuais exceções, mas da regra: muitos em Wall Street recusam-se a aceitar o fato de que nenhum padrão confiável pode ser discernido de registros passados para ajudar o analista a prever o crescimento. Mesmo durante os anos de alta da década de 1990, somente uma dentre oito grandes empresas conseguiu obter um crescimento anual constante. E nenhuma delas continuou obtendo crescimento nos primeiros anos do novo milênio. Os analistas não conseguem prever o crescimento constante de longo prazo porque ele não existe.

Um bom analista alegará, porém, que a previsão envolve mais do que examinar o histórico. Alguns até admitirão que o histórico não é um indicador perfeito, mas que os analistas de portfólio hábeis podem fazer coisa melhor. Infelizmente, as estimativas cuidadosas dos analistas de valores (baseadas em estudos setoriais, visitas a fábricas etc.) não são muito melhores do que aquelas que seriam obtidas pela simples extrapolação das tendências passadas, que já vimos que não ajudam em nada. De fato, quando comparadas com as taxas de crescimento dos lucros reais, as estimativas de crescimento dos analistas de valores foram piores do que as previsões de vários modelos de previsão ingênuos. Essas constatações foram confirmadas em diversos estudos acadêmicos. A previsão financeira parece ser uma ciência que faz a astrologia soar respeitável.

Em meio a essas acusações está uma mensagem mortalmente séria: os analistas de valores mobiliários têm enormes dificuldades em realizar sua função básica de prever as perspectivas de lucros das empresas. Os investidores que acreditam cegamente nessas previsões ao escolherem seus investimentos estão fadados a fortes decepções.

POR QUE A BOLA DE CRISTAL ESTÁ TURVA?

É sempre um tanto perturbador descobrir que profissionais altamente treinados e bem pagos não são extraordinariamente hábeis em sua profissão. Infelizmente, isso não é incomum. Pode-se fazer constatações desse tipo em relação à maioria dos grupos profissionais. Existe um exemplo clássico na medicina. Na época em que amigdalectomias estavam em voga, a American Child Health Association pesquisou um grupo de mil crianças com 11 anos de idade de escolas públicas da cidade de Nova York e descobriu que 611 tiveram suas amígdalas removidas. As demais 389 foram então examinadas por um grupo de médicos, que selecionaram 174 delas para remoção da amígdala e declararam que as outras não tinham problemas. As demais 215 foram reexaminadas por outro grupo de médicos, que recomendaram que 99 deles tivessem a amígdala removida. Quando as crianças "saudáveis" foram examinadas pela terceira vez, uma porcentagem similar foi informada de que suas amígdalas teriam que ser removidas. Após aqueles exames, só restaram 65 crianças sem recomendação de amigdalectomia. Aquelas crianças restantes não foram mais examinadas porque o suprimento de médicos examinadores se esgotou.

Numerosos estudos mostraram resultados semelhantes. Radiologistas deixaram de reconhecer a presença de doença pulmonar em cerca de 30% das radiografias que examinaram, apesar da clara presença da enfermidade nas chapas. Outro experimento provou que equipes profissionais de hospitais psiquiátricos não conseguiam distinguir o sadio do louco. O fato é que não deveríamos considerar a confiabilidade e a precisão de nenhum juiz como garantida, por mais especializado que ele seja. Quando consideramos a baixa confiabilidade de tantos tipos de julgamento, não parece tão surpreendente assim que analistas de valores, com seu trabalho de previsão particularmente difícil, não sejam exceção.

Acredito que existem cinco fatores que ajudam a explicar por que os analistas de valores mobiliários têm tanta dificuldade em prever o futuro. São eles: (1) a influência de eventos aleatórios, (2) informes de lucros duvidosos produzidos por procedimentos de contabilidade "criativa", (3) erros cometidos pelos próprios analistas, (4) a perda dos melhores analistas para o balcão de vendas, a gestão de portfólios ou fundos hedge e (5) os conflitos de interesses entre departamentos de pesquisa e de banco de investimento. Cada fator merece certa discussão.

1. A influência de eventos aleatórios

Muitas das mudanças mais importantes que afetam as perspectivas básicas dos lucros corporativos são essencialmente aleatórias, ou seja, imprevisíveis. O setor de serviços públicos (energia, gás, telefone etc.) é um dos que têm empresas mais estáveis e confiáveis. Mas na verdade muitos acontecimentos imprevisíveis importantes tornaram os lucros, mesmo os desse setor, dificílimos de prever. Regras desfavoráveis inesperadas por parte das agências reguladoras do governo e aumentos imprevisíveis nos custos de combustíveis impossibilitaram que as empresas de serviços públicos convertessem o aumento rápido da demanda em lucros maiores.

Prever problemas tem sido ainda mais difícil em outros setores. Como vimos no Capítulo 4, as previsões de crescimento no início da década de 2000 para uma ampla variedade de empresas de alta tecnologia e telecomunicações erraram feio. As decisões orçamentárias, contratuais, legais e regulatórias do governo podem ter implicações enormes para os destinos das empresas individuais. Também têm implicações a incapacitação de membros-chave da gerência, a descoberta de um importante produto novo, um grande vazamento de petróleo, ataques terroristas, o ingresso de novos concorrentes, guerras de preços e desastres naturais como enchentes e furacões, entre outros. O setor de biotecnologia é notoriamente difícil de prever. Novos remédios potencialmente revolucionários costumam falhar nos testes da Fase III por não conseguirem reduzir a mortalidade ou em consequência de efeitos colaterais tóxicos inesperados. Em 2013, a Celsion Corporation anunciou que seu teste de um promissor remédio para câncer do fígado não alcançou sua meta básica. A ação logo perdeu 90% de seu valor. As histórias de acontecimentos imprevisíveis afetando os lucros são intermináveis.

2. Informes de lucros duvidosos produzidos por procedimentos de contabilidade "criativa"

Na demonstração do resultado de uma empresa, os dados revelados são interessantes, mas a parte oculta é que é vital. A Enron, uma das empresas mais engenhosamente corruptas com que já me deparei, liderou o desfile de beleza nesse aspecto. Infelizmente, ela esteve longe de ser a única. Durante o mercado superaquecido do fim da década de 1990, as empresas cada vez mais usaram ficções agressivas para informar as vendas e os lucros ascendentes necessários para impelir suas ações às alturas.

No musical de sucesso *Primavera para Hitler*, Leo Bloom decide que pode ganhar mais dinheiro com um fracasso do que com um sucesso. Ele diz: "É tudo uma questão de contabilidade criativa." Max Bialystock, cliente de Bloom, vê o potencial imediatamente. Ele extrai rios de dinheiro de viúvas ricas para financiar um musical da Broadway. Espera um fracasso total, para que ninguém questione o destino daquele dinheiro.

Na verdade, Bloom não chega nem perto dos truques usados por empresas para inflar os lucros e enganar investidores e analistas de valores mobiliários. No Capítulo 3 descrevi como o império de limpeza de tapetes ZZZZ Best, de Barry Minkow, no fim da década de 1980, foi construído sobre um mosaico de faturamentos de cartões de crédito falsos e contratos fictícios. Mas abusos contábeis parecem ter se tornado ainda mais frequentes durante a década de 1990 e o início do século XXI. Empresas pontocom fracassadas, líderes da alta tecnologia e até *blue chips* da velha economia tentaram exagerar os lucros e desencaminhar a comunidade de investimentos.

Eis um pequeno número de exemplos de como empresas muitas vezes driblaram as regras contábeis para enganar analistas e o público quanto ao verdadeiro estado de suas operações:

- Em setembro de 2001, a Enron e a Qwest precisavam mostrar que suas receitas e seus lucros continuavam crescendo rápido. Bolaram um ótimo jeito de fazer com que seus demonstrativos dessem a entender que os negócios iam bem. Permutaram capacidade de rede de fibra óptica por um valor exagerado de 500 milhões de dólares e cada empresa registrou a transação como uma venda. Esses lucros inflados mascararam a posição em deterioração de ambas as empresas. A Qwest já tinha um excesso de capacidade e, com a abundância de fibra no mercado, a avaliação aplicada ao negócio não se justificava.

- A Motorola, a Lucent e a Nortel incrementaram as vendas e os lucros emprestando grandes quantias aos seus clientes. Muitas daquelas contas tornaram-se incobráveis e tiveram que ser baixadas mais tarde.
- A Xerox aumentou seus lucros de curto prazo permitindo que suas unidades internacionais na Europa, na América Latina e no Canadá contabilizassem como receita única todo o dinheiro a ser pago por diversos anos pelos aluguéis de copiadoras de longo prazo.
- A Diamond Foods (fabricante de petiscos como pipoca de microondas Pop Secret) informou custos menores nos relatórios contábeis empurrando pagamentos a fornecedores para anos vindouros. Com isso, a empresa pôde superar as estimativas dos analistas, levando o preço da ação para 90 dólares. Os altos executivos também puderam embolsar bônus polpudos. Quando descobriu a fraude, a SEC processou o CEO e superintendente financeiro e forçou a Diamond a recalcular o lucro em 2012. A ação então caiu para 12 dólares.
- E tem também a artimanha da pensão. Muitas empresas estimaram que seus fundos de pensão tinham dinheiro demais e assim eliminaram a contribuição patronal, aumentando os lucros. Quando o mercado sofreu uma forte queda em 2007 e 2008, as empresas descobriram que seus fundos estavam na verdade com pouco dinheiro e o que para os investidores pareciam lucros sustentáveis se mostrou algo transitório.

Um grande problema dos analistas ao interpretarem os lucros atuais e projetarem os futuros é a tendência das empresas de informar os chamados lucros *pro forma*, em contraste com os lucros reais calculados de acordo com princípios contábeis geralmente aceitos. Nos lucros *pro forma*, as empresas decidem ignorar certos custos considerados incomuns. Na verdade, inexistem regras ou diretrizes. Os lucros *pro forma* costumam ser chamados de "lucros antes de todas as coisas ruins" e dão às empresas licença para excluir quaisquer despesas que considerem "especiais", "extraordinárias" ou "não recorrentes". Dependendo de quais despesas são escolhidas para ser impropriamente ignoradas, as empresas podem informar lucros bem exagerados. Não admira que analistas de valores mobiliários tenham grandes dificuldades em estimar quais serão os prováveis lucros futuros.

3. Erros cometidos pelos próprios analistas

Para falar a verdade, alguns analistas de valores mobiliários não são particularmente observadores ou críticos e costumam cometer erros graves. Descobri esse fato no início da carreira como jovem estagiário em Wall Street. Tentei reproduzir um trabalho analítico de Louie, um especialista em metais. Ele havia descoberto que, para cada 10 cents de aumento no preço do cobre, o lucro de um produtor de cobre específico aumentaria 1 dólar por ação. Por esperar um aumento de 1 dólar no preço do cobre, ele raciocinou que aquela ação específica era uma "candidata a compra anormalmente atrativa".

Ao refazer o cálculo, descobri que Louie havia colocado uma vírgula decimal fora de lugar. Um aumento de 10 cents no preço do cobre aumentaria o lucro em 10 cents, não em 1 dólar. Quando observei o fato para Louie (achando que o analista imediatamente corrigiria o erro), ele simplesmente deu de ombros e declarou: "Bem, a recomendação soa mais convincente se deixarmos o relatório como está." Atenção aos detalhes não era o forte dele.

A falta de atenção de Louie aos detalhes revelava sua falta de compreensão do setor que estava cobrindo. Mas ele não era o único. Num artigo escrito para a *Barron's*, o Dr. Lloyd Kriezer, um cirurgião plástico, examinou alguns relatórios escritos por analistas de biotecnologia. Kriezer prestou atenção especial na cobertura dos analistas daquelas empresas de biotecnologia que vinham criando pele artificial para o tratamento de feridas crônicas e queimaduras – área em que tinha uma experiência considerável. Ele achou que os diagnósticos dos analistas de valores sobre as ações estavam longe da verdade. Primeiro, somou os pressupostos sobre a participação no mercado prevista para as empresas concorrentes. As participações previstas das cinco empresas de biotecnologia competindo no mercado de pele artificial totalizavam mais de 100%. Além disso, a previsão dos analistas do tamanho absoluto do mercado potencial tinha pouca relação com os dados sobre o número das vítimas reais de queimaduras, embora dados exatos estivessem facilmente disponíveis. Ademais, ao examinar os relatórios dos diferentes analistas sobre as empresas, o Dr. Kriezer concluiu: "Eles claramente não entendem do setor." O que nos lembra as palavras atribuídas ao lendário treinador de beisebol Casey Stengel: "Ninguém aqui sabe jogar este jogo?"

Muitos analistas seguem os passos de Louie. Geralmente preguiçosos demais para fazer as próprias projeções de lucros, preferem copiar as previsões de outros analistas ou engolir as "orientações" divulgadas pelas gerências corporativas sem melhores análises. Assim você sabe facilmente quem culpar se algo sai errado. E é bem mais fácil estar errado quando todos os seus colegas profissionais concordam com você. Nas palavras de Keynes: "A sabedoria mundana ensina que é melhor para a reputação falhar convencionalmente do que ter sucesso inconvencionalmente."

Analistas de valores mobiliários continuam cometendo erros de previsão devastadores. O Apollo Group, proprietário da Universidade de Phoenix, era um queridinho de Wall Street no início de 2012. Os analistas se entusiasmaram com o enorme potencial de lucros daquele líder no setor de faculdades pagas e projetaram enormes retornos aos investidores. Relatórios sobre as altas taxas de alunos inadimplentes, as baixas taxas de graduação e as práticas de recrutamento predatórias foram ignorados. Mas aqueles problemas foram confirmados por um relatório do Congresso amplamente divulgado. A publicidade negativa e as novas regulamentações governamentais resultantes levaram a uma forte queda das matrículas e a uma queda ainda maior do preço da ação da Apollo.

A falibilidade das previsões dos analistas de valores mobiliários é bem ilustrada pela incapacidade de avaliarem a General Electric corretamente durante a alta das ações industriais em 2017. A GE é uma empresa americana icônica. Foi um dos membros originais do Índice Dow Jones e por anos, no século XX, considerada uma das melhores ações de crescimento do país.

No fim de 2016, a maioria dos analistas de Wall Street classificava a ação da GE como "ótima compra". A empresa se desfizera da maior parte de sua unidade financeira. "Os problemas da crise que causaram estragos na altamente alavancada unidade financeira agora ficaram para trás", um analista observou, e o "crescimento futuro estava assegurado". Os lucros não seriam mais paralisados pelos maus resultados dos negócios de que se desfez. A empresa estava agora "mais simples e ágil" e cheia da grana. Os analistas aplaudiram o novo foco, com 90% dos negócios da GE agora concentrados em produtos industriais de alta tecnologia.

O ambiente econômico no início de 2017 contribuiu para as expectativas otimistas. A expansão econômica estava fadada a se acelerar e a GE estava a caminho de se tornar "a maior empresa industrial digital do mundo". A ação, depois da alta histórica na faixa dos 50, estava agora parada na faixa dos 30. A cereja do bolo era um rendimento dos dividendos atraente, superior a 3%. "A ação representa um valor superlativo para investidores conservadores."

O futuro não se revelou como esperado. A empresa havia se diversificado em vários ramos, mas não dominava nenhum, sem qualquer negócio que pudesse ostentar como modelo de excelência. Em vez de aumentar, os lucros continuaram caindo. O CEO foi substituído e o dividendo foi cortado pela metade. Para piorar, a empresa foi forçada a fazer uma reformulação contábil que reduziu seus lucros históricos ainda mais. Em junho de 2018, a GE foi excluída do Índice Dow Jones e a ação estava sendo vendida a 13 dólares. E chega de previsões de analistas.

Não quero insinuar que os analistas de Wall Street são incompetentes e simplesmente repetem feito papagaios o que os gestores informam. Mas insinuo que o analista comum é exatamente isto: uma pessoa bem paga e geralmente inteligentíssima com um emprego dificílimo, que exerce de forma um tanto medíocre. Os analistas com frequência se equivocam, são às vezes relaxados e suscetíveis às mesmas pressões das outras pessoas. Em suma, são seres bem humanos.

4. A perda dos melhores analistas para o balcão de vendas, a gestão de portfólios ou fundos hedge

Meu quarto argumento contra a profissão é paradoxal: muitos dos melhores analistas de valores mobiliários não são pagos para analisar títulos mobiliários. Eles são muitas vezes vendedores institucionais dinâmicos ou são promovidos ao cargo lucrativo de gestor de portfólio.

As empresas de investimentos conhecidas por sua capacidade de pesquisa costumam enviar um analista de valores mobiliários para acompanhar um vendedor comum numa visita a uma instituição financeira. Os investidores institucionais gostam de ouvir uma nova ideia de investimento direto da boca do especialista, de modo que o vendedor normal fica calado e deixa o analista falar. Os analistas mais eloquentes dedicam seu tempo aos clientes institucionais, não aos relatórios financeiros.

No século XXI, muitos analistas foram afastados da pesquisa, seduzidos por cargos altamente remunerados na gestão de portfólio de fundos hedge. É bem mais empolgante, prestigioso e lucrativo "administrar o dinheiro" no cargo em linha de gestor de portfólio de fundo hedge do que apenas aconselhar no cargo de apoio de analista de valores mobiliários. Não é de admirar que muitos dos mais respeitados analistas de valores mobiliários não permaneçam por muito tempo no cargo.

5. Os conflitos de interesses entre departamentos de pesquisa e de banco de investimento

A meta do analista é obter o maior lucro possível, e para as grandes corretoras o maior lucro se encontra na divisão de banco de investimento. Nem sempre foi assim. Na década de 1970, antes da morte das comissões fixas e da introdução das corretoras de "desconto", a operação de corretagem de varejo pagava a conta e os analistas estavam realmente trabalhando para seus clientes – os investidores de varejo e institucionais. Mas aquele centro de lucros perdeu a importância com as comissões competitivas; as únicas minas de ouro restantes foram os lucros comerciais, a subscrição de novos lançamentos de empresas novas ou existentes (nas quais as comissões podem chegar a milhões de dólares) e a consultoria às empresas sobre linhas de crédito, reestruturação, aquisições etc. E assim aconteceu que "obter lucro" significou ajudar a corretora a obter e cultivar clientes bancários. E foi assim que o conflito surgiu. Os salários e bônus dos analistas eram determinados em parte por seu papel em ajudar o departamento de subscrições. Quando tais relações de negócios existiam, os analistas tornavam-se nada mais do que instrumentos da divisão de banco de investimento.

Um indicador da relação estreita entre os analistas de valores mobiliários e suas operações de banco de investimento tem sido a tradicional parcimônia das recomendações de venda. Sempre houve alguma distorção na relação entre recomendações de compra e venda, já que os analistas não querem ofender as empresas que acompanham. Mas, como as receitas dos bancos de investimento se tornaram uma enorme fonte de lucros para as grandes corretoras, os analistas de pesquisa eram cada vez mais pagos para favorecer as compras, e não aquilo que é melhor. Num incidente célebre, um analista que teve a audácia de recomendar a venda dos títulos de dívida do Taj Mahal de Trump, porque dificilmente pagariam seus juros, foi sumariamente despedido de sua empresa após ameaças de retaliação legal do próprio "Donald" (mais tarde, os títulos deram calote). Não é de admirar que a maioria dos analistas eliminou de seu discurso quaisquer comentários negativos que possam ofender os clientes atuais ou prováveis dos bancos de investimento. Durante a bolha da internet, a relação entre recomendações de compra e venda atingiu 100 para 1.

Sem dúvida, quando um analista diz "Compre" talvez queira dizer "Mantenha" e quando ele diz "Mantenha" provavelmente é um eufemismo para "Jogue esse lixo fora o mais rápido possível". Mas os investidores não deveriam precisar de um curso de semântica da desconstrução para entender as recomendações, e a maioria dos investidores individuais infelizmente levou os analistas a sério durante a bolha da internet.

Existem indícios convincentes de que as recomendações dos analistas são contaminadas pelas relações lucrativas das corretoras com os bancos de investimento. Diversos estudos avaliaram a precisão das seleções de ações dos analistas. Brad Barber, da Universidade da Califórnia, estudou o desempenho das "fortes recomendações de compra" dos analistas de Wall Street e descobriu que estava próximo do "desastroso". Na verdade, as fortes recomendações de compra dos analistas ficaram aquém do mercado em 3% ao mês, enquanto suas recomendações de venda superaram os mercados em 3,8% ao mês. Ainda pior, pesquisadores em Dartmouth e Cornell descobriram que as ações recomendadas por corretoras de Wall Street sem relacionamento com bancos de investimento tiveram melhores resultados do que as recomendações de corretoras envolvidas em relacionamentos rentáveis com as empresas analisadas. Um estudo da Investors.com constatou que os investidores perderam mais de 50% quando seguiram o conselho de um analista empregado por uma empresa de Wall Street que gerenciava, sozinha ou com outras empresas, a oferta pública inicial da ação recomendada. Os analistas de pesquisa eram basicamente pagos para elogiar as ações dos clientes de subscrição da empresa. E os analistas lambem as mãos de quem os alimenta.

A situação hoje está um pouco melhor. Recomendações diretas de "vender" tornaram-se mais comuns, embora a tendência do conselho de "comprar" permaneça. Mas a Lei Sarbanes-Oxley, que veio após os escândalos associados à bolha da internet, tornou a tarefa do analista mais difícil ao limitar o grau em que superintendentes financeiros das empresas podiam conversar com analistas de Wall Street. A SEC promulgou uma política de "divulgação justa", pela qual qualquer informação relevante da empresa deve se tornar pública imediatamente e assim ser divulgada ao mercado como um todo. Embora tal política possa ajudar a tornar o mercado de ações ainda mais eficiente, muitos analistas de valores mobiliários insatisfeitos tacharam a situação de "divulgação inexistente". Os analistas perderam o acesso a informações privilegiadas. Assim, não há razão para acreditar que as recomendações dos analistas melhorarão no futuro.

Os conflitos de interesses e a falta de questionamento independente dos analistas não desapareceram após a Sarbanes-Oxley. Em 2010, imediatamente após o anúncio da explosão e do vazamento de petróleo da plataforma de perfuração Deepwater Horizon, da British Petroleum, a ação da empresa caiu 10 pontos, de 60 para 50 dólares. No entanto, o veredito quase unânime da comunidade de analistas de Wall Street foi que o preço da ação sofreu uma reação exagerada e assim eles recomendaram fortemente sua compra. Nas palavras de um analista, o declínio foi "desproporcional aos custos prováveis da empresa (estimados em 450 milhões de dólares), mesmo levando em conta indenizações por danos possivelmente reivindicadas". Dos 34 analistas que cobriam a ação, 27 recomendaram "comprar". Os outros sete recomendaram "manter". Não houve nenhuma recomendação de "vender". E mesmo o hiperativo apresentador de TV Jim Cramer informou aos seus telespectadores que seu fundo filantrópico estava comprando ações da BP. A ação acabou caindo para a faixa dos 20, uma perda de quase 100 bilhões de dólares em valor de mercado. (Em janeiro de 2018, a BP estimou que os custos do vazamento haviam disparado para 65 bilhões de dólares e continuavam subindo.)

A predominância do erro indica que os conflitos de interesses não foram eliminados. A BP é uma grande emissora de títulos mobiliários que geram polpudas comissões de subscrição para Wall Street. Os analistas continuam influenciados pelo medo de que comentários muito negativos sobre a empresa possam resultar em perda do negócio de subscrições no futuro.

Finalmente, a capacidade dos gestores de fundos profissionais de tomar decisões corretas, ao converterem dinheiro vivo ou títulos de dívida em ações com base em suas previsões das condições econômicas, tem sido sofrível. Os picos nas posições de caixa dos fundos mútuos geralmente têm coincidido com vales do mercado. Inversamente, as posições de caixa foram invariavelmente baixas quando o mercado estava nas alturas.

ANALISTAS DE TÍTULOS MOBILIÁRIOS ESCOLHEM VENCEDORES? O DESEMPENHO DOS FUNDOS MÚTUOS

Consigo quase ouvir o coro no fundo ao escrever estas palavras. Ele diz algo assim: o verdadeiro teste do analista está no desempenho das ações que recomenda. Talvez o "Desleixado Louie", aquele analista do cobre, tenha errado na previsão do lucro ao trocar a posição da vírgula decimal, mas, se as ações que recomendou geraram dinheiro para seus clientes, sua falta de atenção ao detalhe pode certamente ter sido perdoada. "Analise o desempenho do investimento", o coro está dizendo, "não as projeções de lucros."

Felizmente, o histórico de um grupo de profissionais – os fundos mútuos – está publicamente disponível. Ainda melhor para meu argumento, os homens e as mulheres nos fundos estão entre os melhores analistas e gestores de portfólio da praça. Como disse recentemente um administrador de investimentos, "levará muitos anos até que o nível geral de competência suba o suficiente para ofuscar a estupenda vantagem do atual administrador de investimentos agressivo".

Declarações como essa eram tentadoras demais para os altivos membros do mundo acadêmico. Dados a riqueza de dados disponíveis, o tempo disponível para realizar tal pesquisa e o desejo esmagador de provar a superioridade acadêmica em tais questões, seria natural que a comunidade acadêmica se voltasse para o desempenho dos fundos mútuos.

De novo, os indícios de diversos estudos são notadamente uniformes. Os investidores não se saíram melhor com o fundo mútuo comum do que se tivessem comprado e conservado um amplo índice de ações não administradas. Em outras palavras, em longos períodos, os portfólios dos fundos mútuos não superaram o desempenho do mercado. Ainda que alguns fundos possam ter ótimos desempenhos durante certos períodos, a performance superior não é uniforme e não há como prever o desempenho dos fundos em qualquer dado período futuro.

A tabela a seguir mostra os retornos do fundo mútuo de ações médio por um período de 25 anos, até 31 de dezembro de 2017. Em comparação, o Índice S&P 500 é usado para representar o mercado amplo. Retornos semelhantes foram obtidos para intervalos de tempo diferentes e para fundos de pensão, bem como outros investimentos. Simplesmente comprar e manter as ações de um índice de mercado abrangente é uma estratégia dificilmente superada pelo gestor de portfólio profissional.

FUNDOS MÚTUOS *VERSUS* ÍNDICE DE MERCADO

	25 anos até 31 de dezembro de 2017
Índice S&P 500	9,69%
Fundo de ações médio	8,55%
Vantagem do índice (pontos percentuais)	1,14%

Fontes: Lipper e Vanguard.

Além dos indícios científicos acumulados, diversos testes menos formais confirmaram essa constatação. Por exemplo, no início da década de 1990, o *The Wall Street Journal* iniciou um concurso em que mensalmente as seleções de quatro especialistas eram comparadas com as de quatro dardos. O *Journal* gentilmente me deixou lançar os dardos no primeiro concurso. No início do século XXI, os especialistas pareciam estar um pouco à frente dos dardos. Mas, se o desempenho deles fosse medido desde o dia em que suas escolhas e a publicidade concomitante foram anunciadas no *Journal* (e não o dia anterior), os dardos estavam ligeiramente à frente. O que significa que o punho é mais poderoso que o cérebro? Talvez não, mas creio que a revista *Forbes* levantou uma questão muito válida quando um jornalista concluiu: "Parece que uma combinação de sorte com preguiça derrota o cérebro."

Como é possível? Anualmente podemos ler as classificações de desempenho dos fundos mútuos. Elas sempre mostram muitos fundos superando os índices – alguns por margens significativas. O problema é que não há regularidade no desempenho. Assim como os lucros passados não permitem prever os lucros futuros, o desempenho passado do fundo não permite prever os resultados futuros. As administrações dos fundos também estão sujeitas a eventos aleatórios: elas podem engordar, ficar preguiçosas ou se dissolver. Uma abordagem de investimento que funciona muito bem por um período pode facilmente degringolar no próximo. Somos tentados a concluir que um fator bem importante em determinar a classificação de desempenho é nossa velha amiga Dona Sorte.

Essa conclusão não é recente. Tem se verificado nos últimos 45 anos, um período de grandes mudanças no mercado e na porcentagem do público em geral detentor de ações. Repetidas vezes o fundo de destaque de ontem se mostra o desastre de hoje. Durante o fim da década de 1960, os fundos *go-go* com seus "pistoleiros juvenis" geraram retornos espetaculares e seus gestores eram elogiados como celebridades dos esportes. Mas quando chegou o período de baixa seguinte, de 1969 a 1976, aqueles fundos decepcionaram. Os maiores fundos de 1968 tiveram um desempenho perfeitamente desastroso em seguida.

Resultados semelhantes continuaram ocorrendo nas décadas subsequentes. Não tem havido uniformidade no desempenho superior. Os vinte maiores fundos mútuos da década de 1970 tiveram desempenhos bem abaixo da média na década de 1980, com muitos dos melhores fundos dos anos 1970 nas piores posições das tabelas de classificação dos fundos da década seguinte. De forma semelhante, os melhores fundos dos anos 1980 tiveram resultados terríveis nos anos 1990 e os melhores fundos dos anos 1990, que acumularam ações quentes da internet, tiveram históricos desastrosos nas primeiras décadas do século XXI, após a deflação da bolha.

Os investidores descobriram que ganhar 100% num ano e perder 50% no seguinte os deixava na estaca zero. Sem dúvida, alguns fundos registraram retornos acima da média por duas décadas seguidas. Mas são poucos e dispersos, e seus números não superam o que se esperaria da lei das probabilidades.

Talvez a lei das probabilidades deva ser mostrada. Vejamos um concurso de cara ou coroa. Aqueles que conseguem obter cara seguidamente serão declarados vencedores. O concurso começa e mil participantes jogam suas moedas. Como seria de esperar pelas probabilidades, 500 deles obtêm cara e esses vencedores podem avançar para o segundo estágio do concurso e jogar as moedas novamente. Como seria de esperar, 250 obtêm cara. Operando sob a lei das probabilidades, haverá 125 ganhadores na terceira rodada, 63 na quarta, 32 na quinta, 16 na sexta e 8 na sétima.

A essa altura, a multidão começa a se juntar para testemunhar a habilidade surpreendente desses ases do cara ou coroa. Os vencedores são adulados, celebrados como gênios, escrevem-se suas biografias, e as pessoas buscam seus conselhos. Afinal, entre mil concorrentes, apenas oito conseguiram sistematicamente obter cara. O jogo continua e alguns concorrentes acabam obtendo cara nove e dez vezes seguidas.* O intuito desta analogia não é indicar que os gestores de fundos de investimento possam ou devessem tomar suas decisões jogando moedas, mas que a lei das probabilidades opera e pode explicar algumas histórias de sucesso incríveis.

É da natureza de uma média que alguns investidores a superarão. Com grandes números de administradores de investimentos, as probabilidades explicarão alguns desempenhos extraordinários. A grande publicidade dada ao sucesso ocasional me lembra a história do médico que alegou ter descoberto a cura do câncer nos frangos. Ele orgulhosamente anunciou que, em 33% dos casos, melhorias notáveis se verificaram. Em outro terço dos casos, ele admitiu, parecia não haver mudança na doença. Então timidamente acrescentou: "Infelizmente o terceiro frango fugiu."

O *The Wall Street Journal* fez uma interessante matéria em 2009 mostrando quão fugaz tende a ser o desempenho extraordinário nos investimentos. O jornal observou que 14 fundos mútuos haviam superado o S&P por nove anos consecutivos até 2007. Mas somente um repetiu aquele feito em 2008, como mostra o gráfico na página seguinte. É simplesmente impossível contar com qualquer fundo, ou administrador de investimentos, para superar sistematicamente o mercado – mesmo quando o desempenho passado indica alguma habilidade de investimento incomum.

Os indícios a favor de investir no índice se fortalecem com o tempo. A Standard & Poor's publica relatórios todos os anos comparando todos os fundos ativamente geridos com diversos de seus índices de ações. O relatório de 2018 é mostrado na tabela da página seguinte. Quando se examina um período de cinco anos, mais de três quartos dos gestores ativos são superados por seus índices comparativos. E o relatório de cada ano é mais ou menos

---

* Se tivéssemos deixado os perdedores prosseguirem no jogo (como fazem os gestores de fundos mútuos, mesmo após um ano ruim), teríamos encontrado bem mais participantes que obtiveram oito ou nove caras em dez tentativas e foram assim considerados mestres do cara ou coroa. *(N. do A.)*

APENAS UM

retorno em 2008 (%)	
-35	M&N Pro Blend Max S
-37	S&P 500 (com dividendos reinvestidos)
-40	Amer Funds Fundamental A
-40	Target Gr Alloc A
-41	Lord Abbett Alpha Strat A
-42	T. Rowe Price Spect Grth
-43	JPMorgan Small Cap Gr A
-46	Hartsford Cap App HLS 1A
-47	AIM Capital Development A
-49	T. Rowe Price New Era
-50	Columbia Acorn Select Z
-52	Fidelity Select Natural Res
-53	Jennison Natural Res B
-54	Fidelity Adv Energy T
-61	Ivy Global Natural Res A

Fonte: *The Wall Street Journal*, 5 de janeiro de 2009.

semelhante. A cada vez que faço uma revisão deste livro, os resultados são parecidos. O desempenho do índice não é medíocre – ele excede os resultados obtidos pelo gestor ativo típico. E o resultado vale para ações grandes e pequenas, domésticas ou internacionais. Além disso, obtém-se a mesma coisa observando resultados ao longo de quinze anos. E isso funciona para o mercado de títulos de dívida tanto quanto para o mercado de ações. Investir no índice é uma decisão inteligente.

ÍNDICES STANDARD & POOR'S *VERSUS* FUNDOS ATIVOS

Porcentagem de fundos ativos superados por indicadores

	Um ano	Cinco anos	Quinze anos
Fundos de alta capitalização x S&P 500	63,08	84,23	92,33
Fundos de baixa capitalização x S&P Small Cap 600	47,70	91,17	95,73
Fundos globais x S&P Global 1200	50,21	77,71	82,47
Fundos de mercados emergentes x S&P IFCI Composite	64,89	77,78	94,83

Fonte: S&P SPIVA Report, março de 2018.

Não estou afirmando que seja impossível superar o mercado. Mas é bem improvável. Uma forma interessante de demonstrar esse resultado é examinar os históricos de *todos* os fundos mútuos de ações existentes em 1970 (quando comecei a trabalhar neste livro) e seguir seu desempenho até 2017. Trata-se do experimento mostrado no gráfico abaixo.

Em 1970 existiam 358 fundos mútuos de ações. Hoje são milhares. Podemos medir os históricos de longo prazo de apenas 78 daqueles fundos originais porque 280 deles deixaram de existir. Desse modo, os dados da figura sofrem da "distorção da sobrevivência". Os fundos sobreviventes são aqueles com melhores históricos. Existe um segredo desagradável no setor de fundos mútuos: se você tem um fundo com mau desempenho, isso não repercute bem no complexo de fundos mútuos. Assim, os fundos com mau desempenho tendem a ser fundidos com fundos melhores, eliminando seus históricos constrangedores. Os fundos sobreviventes são os de melhor desempenho. Mas, mesmo com essa distorção da sobrevivência, observe quão poucos são os fundos originais com desempenhos superiores. Dá para contar nos dedos de uma mão o número de fundos, dentre os 358 originais, que realmente su-

AS CHANCES DE SUCESSO: RETORNOS DOS FUNDOS SOBREVIVENTES

Fundos mútuos de 1970 a 2017 comparados com os retornos do S&P 500

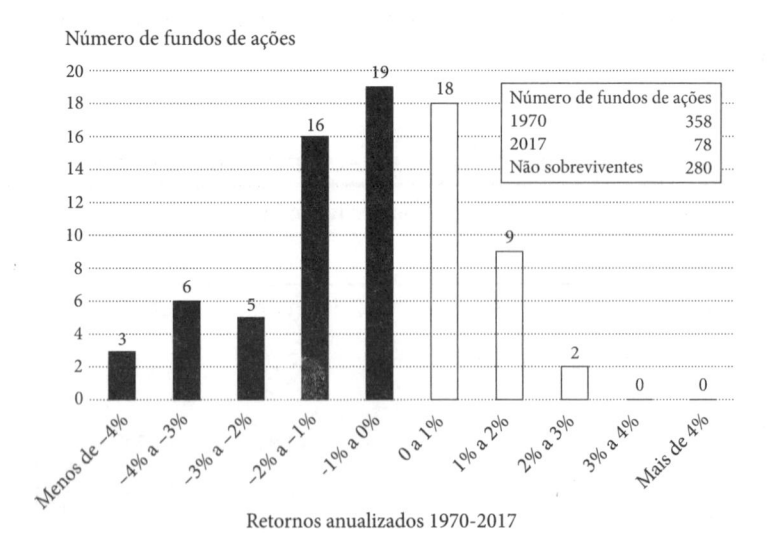

Número de fundos de ações

Retornos anualizados 1970-2017	Número de fundos
Menos de −4%	3
−4% a −3%	6
−3% a −2%	5
−2% a −1%	16
−1% a 0%	19
0 a 1%	18
1% a 2%	9
2% a 3%	2
3% a 4%	0
Mais de 4%	0

Número de fundos de ações	
1970	358
2017	78
Não sobreviventes	280

Fontes: Vanguard e Lipper.

peraram o índice do mercado em dois pontos percentuais ou mais. Somente 11 deles (3%) superaram em 1% ou mais.

O fato é que é altamente improvável que você consiga superar o mercado. É tão raro que é como procurar uma agulha num palheiro. Uma estratégia com bem mais chances de ser ótima é comprar o próprio palheiro: ou seja, comprar um fundo indexado – um fundo que simplesmente compre e conserve todas as ações de um índice do mercado de ações amplo. Felizmente, cada vez mais investidores estão fazendo exatamente isso. Durante 2018, mais de 45% do dinheiro investido por indivíduos e instituições foi para os fundos indexados. E a porcentagem continua crescendo a cada ano.

Embora a discussão precedente tenha se concentrado nos fundos mútuos, não se deve supor que os fundos sejam os piores dentre todo o grupo de gestores de investimentos. Na verdade, os fundos mútuos têm tido um desempenho um pouco melhor do que muitos outros investidores profissionais. Foram estudados os desempenhos de empresas de seguros de vida, empresas de seguros de propriedades e contra acidentes, fundos de pensão, fundações, fundos fiduciários estaduais e locais, fundos pessoais administrados por bancos e contas discricionárias individuais geridas por consultores de investimentos. Não existem diferenças de porte no desempenho do investimento de portfólios de ações ordinárias entre esses investidores profissionais ou entre esses grupos e o mercado como um todo. As exceções são raríssimas. O desempenho do investimento de portfólios profissionalmente geridos como um grupo tem sido pior que o de um índice de base ampla.

AS FORMAS SEMIFORTE E FORTE DA HIPÓTESE DO MERCADO EFICIENTE (HME)

A comunidade acadêmica fez seu julgamento. A análise fundamentalista não é melhor do que a análise técnica em possibilitar a obtenção de retornos acima da média. Não obstante, dada sua propensão ao detalhe, a comunidade acadêmica logo se viu discutindo a definição precisa de informação fundamental. Alguns disseram que era o que se sabe agora. Outros disseram que se estendia além. Foi nesse ponto que o que começou como a forma forte da hipótese do mercado eficiente se dividiu em duas. A forma "semiforte" diz que nenhuma informação pública ajudará o analista a selecionar títulos mobiliários subestimados. O argumento aqui é que a estrutura dos preços do mercado já leva em conta qualquer informação pública que possa estar contida em balanços, demonstrações de resultado, dividendos e assim por diante. Análises profissionais desses dados serão inúteis. A forma "forte" sustenta que absolutamente nada que seja conhecido ou mesmo cognoscível sobre uma empresa beneficiará o analista fundamentalista. De acordo com a forma forte da teoria, nem sequer informações "privilegiadas" podem ajudar os investidores.

A forma forte da HME é obviamente um exagero. Ela não admite a possibilidade de obter informações privilegiadas. Nathan Rothschild ganhou milhões no mercado quando seus pombos-correio lhe trouxeram as primeiras notícias da vitória de Wellington em Waterloo antes que os demais investidores tivessem conhecimento dela. Mas, hoje em dia, a superestrada da informação transporta as notícias com muito mais rapidez do que os pombos-correio. E o Regulamento da Divulgação Justa obriga as empresas a anunciarem prontamente quaisquer notícias relevantes que possam afetar o preço de suas ações. Além disso, quem lucra nas negociações com base em informações não públicas está infringindo a lei. Paul Samuelson, ganhador do Prêmio Nobel de Economia, sintetizou a situação nestes termos:

> Se pessoas inteligentes estão constantemente em busca de valor, vendendo aquelas ações que acham que se mostram supervalorizadas e comprando as que esperam estar agora subestimadas, o resultado dessa ação dos investidores inteligentes será que os preços das ações existentes já trarão descontada uma margem para suas perspectivas futuras. Assim sendo, para o investidor passivo, que não vai em busca de situações sub e superestimadas, será apresentado um padrão de preços das ações que faz com que uma ação seja uma compra tão boa ou ruim quanto outra. Para esse investidor passivo, o acaso sozinho seria um método de seleção tão bom quanto qualquer outro.

Essa é uma afirmação da hipótese do mercado eficiente. A forma "estreita" (fraca) da HME diz que a análise técnica – examinar os preços das ações no passado – não pode ajudar os investidores. Os preços mudam de um período a outro como um passeio aleatório. As formas "amplas" (semiforte e forte) afirmam que a análise fundamentalista tampouco ajuda. Tudo que se conhece sobre o crescimento esperado dos lucros e dividendos da empresa, e todos os acontecimentos favoráveis e desfavoráveis possíveis afetando a empresa que poderiam ser estudados pelo analista fundamentalista já estão refletidos no preço da ação da empresa. Desse modo, adquirir um fundo que contenha todas as ações de um índice de base ampla produzirá um portfólio do qual se pode esperar um desempenho tão bom quanto o de qualquer fundo gerido por analistas profissionais.

A hipótese do mercado eficiente não implica, como alguns críticos proclamaram, que os preços das ações estão sempre corretos. Na verdade, os preços das ações estão sempre errados. O que a HME infere é que ninguém sabe ao certo se os preços das ações estão altos ou baixos demais. Nem a HME afirma que os preços das ações mudam sem objetivo e erraticamente e são insensíveis às mudanças nas informações fundamentais. Pelo contrário, o motivo pelo qual os preços mudam de maneira tão aleatória é exatamente o oposto. O mercado é tão eficiente – os preços mudam tão depressa quando surgem informações – que ninguém consegue comprar ou vender com a rapidez suficiente para se beneficiar. E notícias reais se desenvolvem aleatoriamente, ou seja, sem previsibilidade. Não podem ser previstas pelo estudo de informações técnicas ou fundamentalistas do passado.

Mesmo o lendário Benjamin Graham, conhecido como o pai da análise fundamentalista de valores mobiliários, relutantemente chegou à conclusão de que já não se podia contar com a análise de valores mobiliários fundamentalista para produzir retornos de investimentos superiores. Pouco antes de morrer, em 1976, ele foi citado em uma entrevista no *Financial Analysts Journal*: "Não sou mais um defensor de técnicas elaboradas de análise de valores mobiliários para achar oportunidades de valor superior. Foi uma atividade recompensadora, digamos, quarenta anos atrás, quando a obra de Graham e Dodd foi pela primeira vez publicada. Mas a situação mudou. [...] [Hoje] duvido que esses amplos esforços gerarão seleções suficientemente superiores para justificar seu custo. [...] Estou do lado da escola de pensamento do 'mercado eficiente'." E Peter Lynch, logo após se aposentar da gestão do Fundo Magellan, bem como o lendário Warren Buffett, admitiram que a maioria dos investidores se sairia melhor em um fundo indexado do que investindo em um fundo mútuo de ações ativamente administrado. Buffett estipulou em seu testamento que o dinheiro de seu patrimônio seja investido somente em fundos indexados.

Parte Três

—

A NOVA TECNOLOGIA DE INVESTIMENTO

8

UM NOVO "SAPATO PARA CAMINHAR": A TEORIA MODERNA DO PORTFÓLIO

> *Homens práticos que se julgam isentos de qualquer influência intelectual costumam ser escravos de algum economista defunto. Loucos em posição de autoridade, que ouvem vozes no ar, estão destilando seu frenesi com base em um escrevinhador acadêmico de alguns anos atrás.*
>
> – JOHN MAYNARD KEYNES, *Teoria geral do emprego, do juro e da moeda*

No decorrer deste livro tentei explicar as teorias usadas por profissionais – simplificadas como as teorias da base firme e do castelo no ar – para prever a valorização de ações. Como vimos, muitos acadêmicos conquistaram sua reputação atacando essas teorias e sustentando que não se pode confiar nelas para obter lucros extraordinários.

À medida que as escolas de pós-graduação continuaram produzindo economistas financistas jovens e brilhantes, os acadêmicos críticos tornaram-se tão numerosos que pareceu óbvia a necessidade de uma estratégia nova. Logo, a comunidade acadêmica se ocupou de erigir as próprias teorias da valorização do mercado de ações. É disto que trata esta parte do livro: o mundo refinado da "nova tecnologia de investimento" criado dentro das torres da universidade. Uma visão – teoria moderna do portfólio (TMP) – é tão básica que agora é amplamente seguida em Wall Street. As outras permanecem controversas o suficiente para continuar gerando materiais de teses para estudantes e polpudos honorários de palestras para seus consultores.

Este capítulo é sobre a teoria moderna do portfólio, cujas visões permitirão que você reduza o risco enquanto possivelmente aufere um retorno maior. No Capítulo 9 volto-me aos acadêmicos que afirmaram que os investidores podem aumentar seus retornos assumindo certo tipo de risco. Então, nos Capítulos 10 e 11, abordo os argumentos de alguns acadêmicos e profissionais que concluem que a psicologia, não a racionalidade, rege o mercado e que não existe algo como um passeio aleatório. Eles argumentam que os mercados não são eficientes e que uma série de estratégias de investimento podem ser seguidas para melhorar os resultados dos investimentos. Elas incluem diversas estratégias de "beta inteligente" e paridade de risco que se popularizaram em Wall Street. Depois concluo mostrando que, apesar de todas as críticas, os fundos indexados tradicionais permanecem os campeões indiscutíveis no passeio mais rentável pelo mercado e deveriam constituir o núcleo de todos os portfólios.

O PAPEL DO RISCO

A hipótese do mercado eficiente explica por que o passeio aleatório é possível. Ela sustenta que o mercado de ações é tão bom em se adaptar a informações novas que ninguém consegue prever com propriedade seu rumo. Em razão das medidas dos profissionais, os preços das ações individuais rapidamente refletem todas as notícias que estão disponíveis. Desse modo, as chances de selecionar ações superiores ou prever o rumo geral do mercado estão equilibradas. O seu palpite é tão válido quanto aquele do macaco, do seu corretor ou mesmo meu.

Hmmm, isso não está cheirando bem... Dinheiro vem sendo ganho no mercado. Algumas ações superam o desempenho de outras. Algumas pessoas conseguem superar o mercado. Nem tudo é acaso. Muitos acadêmicos concordam. Mas o método de superar o mercado, dizem eles, não consiste em exercer uma clarividência superior, e sim em assumir um risco maior. O risco, e somente o risco, determina o grau em que os retornos estarão acima ou abaixo da média.

DEFINIÇÃO DE RISCO: A DISPERSÃO DOS RETORNOS

Risco é um conceito bem evasivo e fugidio. É difícil para investidores – sem falar nos economistas – concordar sobre uma definição precisa. O *American*

Heritage Dictionary define risco como "a possibilidade de sofrer dano ou prejuízo". Se consigo comprar letras prefixadas do Tesouro de um ano para renderem 2% e as mantenho até vencerem, estou praticamente certo de ganhar um retorno monetário de 2% antes do imposto de renda. A possibilidade de perda é tão baixa que consideramos inexistente. Se mantenho ações ordinárias de minha concessionária de energia elétrica local por um ano prevendo um retorno de dividendo de 5%, a possibilidade de perda é maior. O dividendo da empresa pode ser reduzido e, o mais importante, o preço de mercado ao final do ano pode ser bem menor, levando-me a um prejuízo líquido. O risco do investimento, então, é a chance de que os retornos esperados do título mobiliário não se concretizem e, em particular, de que os títulos caiam de preço.

Uma vez que os acadêmicos aceitaram a ideia de que o risco para os investidores está relacionado à chance de desapontamento com os retornos esperados dos títulos mobiliários, um indicador natural veio à baila: a dispersão provável dos retornos futuros. Assim, o risco financeiro tem sido geralmente definido como a variância ou desvio-padrão dos retornos. Sendo prolixos, usamos o exemplo seguinte para explicar o que queremos dizer. Um título mobiliário cujos retornos não tendem a se afastar muito, se é que se afastam, de seu retorno médio (ou esperado) acarreta pouco ou nenhum risco. Um título mobiliário cujos retornos de ano para ano tendem a ser bem voláteis (e com o qual perdas acentuadas ocorrem em alguns anos) é arriscado.

Retorno esperado e medidas de variância de recompensa e risco

Este exemplo simples ilustrará os conceitos de retorno esperado e variância e como são medidos. Suponha que você compre uma ação da qual espera os seguintes retornos gerais (incluindo dividendos e mudanças de preço) sob diferentes condições econômicas:

Condições de negócios	*Possibilidade de ocorrência*	*Retorno esperado*
Condições econômicas normais	1 chance em 3	10%
Crescimento real rápido sem inflação	1 chance em 3	30%
Recessão com inflação (estagflação)	1 chance em 3	-10%

Se, na média, um terço dos últimos anos foi "normal", outro terço caracterizado por rápido crescimento sem inflação e o terço restante caracterizado por "estagflação", seria razoável tomar essas frequências relativas de eventos passados e tratá-las como nossos melhores palpites (probabilidades) das chances das condições de negócios futuras. Poderíamos então dizer que o retorno esperado de um investidor é de 10%. Um terço do tempo o investidor obtém 30%, outro terço, 10%, e o resto do tempo sofre uma perda de 10%. Significa que, na média, o retorno anual será de 10%.

$$Retorno\ esperado = \tfrac{1}{3}(0{,}30) + \tfrac{1}{3}(0{,}10) + \tfrac{1}{3}(-0{,}10) = 0{,}10.$$

Os retornos anuais serão bem variáveis, porém oscilando de um ganho de 30% a uma perda de 10%. A "variância" é uma medida da dispersão dos retornos. É definida como o desvio quadrático médio de cada retorno possível de seu valor médio (ou esperado), que vimos ser de 10%.

$$Variância = \tfrac{1}{3}(0{,}30-0{,}10)^2 + \tfrac{1}{3}(0{,}10-0{,}10)^2 + \tfrac{1}{3}(-0{,}10-0{,}10)^2$$
$$= \tfrac{1}{3}(0{,}20)^2 + \tfrac{1}{3}(0{,}00)^2 + \tfrac{1}{3}(-0{,}20)^2 = 0{,}0267.$$

A raiz quadrada da variância é conhecida como desvio-padrão. Nesse exemplo, o desvio-padrão é igual a 0,1634.

Medidas de dispersão do risco como variância e desvio-padrão não conseguiram satisfazer a todos. "Com certeza o risco não está relacionado à própria variância", dizem os críticos. "Se a dispersão resulta de surpresas felizes – ou seja, de retornos mostrando-se melhores do que os esperados –, nenhum investidor em seu juízo pleno poderia chamar isso de risco."

Claro que é verdade que somente a possibilidade de eventos negativos constitui risco. Não obstante, na prática, desde que a distribuição dos retornos seja simétrica – ou seja, desde que as chances de ganho extraordinário sejam mais ou menos iguais às probabilidades de retornos decepcionantes e perdas –, uma medida de dispersão ou variância servirá como medida de risco. Quanto maior a dispersão ou variância, maiores as possibilidades de decepção.

Embora o padrão de retornos históricos de títulos mobiliários individuais não tenha geralmente sido simétrico, os retornos de portfólios de ações bem diversificados são ao menos aproximadamente simétricos. O gráfico seguinte mostra a distribuição de retornos mensais de títulos mobiliários para um portfólio aplicado no S&P 500 no decorrer de oitenta anos. Foi construído dividindo-se a faixa de retornos em intervalos iguais (de aproximadamente 1,25%) e depois registrando a frequência (o número de meses) com que os retornos se situaram dentro de cada intervalo. Em média, o portfólio retornou perto de 1% ao mês, ou cerca de 11% ao ano. Em períodos em que o mercado caiu acentuadamente, porém, o portfólio também despencou, perdendo mais de 20% num só mês.

DISTRIBUIÇÃO DOS RETORNOS MENSAIS PARA UM PORTFÓLIO INVESTIDO NO S&P 500, JANEIRO DE 1970 A MARÇO DE 2018

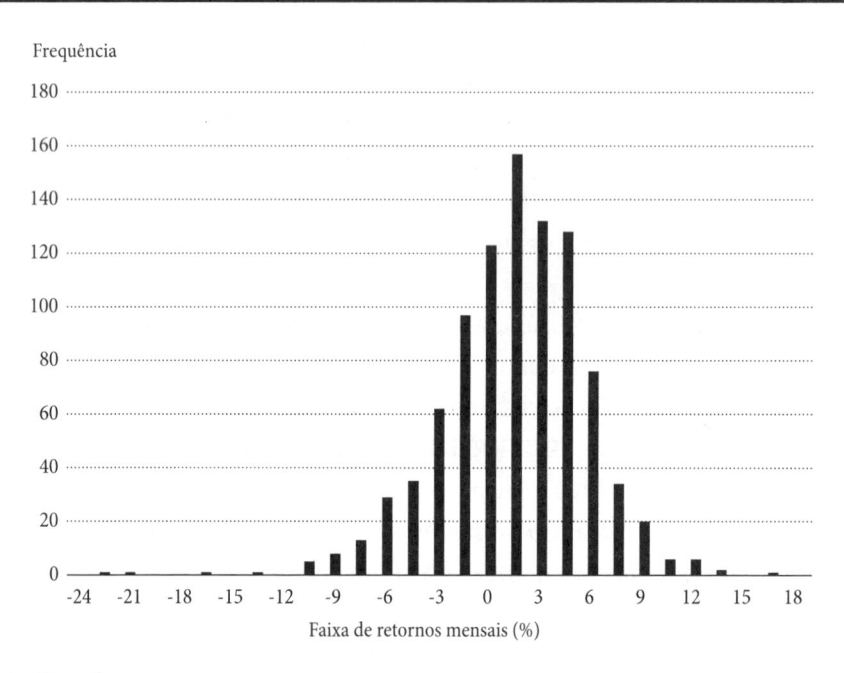

Fonte: Bloomberg.

Para distribuições razoavelmente simétricas como essa, uma regra prática útil é que dois terços dos retornos mensais tendem a se enquadrar em um desvio-padrão do retorno médio e 95% dos retornos se enquadram em dois desvios-padrão. Lembre que o retorno médio para essa distribuição estava perto de 1% ao mês. O desvio-padrão (nossa medida de risco do portfólio) acaba sendo de cerca de 4,5% ao mês. Desse modo, em dois terços dos meses os retornos desse portfólio estavam entre +5,5% e -3,5%, e 95% dos retornos estavam entre 10% e -8%. Obviamente, quanto maior o desvio-padrão (quanto mais dispersos os retornos), mais provável é (maior o risco de) que ao menos em alguns períodos você perca dinheiro nesse mercado. É por isso que uma medida de variabilidade como o desvio-padrão é usada e se justifica como uma indicação de risco.

DOCUMENTAR O RISCO: UM ESTUDO DE LONGO PRAZO

Uma das afirmações mais bem documentadas no campo das finanças é que, na média, os investidores receberam taxas de retorno maiores por correrem mais risco. O estudo mais minucioso foi realizado pela Ibbotson Associates. Seus dados cobrem o período de 1926 a 2018, e os resultados são mostrados na tabela da página seguinte. O que a Ibbotson fez foi pegar vários veículos de investimento diferentes – ações, títulos de dívida e letras do Tesouro – e medir o aumento ou a redução percentual de cada item a cada ano. Um retângulo ou barra foi então erguido na base para indicar o número de anos em que os retornos ficaram entre 0 e 5%; outro retângulo indicava o número de anos em que os retornos ficaram entre 5% e 10%; e assim por diante, para retornos positivos e negativos. O resultado é uma série de barras mostrando a dispersão dos retornos, cujo desvio-padrão pode ser calculado.

Uma rápida olhada mostra que, em longos períodos, as ações ordinárias forneceram, em média, taxas de retorno totais relativamente generosas. Esses retornos, incluindo dividendos e ganhos de capital, excederam por uma margem substancial os retornos de títulos de dívida de longo prazo, letras do Tesouro e a inflação medida pela taxa anual de aumento dos preços ao consumidor. Desse modo, as ações tenderam a fornecer taxas de retorno "reais" positivas, ou seja, retornos após descontados os efeitos da inflação. Os dados mostram, porém, que os retornos das ações ordinárias são altamente variáveis, como indica o desvio-padrão e a faixa de retornos anuais, mostrados nas duas colunas à direita da tabela. Os retornos de ações variaram de um ganho de mais de 50% (em 1933) a uma perda de quase a mesma porcentagem (em 1931). Claramente os retornos extras disponíveis aos investidores de ações tiveram como preço um risco bem maior. Observe que as ações de empresas

SÉRIE BÁSICA: ESTATÍSTICA RESUMIDA DOS RETORNOS ANUAIS TOTAIS DE 1926 A 2018

Série	Média geométrica (%)	Média aritmética (%)	Desvio-padrão (%)	Distribuição (%)
Ações de grandes empresas	10,2	12,1	19,8	
Ações de pequenas empresas*	12,1	16,5	31,7	
Títulos de dívida corporativos de longo prazo	6,1	6,4	8,3	
Títulos de dívida governamentais de longo prazo	5,5	6,0	9,9	
Títulos de dívida governamentais de prazo intermediário	5,1	5,2	5,6	
Letras do Tesouro dos Estados Unidos	3,4	3,4	3,1	
Inflação	2,9	3,0	4,0	

-90%   0%   90%

* O retorno total de ações de pequenas empresas em 1933 foi de 142,9%.

Fonte: *Ibbotson SBBI Yearbook*.

pequenas forneceram uma taxa de retorno ainda maior desde 1926, mas a dispersão (desvio-padrão) desses retornos foi ainda maior do que para as ações em geral. De novo, vemos que retornos maiores estiveram associados a riscos maiores.

Houve vários períodos de cinco anos ou mais em que as ações ordinárias produziram taxas de retorno negativas. O período 1930-1932 foi extremamente pobre para investidores no mercado de ações. O início da década de 1970 também produziu retornos negativos. O declínio de um terço nos índices amplos do mercado de ações durante outubro de 1987 é a mudança mais drástica nos preços das ações durante um breve período desde a década de 1930. E os investidores em ações sabem perfeitamente como foi ruim o desempenho destas durante a primeira década do século XXI. Mesmo assim, a longo prazo os investidores têm sido recompensados com retornos maiores por correrem mais risco. Entretanto, existem formas de os investidores poderem reduzir o risco. O que nos traz ao tema da teoria moderna do portfólio, que revolucionou o pensamento dos profissionais sobre investimentos.

REDUZIR O RISCO: TEORIA MODERNA DO PORTFÓLIO (TMP)

A teoria do portfólio começa pela premissa de que todos os investidores são como minha esposa: avessos ao risco. Eles querem retornos altos e resultados garantidos. A teoria informa aos investidores como combinar ações em seus portfólios obtendo o menor risco possível compatível com o retorno desejado. Também dá uma justificativa matemática rigorosa para a tradicional máxima dos investimentos de que a diversificação é uma estratégia sensata para indivíduos que gostam de reduzir seus riscos.

A teoria foi desenvolvida na década de 1950 por Harry Markowitz, que por sua contribuição recebeu o Prêmio Nobel de Economia em 1990. Seu livro *Portfolio Selection* foi uma consequência de sua dissertação de doutorado na Universidade de Chicago. Sua experiência variou de lecionar na UCLA a projetar a linguagem de computador da RAND Corporation. Ele até administrou um fundo hedge quando presidente da Arbitrage Management Company. O que Markowitz descobriu foi que portfólios de ações de maior risco (mais voláteis) poderiam ser formados de modo que o portfólio como um todo pudesse ser menos arriscado do que suas ações individualmente.

A matemática da teoria moderna do portfólio (TMP) é abstrusa e proibitiva, enchendo as revistas técnicas e, aliás, mantendo ocupados um monte de acadêmicos, o que em si não é uma pequena realização. Felizmente, não há necessidade de conduzir você pelo labirinto de programação quadrática para entender o núcleo da teoria. Uma única ilustração esclarece o jogo inteiro.

Suponhamos que temos uma economia insular com apenas duas empresas. A primeira é um grande resort com praias, quadras de tênis e campo de golfe. A segunda é uma fabricante de guarda-chuvas. O clima afeta a sorte de ambas. Durante as estações ensolaradas, o resort faz um ótimo negócio e as vendas de guarda-chuvas despencam. Durante as estações chuvosas, o dono do resort se dá mal, enquanto o fabricante de guarda-chuvas aufere altos lucros. A tabela a seguir mostra os retornos hipotéticos das duas empresas durante as diferentes estações:

	Fabricante de guarda-chuvas	Proprietário do resort
Estações chuvosas	50%	-25%
Estações ensolaradas	-25%	50%

Suponha que, na média, metade das estações são ensolaradas e metade são chuvosas (ou seja, a probabilidade de uma estação ensolarada ou chuvosa é de ½). Um investidor que comprou ações do fabricante de guarda-chuvas constataria que metade do tempo ganhou um retorno de 50% e metade do tempo perdeu 25% de seu investimento. Na média, ele obteria um retorno de 12,5%. É isso que chamamos de retorno esperado do investidor. De forma similar, o investimento no resort produziria os mesmos resultados. Mas investir em qualquer uma das duas empresas seria arriscado, porque os resultados são variáveis e poderiam ocorrer diversas estações ensolaradas ou chuvosas seguidas.

Suponha, porém, que, em vez de comprar um título mobiliário só, um investidor com 2 dólares diversificasse e aplicasse metade de seu dinheiro no fabricante de guarda-chuvas e metade no negócio do resort. Em estações ensolaradas, um investimento de 1 dólar no resort produziria um retorno de 50 cents, enquanto um investimento de 1 dólar no fabricante de guarda-chuvas perderia 25 cents. O retorno total do investidor seria de 25 cents (50 cents menos 25 cents), que são 12,5% de seu investimento total de 2 dólares.

Observe que, durante estações chuvosas, exatamente a mesma coisa acontece – somente os nomes são trocados. O investimento no fabricante de guarda-chuvas produz um retorno de 50%, enquanto o investimento no resort perde 25%. De novo, o investidor diversificado obtém um retorno de 12,5% de seu investimento total.

Essa ilustração simples mostra a vantagem básica da diversificação. Não importa o que aconteça com o clima, bem como com a economia da ilha, ao diversificar os investimentos em ambas as empresas, um investidor tem certeza de obter um retorno de 12,5% a cada ano. O truque que fez o jogo funcionar foi que, embora ambas as empresas fossem arriscadas (os retornos variavam de ano para ano), elas são afetadas diferentemente pelas condições climáticas. (Em termos estatísticos, as duas empresas possuem uma covariância negativa.)* Na medida em que existe alguma falta de paralelismo nas sortes das empresas individuais na economia, a diversificação pode reduzir o risco. No caso atual, em que existe um relacionamento negativo perfeito entre as sortes das empresas (uma sempre se dá bem quando a outra se dá mal), a diversificação pode eliminar totalmente o risco.

Claro que sempre existe um problema, e nesse caso é que as sortes da maioria das empresas evoluem em conjunto. Quando existe uma recessão e as pessoas estão desempregadas, podem não comprar nem férias de verão nem guarda-chuvas. Portanto, não espere na prática obter a eliminação total do risco que acabamos de mostrar. Mesmo assim, como as sortes das empresas nem sempre evoluem completamente em paralelo, o investimento num portfólio diversificado de ações tende a ser menos arriscado do que o investimento em um ou dois títulos mobiliários isolados.

É fácil levar as lições desta explicação para a construção de portfólios reais. Suponha que você esteja pensando em combinar a Ford Motor Company e seu maior fornecedor de pneus em uma carteira de ações. A diversificação tenderia a gerar uma grande redução do risco? Prova-

---

* Os estatísticos usam o termo "covariância" para medir o que chamei de grau de paralelismo entre os retornos de dois títulos mobiliários. Se R representa o retorno real do resort e R^- é o retorno esperado ou médio, enquanto G representa o retorno real do fabricante de guarda-chuvas e G^- é o retorno médio, definimos a covariância entre G e R (ou COV_{GR}) como:

COV_{GR} = Prob. chuva (G, se chuva $- G^-$) (R, se chuva $- R^-$) +
Prob. sol (G, se sol $- G^-$) (R, se sol $- R^-$).

Da tabela precedente de retornos e probabilidades supostas, podemos preencher os números pertinentes:

COV_{GR} = ½(0,50 − 0,125) (−0,25 − 0,125) + ½(−0,25 − 0,125) (0,50 − 0,125) = −0,141.

Sempre que os retornos de dois títulos mobiliários se movem em paralelo (quando um sobe, o outro sempre sobe), a covariância será um número positivo alto. Se os retornos são completamente sem sincronia, como no atual exemplo, diz-se que os dois títulos mobiliários possuem covariância negativa. (N. do A.)

velmente não. Se as vendas da Ford caírem, ela estará comprando menos pneus novos do fabricante. Em geral, a diversificação não ajudará muito se existir uma alta covariância positiva (alta correlação) entre os retornos das duas empresas.

Por outro lado, se a Ford fosse combinada com uma empreiteira que trabalha para o governo numa área carente, a diversificação poderia reduzir o risco de modo substancial. Se os gastos dos consumidores caem (ou se os preços do petróleo disparam), as vendas e os lucros da Ford tendem a cair, e o nível de desemprego do país, a subir. Se o governo cultiva o hábito de, durante períodos de alto desemprego, conceder contratos nas áreas carentes (para aliviar parte do fardo do desemprego ali), poderia perfeitamente acontecer que os retornos da Ford e da empreiteira não se movem em paralelo. As duas ações podem ter uma covariância muito pequena ou, ainda melhor, negativa.

O exemplo pode parecer um pouco forçado, e a maioria dos investidores perceberá que, quando o mercado é fustigado, quase todas as ações caem. Mesmo assim, ao menos em certas épocas, algumas ações e algumas classes de ativo movem-se contra o mercado, ou seja, têm uma covariância negativa ou (o que é a mesma coisa) estão negativamente correlacionadas.

O COEFICIENTE DE CORRELAÇÃO E A CAPACIDADE DE DIVERSIFICAÇÃO PARA REDUZIR O RISCO

Coeficiente de correlação	Efeito da diversificação sobre o risco
+1,0	Nenhuma redução do risco é possível.
+0,5	Redução moderada do risco é possível.
0	Redução considerável do risco é possível.
-0,5	A maior parte do risco pode ser eliminada.
-1,0	Todo o risco pode ser eliminado.

Agora vem a surpresa real: a correlação negativa não é necessária para obter os benefícios de redução do risco da diversificação. A grande contribuição de Markowitz para as carteiras dos investidores foi sua demonstração de que tudo que seja inferior à correlação positiva perfeita pode potencialmente reduzir o risco. Sua pesquisa levou aos resultados apresentados na tabela acima. Ela demonstra o papel crucial do coeficiente de correlação em determinar se acrescentar um título mobiliário ou uma classe de ativo pode reduzir o risco.

DIVERSIFICAÇÃO NA PRÁTICA

Parafraseando Shakespeare, pode existir excesso de algo bom? Em outras palavras, existe um ponto onde a diversificação já não é uma varinha de condão salvaguardando os retornos? Numerosos estudos demonstraram que a resposta é sim. Como mostra o gráfico abaixo, o número de ouro dos xenófobos americanos – aqueles temerosos de olhar além das fronteiras nacionais – é ao menos cinquenta ações americanas de mesmo tamanho e bem diversificadas (claro que cinquenta ações de petróleo ou de concessionárias de energia elétrica não produziriam um grau equivalente de redução do risco). Com tal portfólio, o risco total se reduz em mais de 60%. E é aqui que a boa

OS BENEFÍCIOS DA DIVERSIFICAÇÃO

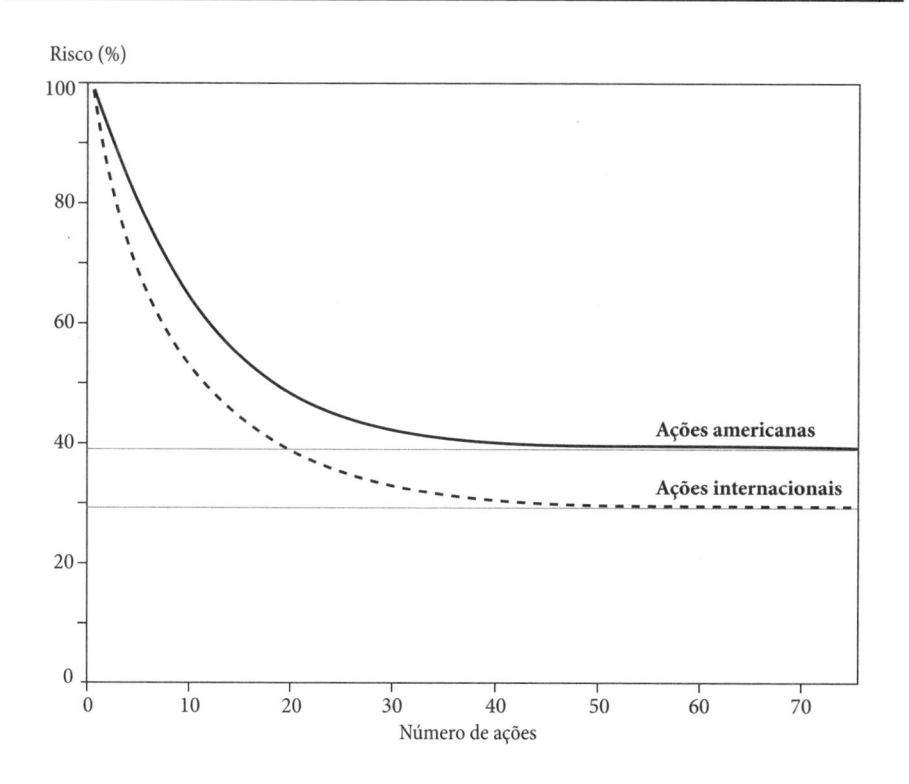

notícia cessa, já que aumentos maiores na quantidade de investimentos não produzem muita redução adicional do risco.

Aqueles com uma visão mais ampla – investidores que reconhecem que o mundo mudou consideravelmente desde que Markowitz enunciou pela primeira vez sua teoria – podem obter uma proteção ainda maior, porque o movimento da economia de cada país nem sempre está em sincronia com os das outras, em especial nos mercados emergentes. Por exemplo, aumentos no preço de petróleo e matérias-primas têm um efeito negativo na Europa, no Japão e até nos Estados Unidos, que são essencialmente autossuficientes. Por outro lado, aumentos do preço do petróleo exercem um efeito bem positivo na Indonésia e em países produtores no Oriente Médio. Da mesma forma, aumentos nos preços de minérios e outras matérias-primas têm efeitos positivos em nações ricas em recursos naturais como Austrália e Brasil.

Cinquenta também é o número de ouro para investidores com mentalidade global. Tais investidores obtêm mais proteção para seu dinheiro, como mostra o gráfico anterior. Aqui as ações são extraídas não apenas do mercado de ações americano, mas dos mercados internacionais também. Como esperado, o portfólio internacional diversificado tende a ser menos arriscado do que aquele extraído puramente de ações americanas.

Os benefícios da diversificação internacional têm sido bem documentados. O gráfico da página seguinte mostra os ganhos obtidos no período de mais de 45 anos de 1970 até 2017. Durante esse período, as ações estrangeiras (medidas pelo Índice Morgan Stanley Capital International EAFE das nações desenvolvidas na Europa, Australásia e Extremo Oriente) obtiveram um retorno anual médio ligeiramente maior que as ações americanas no Índice S&P 500. As ações americanas, porém, foram mais seguras pelo fato de seus retornos ano após ano serem menos voláteis. A correlação entre os retornos dos dois índices durante esse período foi de cerca de 0,5 – positivo, mas apenas moderadamente alto. A figura mostra as diferentes combinações de retorno e risco (volatilidade) que poderiam ter sido obtidas se um investidor tivesse mantido diferentes combinações de ações dos Estados Unidos e EAFE (países estrangeiros desenvolvidos). Do lado direito da figura vemos retorno e nível de risco maiores (maior volatilidade) que teriam sido obtidos com um portfólio só de ações dos EAFE. Do lado esquerdo da figura, são mostrados o retorno e o nível de risco de um portfólio totalmente composto de ações americanas. A linha preta cheia indica as diferentes combinações de retorno e volatilidade que resultariam de diferentes alocações de portfólio entre ações domésticas e estrangeiras. Observe que, à medida que o portfólio muda de uma alocação 100% doméstica para outra com acréscimos graduais de ações estrangeiras, o retorno tende a aumentar, porque as ações dos EAFE produziram um retorno ligeiramente maior que o das ações domésticas nesse período. O ponto importante, porém, é que acrescentar alguns desses títulos mobiliários mais arriscados na verdade reduz o nível de risco do portfólio – ao menos por algum tempo. Mas no fim, conforme proporções crescentes das ações dos EAFE mais arriscadas são incluídas no portfólio, o risco geral sobe junto com o retorno geral.

DIVERSIFICAÇÃO DE AÇÕES AMERICANAS E DE PAÍSES ESTRANGEIROS DESENVOLVIDOS, JANEIRO DE 1970 A DEZEMBRO DE 2017

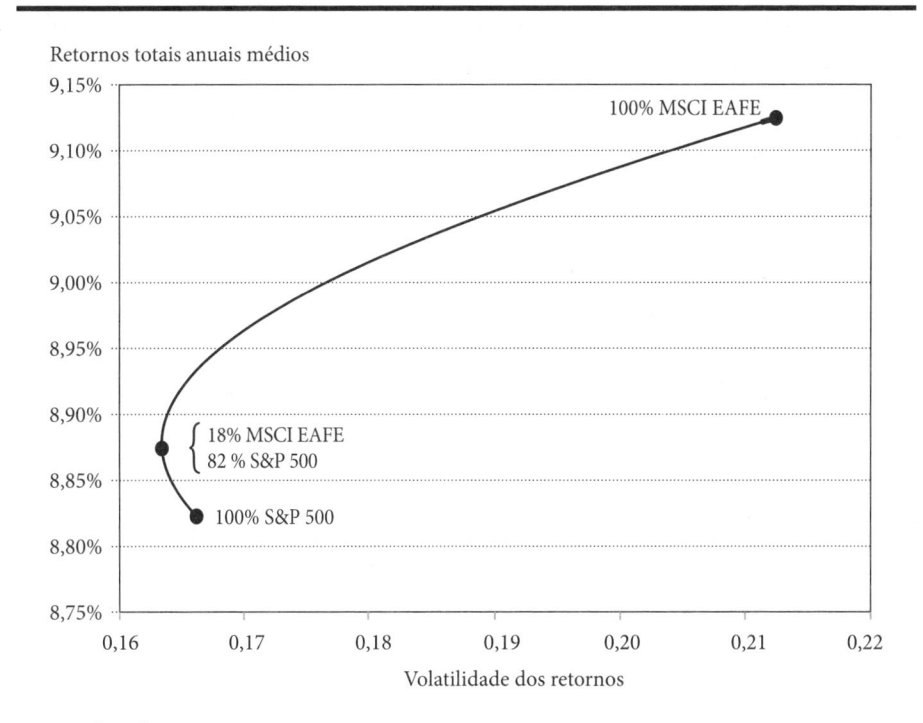

Fonte: Bloomberg.

A conclusão paradoxal dessa análise é que o risco geral do portfólio é reduzido pelo acréscimo de uma pequena quantidade de títulos mobiliários estrangeiros mais arriscados. Os bons resultados das montadoras japonesas contrabalançaram os maus resultados das domésticas quando a participação japonesa no mercado americano aumentou. Por outro lado, os bons retornos dos fabricantes americanos compensaram os maus retornos dos fabricantes estrangeiros quando o dólar se tornou mais competitivo e Japão e Europa permaneceram em recessão enquanto a economia americana prosperava. Foram precisamente esses movimentos de compensação que reduziram a volatilidade geral do portfólio.

Constata-se que o portfólio com menos risco tinha 18% de títulos mobiliários estrangeiros e 82% de títulos mobiliários americanos. Além disso, o acréscimo de 18% de ações dos EAFE a um portfólio doméstico também fez aumentar seu retorno. A diversificação internacional forneceu o que mais se aproxima de um "almoço grátis" disponível em nossos mercados mundiais de títulos mobiliários. Nenhum investidor deveria ignorar quando retornos maiores podem ser obtidos com risco menor acrescentando ações internacionais. No Brasil, esse movimento tem se intensificado à medida que a regulação permite mais oportunidades de investimento no exterior.

Alguns gestores de portfólio têm argumentado que a diversificação não continuou dando o mesmo grau de benefício como acontecia antes. A globalização levou a um aumento dos coeficientes de correlação entre os mercados americano e estrangeiro, bem como entre ações e commodities. Os três gráficos seguintes indicam como os coeficientes de correlação aumentaram nas primeiras décadas do século XXI. Eles mostram os coeficientes de correlação calculados em cada período de 24 meses entre ações americanas (medidas pelo S&P 500) e o índice EAFE de ações estrangeiras desenvolvidas, entre ações americanas e o índice amplo (MSCI) de ações de mercados emergentes e o índice Goldman Sachs (GSCI) de uma cesta de commodities como petróleo, metais e assemelhados. Particularmente perturbador para os investidores é o fato de as correlações terem sido altas quando os mercados caíram. Durante a crise de crédito global de 2007-2009, todos os mercados caíram em conjunto. Aparentemente não havia onde se esconder. Não é de admirar que alguns investidores passaram a acreditar que a diversificação não mais parecesse uma estratégia eficaz para reduzir o risco.

CORRELAÇÃO MÓVEL BIANUAL ENTRE O S&P 500 E O ÍNDICE MSCI EAFE

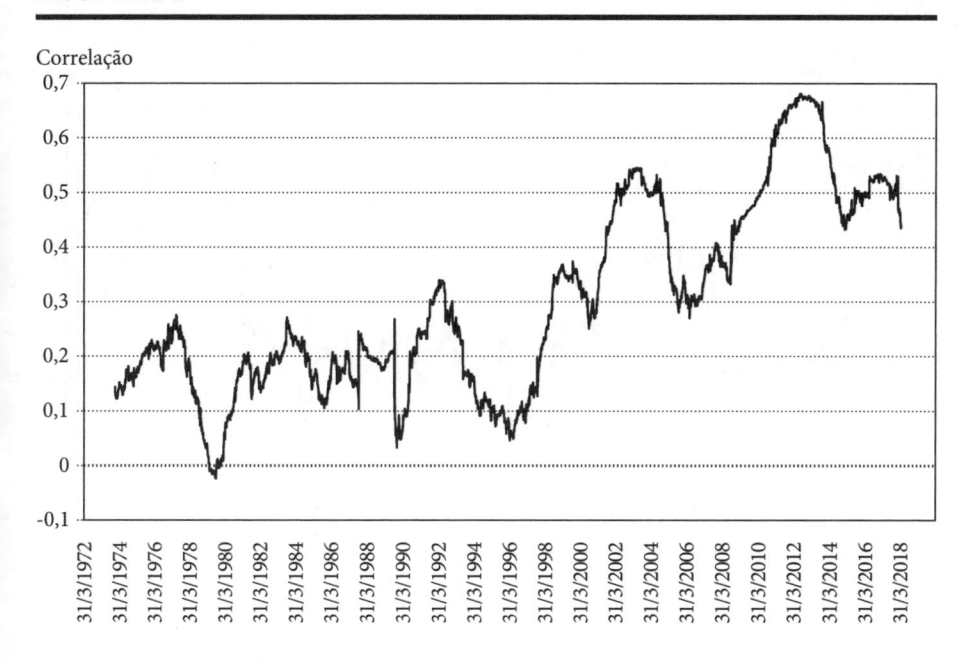

CORRELAÇÃO MÓVEL BIANUAL ENTRE O S&P 500 E O ÍNDICE MSCI DOS MERCADOS EMERGENTES

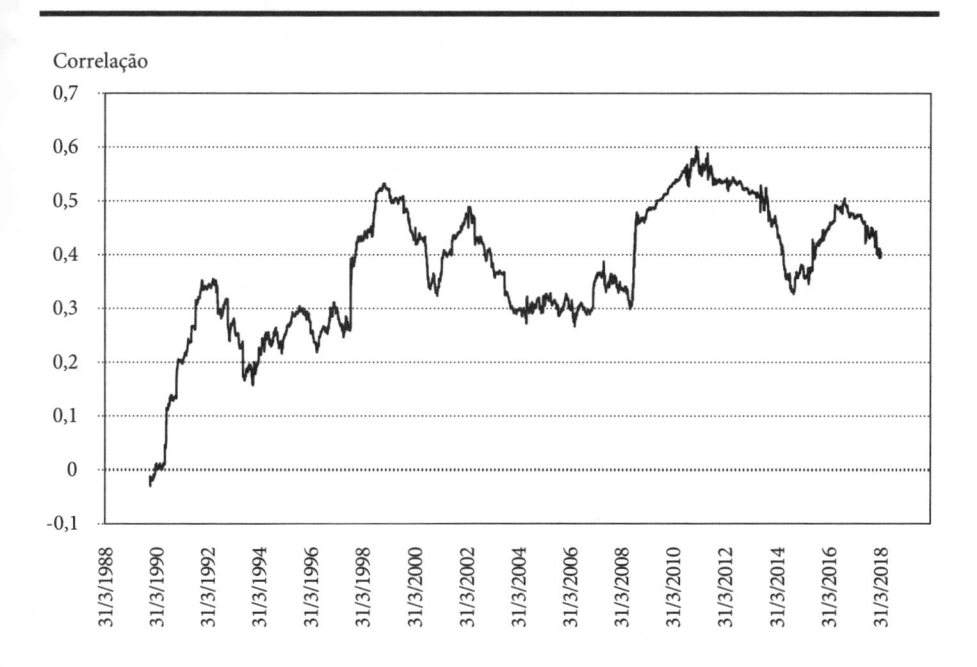

CORRELAÇÃO MÓVEL BIANUAL ENTRE O S&P 500 E O ÍNDICE GSCI DE COMMODITIES

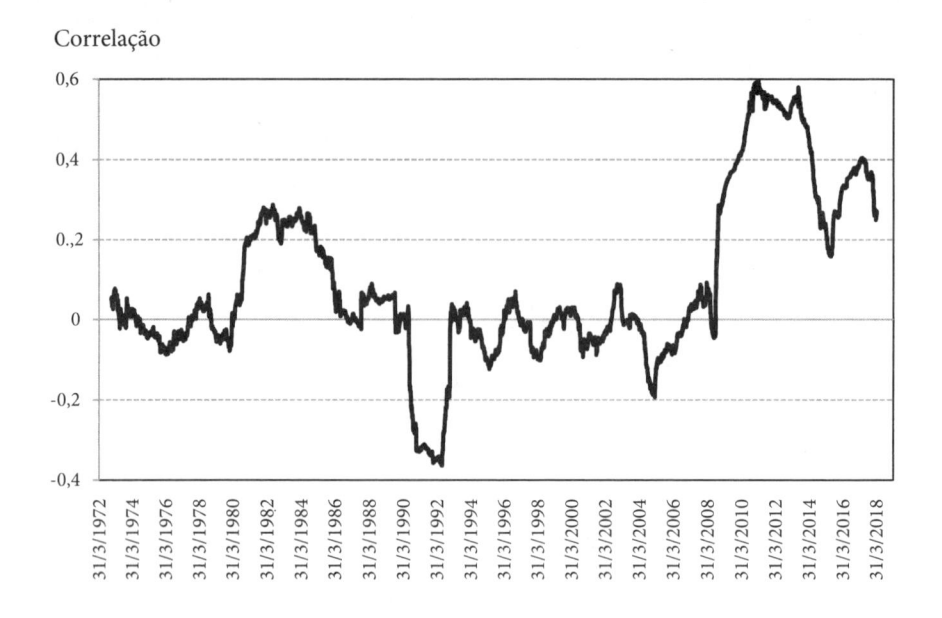

Mas observe que, embora tenham aumentado as correlações entre os mercados, ainda estão longe de ser perfeitas e a ampla diversificação ainda tenderá a reduzir a volatilidade de um portfólio. E, mesmo em períodos em que diferentes mercados de ações tenderam a ziguezaguear juntos, a diversificação ainda forneceu benefícios substanciais. Considere a primeira década do século XXI, amplamente chamada de "década perdida" para acionistas americanos. Mercados nos países desenvolvidos – Estados Unidos, Europa e Japão – encerraram essa década nos mesmos níveis do seu início ou abaixo. Os investidores que limitaram seus portfólios a ações de economias desenvolvidas deixaram de obter retornos satisfatórios. Mas, naquela mesma década, investidores que incluíram ações de mercados emergentes (que estavam facilmente disponíveis via fundos de ações indexados de mercados emergentes amplamente diversificados) desfrutaram um desempenho do investimento em ações bem satisfatório.

O gráfico a seguir mostra que um investimento no S&P 500 não ganhou nenhum dinheiro durante a primeira década do século XXI. Mas

A DIVERSIFICAÇÃO EM MERCADOS EMERGENTES AJUDOU DURANTE A "DÉCADA PERDIDA": RETORNOS CUMULATIVOS DE MERCADOS ALTERNATIVOS

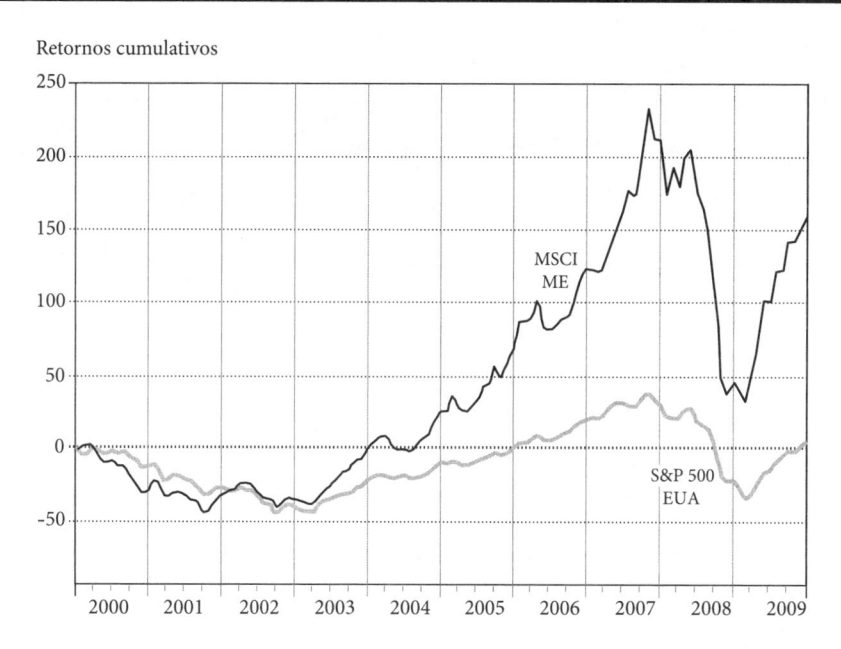

Fonte: Vanguard, Datastream, Morningstar.

um investimento num índice amplo de mercados emergentes produziu retornos bem satisfatórios. A diversificação internacional ampla teria sido enormemente benéfica aos investidores americanos, mesmo durante a "década perdida".

Ademais, títulos de dívida seguros demonstraram seu valor como redutores do risco. O gráfico na página seguinte mostra como o coeficiente de correlação entre as obrigações do Tesouro americano e ações americanas de alta capitalização caiu durante a crise financeira de 2008-2009. Mesmo durante o horrível mercado de ações de 2008, um portfólio altamente diversificado de títulos de dívida investido no índice de títulos agregado Barclays Capital retornou 5,2%. Havia um local onde se esconder durante a crise financeira. Os títulos de dívida (e títulos mobiliários semelhantes a títulos de dívida a serem abordados na Parte Quatro) mostraram seu valor como diversificador eficaz.

CORRELAÇÃO AÇÕES-TÍTULOS DE DÍVIDA VARIANDO NO TEMPO

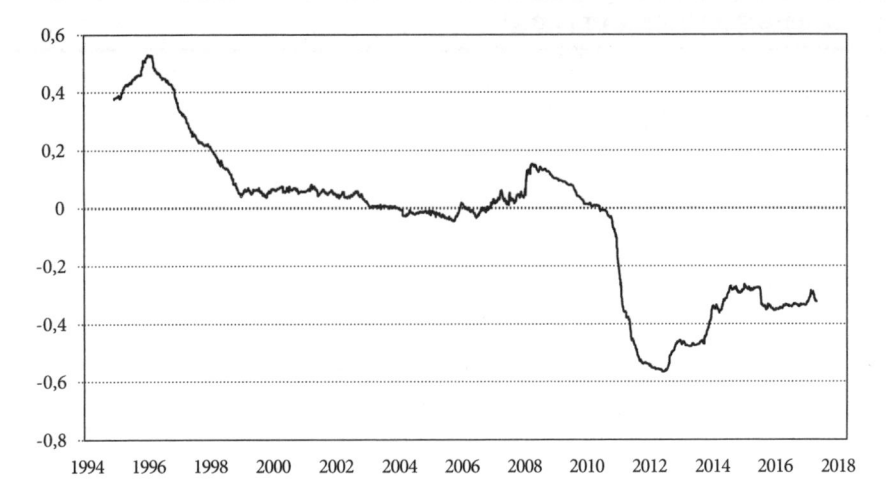

Fonte: Vanguard.

Em suma, as lições atemporais da diversificação são tão poderosas hoje quanto no passado. Na Parte Quatro recorrerei à teoria do portfólio para forjar alocações de ativos apropriadas para indivíduos em diferentes faixas de idade e com diferentes tolerâncias ao risco.

9

SER RECOMPENSADO AUMENTANDO O RISCO

Teorias que estão certas apenas 50% do tempo são menos econômicas do que tirar cara ou coroa.

– GEORGE J. STIGLER, *A teoria dos preços*

COMO TODOS OS LEITORES devem saber a esta altura, o risco tem suas recompensas. Assim sendo, tanto no mundo acadêmico quanto no mercado financeiro, há muito tempo tem havido uma corrida para explorar o risco a fim de obter retornos maiores. Eis o que este capítulo aborda: a criação de ferramentas analíticas para medir o risco e, com tais conhecimentos, auferir recompensas maiores.

Começamos com um refinamento da teoria moderna do portfólio. Como mencionei no último capítulo, a diversificação não consegue eliminar todo o risco – como fez na minha economia insular fictícia – porque todas as ações tendem a subir e descer juntas. Assim, a diversificação na prática reduz algum risco, mas não todo. Três acadêmicos – William Sharpe, ex-professor de Stanford, e os falecidos especialistas em finanças John Lintner e Fischer Black – concentraram suas energias intelectuais em descobrir qual parte do risco de um título mobiliário pode ser eliminada pela diversificação e qual parte não pode. O resultado é conhecido como modelo de precificação de ativos financeiros. Sharpe recebeu um Prêmio Nobel por sua contribuição a esse trabalho de 1990, mesmo ano em que Markowitz foi laureado.

A lógica básica por trás do modelo de precificação de ativos financeiros é que não existe um prêmio por correr riscos que possam ser eliminados pela diversificação. Assim, para obter uma taxa de retorno de longo prazo média maior, é preciso aumentar o nível de risco do portfólio que não pode ser eliminado pela diversificação. De acordo com essa teoria, investidores espertos podem superar o mercado em geral ajustando seus portfólios com uma medida do risco chamada beta.

BETA E RISCO SISTEMÁTICO

Beta? Como uma letra grega entrou nessa discussão? Com certeza isso não foi criado por um corretor de valores. Você consegue imaginar algum corretor de valores dizendo "Podemos razoavelmente descrever o risco total de qualquer título mobiliário (ou portfólio) como a variabilidade total (variância ou desvio-padrão) dos retornos do título"? Mas nós, que lecionamos, dizemos essas coisas com frequência. Prosseguimos dizendo que parte do risco total ou variabilidade pode ser chamada de *risco sistemático* do título mobiliário e que isso surge da variedade básica dos preços das ações em geral e da tendência de todas as ações a acompanhar o mercado em geral, ao menos até certo ponto. A variabilidade restante dos retornos de uma ação é chamada de *risco assistemático* e resulta de fatores peculiares àquela empresa específica – por exemplo, uma greve, a descoberta de um produto novo e assim por diante.

O risco sistemático, também chamado de risco do mercado, capta a reação de ações individuais (ou portfólios) às oscilações do mercado em geral. Algumas ações e portfólios tendem a ser muito sensíveis aos movimentos do mercado. Outras são mais estáveis. Essa volatilidade relativa ou sensibilidade aos movimentos do mercado pode ser estimada com base no histórico, sendo popularmente conhecida pela – você adivinhou! – letra grega beta.

Você agora está prestes a aprender tudo que sempre quis saber sobre beta mas teve medo de perguntar. Basicamente, beta é a descrição numérica do risco sistemático. Apesar das manipulações matemáticas envolvidas, a ideia básica por trás dessa medida é dar alguns números precisos à sensação subjetiva que os administradores de investimentos têm tido há anos. O cálculo de beta é essencialmente uma comparação entre os movimentos de uma ação individual (ou portfólio) e os movimentos do mercado como um todo.

O cálculo começa atribuindo um beta de 1 a um índice de mercado amplo. Se uma ação tem um beta de 2, em média oscila o dobro do mercado. Se o mercado sobe 10%, a ação tende a subir 20%. Se uma ação tem um beta de 0,5, tende a subir ou cair 5% quando o mercado sobe ou cai 10%. Os profissionais chamam ações com beta alto de investimentos agressivos e rotulam as ações como beta baixo de defensivas.

Ora, o importante a perceber é que o risco sistemático não pode ser eliminado pela diversificação. É precisamente porque todas as ações se movem mais ou menos em conjunto (grande parte de sua variabilidade é sistemática) que mesmo portfólios de ações diversificados são arriscados. De fato, se você diversificasse perfeitamente comprando uma cota de um índice do mercado de ações total (que por definição tem um beta de 1), ainda assim teria retornos bem variáveis (arriscados) porque o mercado como um todo flutua fortemente.

O risco assistemático (também chamado de risco específico) é a variabilidade nos preços das ações (e, portanto, nos seus retornos) que resulta de fatores peculiares a uma empresa individual. O fechamento de um grande contrato novo, a descoberta de recursos minerais, dificuldades trabalhistas, fraude contábil, a descoberta de que o tesoureiro desfalcou a empresa – tudo isso pode fazer com que o preço da ação oscile de forma descolada do mercado. O risco associado a tal variabilidade é justamente do tipo que a diversificação é capaz de reduzir. A tese central da teoria do portfólio é que, na medida em que as ações nem sempre oscilam em conjunto, as variações dos retornos de qualquer título mobiliário tendem a ser eliminadas pela variação complementar dos retornos dos outros.

O gráfico na página seguinte, semelhante ao da página 177, ilustra o inter-relacionamento importante entre diversificação e risco total. Suponha que você aleatoriamente selecione para nosso portfólio títulos mobiliários que, na média, são tão voláteis quanto o mercado (os betas médios dos títulos mobiliários em nosso portfólio serão iguais a 1). O gráfico mostra que, conforme acrescentamos títulos mobiliários, o risco total de nosso portfólio declina, em especial no início.

Quando trinta títulos mobiliários são selecionados para nosso portfólio, grande parte do risco assistemático é eliminada e a diversificação adicional gera pouca redução do risco adicional. No momento em que sessenta títulos mobiliários bem diversificados estão no portfólio, o risco assistemático é substancialmente eliminado e nosso portfólio (com um beta de 1) tenderá a subir e descer essencialmente junto com o mercado. Claro que poderíamos fazer o mesmo experimento com ações cujo beta médio seja 1,5. De novo, constataríamos que a diversificação rapidamente reduziu o risco assistemático, mas o risco sistemático restante ficou maior. Um portfólio de sessenta ou mais ações com um beta médio de 1,5 tenderia a ser 50% mais volátil do que o mercado.

COMO A DIVERSIFICAÇÃO REDUZ O RISCO:
RISCO DO PORTFÓLIO (DESVIO-PADRÃO DO RETORNO)

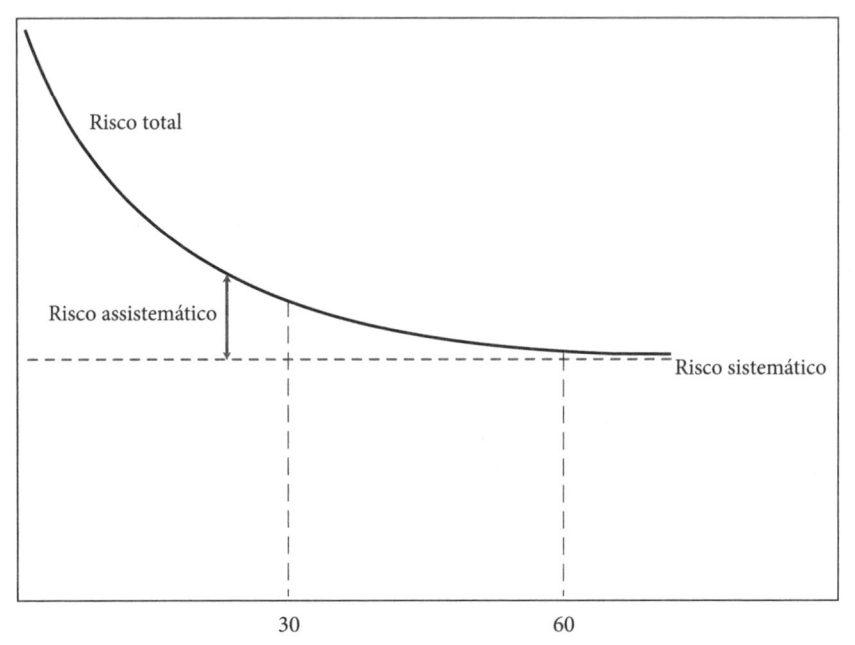

[Gráfico: curva decrescente mostrando Risco total, com Risco assistemático acima da linha tracejada e Risco sistemático abaixo. Eixo x: Número de títulos mobiliários no portfólio, com marcas em 30 e 60.]

Agora vem a etapa-chave do argumento. Teóricos e profissionais financeiros concordam que os investidores deveriam ser recompensados por correrem mais risco com um retorno esperado maior. Os preços das ações devem, portanto, ajustar-se para oferecer retornos maiores onde se percebe mais risco, para assegurar que todos os títulos mobiliários estejam nas mãos de alguém. Obviamente, os investidores avessos ao risco não comprariam títulos mobiliários com risco extra sem a expectativa de uma recompensa maior. Mas nem todo risco de títulos mobiliários individuais é relevante para determinar o prêmio de risco. A parte assistemática do risco total é facilmente eliminada pela diversificação adequada. Assim, não há motivo para achar que os investidores receberão uma remuneração extra por correrem risco assistemático. A única parte do risco total pela qual os investidores serão remunerados é o risco sistemático, o risco que a diversificação não consegue eliminar. Assim, o modelo de precificação de ativos financeiros sustenta que os retornos (e, portanto, os prêmios de risco) de qualquer ação (ou portfólio) estarão relacionados a beta, o risco sistemático que não pode ser eliminado pela diversificação.

O MODELO DE PRECIFICAÇÃO DE ATIVOS FINANCEIROS (CAPM)

A afirmação de que risco e recompensa estão relacionados não é nova. Especialistas em finanças concordam há anos que os investidores precisam ser recompensados por correrem mais risco. As diferenças na nova tecnologia de investimento se dão na definição e na mensuração do risco. Antes do advento do modelo de precificação de ativos financeiros, acreditava-se que o retorno de cada título mobiliário estava relacionado ao risco total inerente àquele título. Acreditava-se que o retorno de um título mobiliário variava com a variância ou desvio-padrão dos retornos que produzia. A teoria nova diz que o risco total de cada título mobiliário individual é irrelevante. É apenas o componente sistemático que conta no que diz respeito às recompensas extras.

Embora a prova matemática dessa afirmação seja complexa, a lógica por trás é bem simples. Considere dois grupos de títulos mobiliários – Grupo I e Grupo II – com sessenta títulos cada um. Suponha que o risco sistemático (beta) de cada título seja 1, ou seja, cada um dos títulos nos dois grupos tende a subir e cair junto com o mercado em geral. Agora suponha que, em razão de fatores peculiares aos títulos individuais no Grupo I, o risco total de cada um é substancialmente maior do que o risco total de cada título no Grupo II. Imagine, por exemplo, que, além dos fatores do mercado em geral, os títulos no Grupo I também são particularmente suscetíveis a variações climáticas, a mudanças nas taxas de câmbio e a desastres naturais. O risco específico para cada um dos títulos do Grupo I será, portanto, bem alto. Supõe-se, porém, que o risco específico para cada um dos títulos no Grupo II seja bem baixo e, assim, o risco total para cada um deles será bem baixo. Esquematicamente, essa situação aparece assim:

Grupo I (60 títulos mobiliários)	Grupo II (60 títulos mobiliários)
Risco sistemático (beta) = 1 para cada título	Risco sistemático (beta) = 1 para cada título
Risco específico é alto para cada título	Risco específico é baixo para cada título
Risco total é alto para cada título	Risco total é baixo para cada título

Ora, de acordo com a teoria antiga, comumente aceita antes do advento do modelo de precificação de ativos financeiros, os retornos deveriam ser maiores para um portfólio composto de títulos mobiliários do Grupo I, porque cada um desses títulos tem um risco total maior do que cada título do Grupo II, e o risco, como sabemos, tem sua recompensa. Com um movimento de suas varinhas de condão intelectuais, os acadêmicos mudaram esse tipo de pensamento. Sob o modelo de precificação de ativos financeiros, os retornos dos dois portfólios deveriam ser iguais. Por quê?

Primeiro, lembre-se do gráfico da página 188. (Os esquecidos podem olhar de novo.) Ali vimos que, conforme o número de títulos no portfólio se aproximava de sessenta, o risco total do portfólio se reduzia ao seu nível sistemático. O leitor meticuloso agora observará que, na tabela ilustrativa desta página, o número de títulos mobiliários em cada portfólio é sessenta. Todo o risco assistemático foi essencialmente eliminado: uma calamidade climática inesperada é contrabalançada por uma taxa de câmbio favorável e assim por diante. O que permanece é apenas o risco sistemático de cada ação no portfólio, que é dado por seu beta. Mas nesses dois grupos cada uma das ações possui um beta de 1. Portanto, um portfólio de títulos mobiliários do Grupo I e um portfólio de títulos mobiliários do Grupo II terão exatamente o mesmo desempenho no tocante ao risco (desvio-padrão), embora as ações do Grupo I exibam um risco total maior do que aquelas do Grupo II.

As visões antiga e nova agora se enfrentam. Sob o sistema de avaliação antigo, considerava-se que os títulos do Grupo I oferecessem um retorno maior em razão do seu maior risco. O modelo de precificação de ativos financeiros nega que exista um risco maior em possuir títulos do Grupo I se estiverem num portfólio diversificado. De fato, se os títulos do Grupo I oferecessem retornos maiores, todos os investidores racionais os prefeririam aos títulos do Grupo II e tentariam reorganizar suas carteiras para obter os retornos maiores do Grupo I. Por esse mesmo processo, eles aumentariam as apostas nos títulos do Grupo I e forçariam a redução dos preços dos títulos do Grupo II até que, com a obtenção do equilíbrio (quando os investidores já não querem mudar de títulos), os portfólios de cada grupo tivessem retornos idênticos, relacionados ao componente sistemático de seu risco (beta), e não ao seu risco total (incluindo a parte assistemática ou específica). Como as ações podem ser combinadas em portfólios para eliminar o risco específico, somente o risco não diversificável ou sistemático obterá um prêmio de risco. Os investidores não serão remunerados por arcarem com riscos que possam ser eliminados pela diversificação. Tal é a lógica básica por trás do modelo de precificação de ativos financeiros.

Em um resumo meio grande, a prova do modelo de precificação de ativos financeiros (que chamaremos pela sigla inglesa CAPM, porque nós, economistas, adoramos usar siglas) pode ser enunciada nestes termos: se os investidores obtivessem um retorno extra por correr um risco assistemático, resultaria que portfólios diversificados constituídos de ações com níveis maiores de risco assistemático forneceriam retornos maiores do que portfólios igualmente arriscados de ações com menos risco assistemático. Os investidores tentariam agarrar a chance de obter esses retornos maiores, aumentando as apostas nas ações com maior risco assistemático e vendendo ações com betas equivalentes mas risco assistemático menor. Esse processo continuaria até que os retornos esperados das ações com os mesmos betas fossem igualados e nenhum prêmio pudesse ser obtido por correr um risco assistemático. Qualquer outro resultado seria incompatível com a existência de um mercado eficiente.

A relação-chave da teoria é mostrada no gráfico da página 193. Conforme o risco sistemático (beta) de uma ação individual (ou portfólio) aumenta, também aumenta o retorno que um investidor pode esperar. Se o portfólio de um investidor possui um beta zero, como poderia ocorrer se todos os seus recursos fossem investidos em um certificado de poupança bancário garantido pelo governo (beta seria zero porque os retornos do certificado não variariam nada com as oscilações no mercado de ações), o investidor receberia alguma taxa de retorno modesta, geralmente chamada de taxa de juros livre de risco. Mas, à medida que o indivíduo assume mais risco, o retorno deveria aumentar. Se o investidor mantém um portfólio com um beta 1 (por exemplo, conservando uma cota de um fundo indexado ao mercado de ações amplo), seu retorno será igual ao retorno geral das ações ordinárias.

Esse retorno tem, em períodos longos, excedido a taxa de juros livre de risco, mas o investimento é arriscado. Em certos períodos, o retorno é bem menor do que a taxa de juros livre de risco e envolve correr prejuízos substanciais. É exatamente isso que significa risco.

Desse modo, uma série de retornos esperados diferentes são possíveis simplesmente ajustando o beta do portfólio. Por exemplo, suponha que o investidor aplique metade de seu dinheiro em um certificado de poupança e metade em uma cota de um fundo indexado representando o mercado de ações amplo. Nesse caso, ele receberia um retorno que seria uma média entre o retorno livre de risco e o retorno do mercado, e seu portfólio teria um beta médio de 0,5.* O CAPM então afirma que, para obter uma taxa de retorno de longo prazo média maior, você deveria simplesmente aumentar o beta de seu portfólio. Um investidor pode obter um portfólio com um beta maior do que 1 comprando ações de betas altos ou comprando um portfólio com volatilidade média com dinheiro emprestado (ver gráfico da página 193 e tabela da página 194).

Assim como as ações tiveram seus modismos, beta entrou na moda no início da década de 1970. A *Institutional Investor*, a prestigiosa revista que dedicava a maior parte de suas páginas a relatar as realizações de administradores de investimentos profissionais, deu seu sinal verde ao movimento ao apresentar na sua capa a letra beta no alto de um templo e incluir como matéria de capa "O Culto Beta! A nova maneira de medir riscos". A revista observou que financistas cuja matemática mal ia além de divisões complexas estavam agora "brandindo betas com a tranquilidade de doutores em teoria estatística". Mesmo a SEC deu a beta sua aprovação como medida de risco em seu *Institutional Investors Study Report*.

Em Wall Street, os fãs iniciais de beta se vangloriavam de poder obter taxas de retorno de longo prazo maiores simplesmente comprando umas poucas ações de beta alto. Aqueles que se julgavam capazes de prever o mercado acharam que tinham uma ideia ainda melhor. Eles comprariam ações de beta alto quando achassem que o mercado iria subir, mudando para ações de beta baixo quando temessem que o mercado pudesse cair. Para atender ao entusiasmo por essa nova ideia de investimento, serviços de

---

* Em geral, o beta de um portfólio é simplesmente a média ponderada dos betas de suas partes componentes. (*N. do A.*)

RISCO E RETORNO DE ACORDO COM O MODELO DE PRECIFICAÇÃO DE ATIVOS FINANCEIROS (CAPM)*

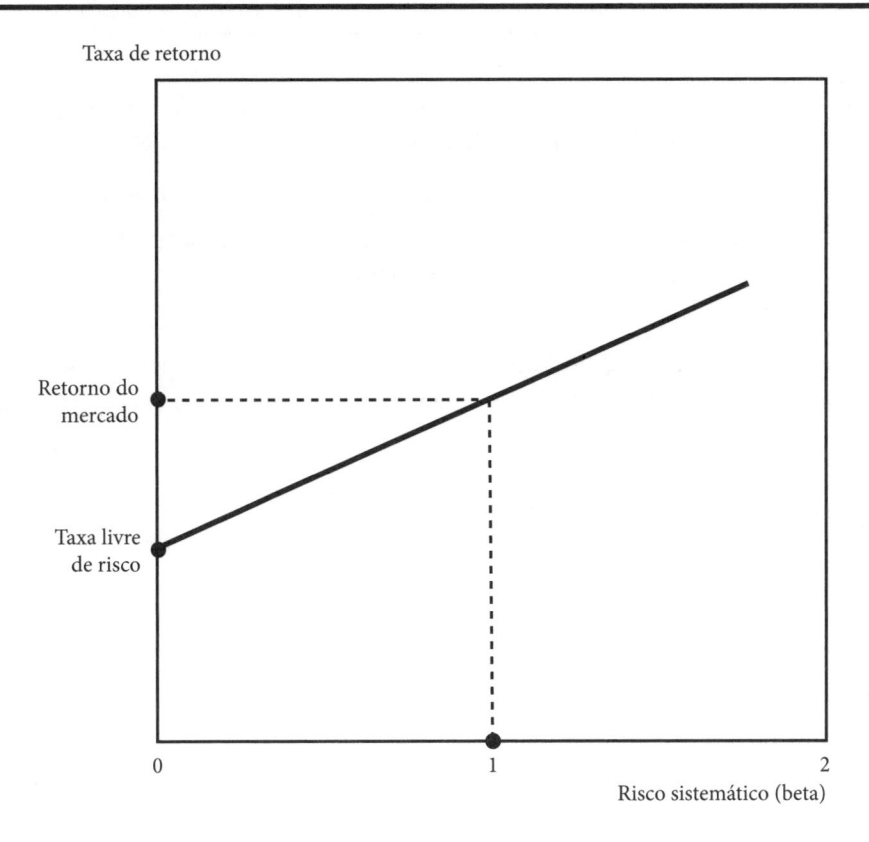

*Aqueles que se lembram das aulas de matemática do ensino médio recordarão que qualquer linha reta pode ser escrita como uma equação. A equação para a linha reta do gráfico é:

Taxa de retorno = Taxa livre de risco + Beta (Retorno do mercado − Taxa livre de risco)

A equação também pode ser escrita como uma expressão do prêmio de risco, ou seja, a taxa de retorno de um portfólio de ações ou qualquer ação individual acima da taxa de juros livre de risco:

Taxa de retorno − Taxa livre de risco = Beta (Retorno do mercado − Taxa livre de risco).

A equação diz que o prêmio de risco obtido de qualquer ação ou portfólio aumenta diretamente com o valor beta considerado. Alguns leitores podem indagar qual a relação de beta com o conceito de covariância que foi tão crucial em nossa discussão da teoria do portfólio. O beta para qualquer título mobiliário é essencialmente a mesma coisa que a covariância entre aquele título e o índice do mercado medido com base na experiência passada.

195

ILUSTRAÇÃO DA CONSTRUÇÃO DO PORTFÓLIO*

Beta desejado	Composição do portfólio	Retorno esperado do portfólio
0	$1 em ativo livre de risco	10%
$\frac{1}{2}$	$0,5 em ativo livre de risco $0,5 em portfólio do mercado	$\frac{1}{2}(0,10) + \frac{1}{2}(0,15) = 0,125$, ou 12,5% †
1	$1 em portfólio do mercado	15%
$1\frac{1}{2}$	$1,50 em portfólio do mercado, pegando $0,50 emprestado a uma taxa presumida de 10%	$1\frac{1}{2}(0,15) - \frac{1}{2}(0,10) = 0,175$, ou 17,5%

* Presumindo que o retorno do mercado esperado seja de 15% e a taxa livre de risco seja de 10%.

† Podemos também derivar a cifra para o retorno esperado usando diretamente a fórmula que acompanha o gráfico anterior:

Taxa de retorno = 0,10 + ½ (0,15 − 0,10) = 0,125 ou 12,5%.

medição de beta proliferaram entre os corretores, e uma corretora fornecer as próprias estimativas de beta se tornou um símbolo de progressismo. Atualmente, você pode obter estimativas de beta de corretoras e serviços de consultoria em investimentos. Os defensores de beta em Wall Street desovaram seu produto com uma tranquilidade que teria chocado até os escrevinhadores acadêmicos mais entusiasmados buscando disseminar o evangelho de beta.

VEJAMOS O HISTÓRICO

Na peça *Henrique IV* (Parte IV), de Shakespeare, Glendower gaba-se para Hotspur: "Consigo invocar espíritos das profundezas." "Ora, eu ou qualquer ser humano conseguimos", diz Hotspur, sem se impressionar. "Mas eles virão quando você chamar?" Qualquer um pode teorizar sobre o funcionamento dos mercados de títulos mobiliários. O CAPM é apenas mais uma teoria. A questão realmente importante é: funciona?

Certamente muitos investidores institucionais adotaram o conceito de beta. Afinal, trata-se de uma criação acadêmica. O que poderia ser mais sério? Simplesmente criado como um número que descreve o risco de uma ação, parece quase estéril em sua natureza. Os analistas técnicos enrustidos adoram. Mesmo que você não acredite em beta, precisa falar sua linguagem porque, nos *campi* americanos, meus colegas e eu temos produzido uma longa lista de doutorados e MBAs que recitam sua terminologia. Eles agora usam beta como um método para avaliar o desempenho de um gestor de portfólio. Se o retorno realizado supera aquele previsto pelo beta do portfólio, diz-se que o gestor produziu um alfa positivo. Montes de dinheiro no mercado foram em busca dos gestores capazes de entregar o alfa maior.

Mas beta é uma medida útil do risco? Será verdade que portfólios com altos betas fornecerão retornos de longo prazo maiores do que aqueles com betas baixos, como sugere o modelo de precificação de ativos financeiros? Será que beta sozinho sintetiza o risco sistemático total de um título mobiliário ou precisamos levar em conta outros fatores também? Em suma, beta realmente merece um alfa? Esses são temas de debates atuais intensos entre profissionais e acadêmicos.

RETORNO MENSAL MÉDIO *VERSUS* BETA: 1963-1990 (ESTUDO DE FAMA-FRENCH)

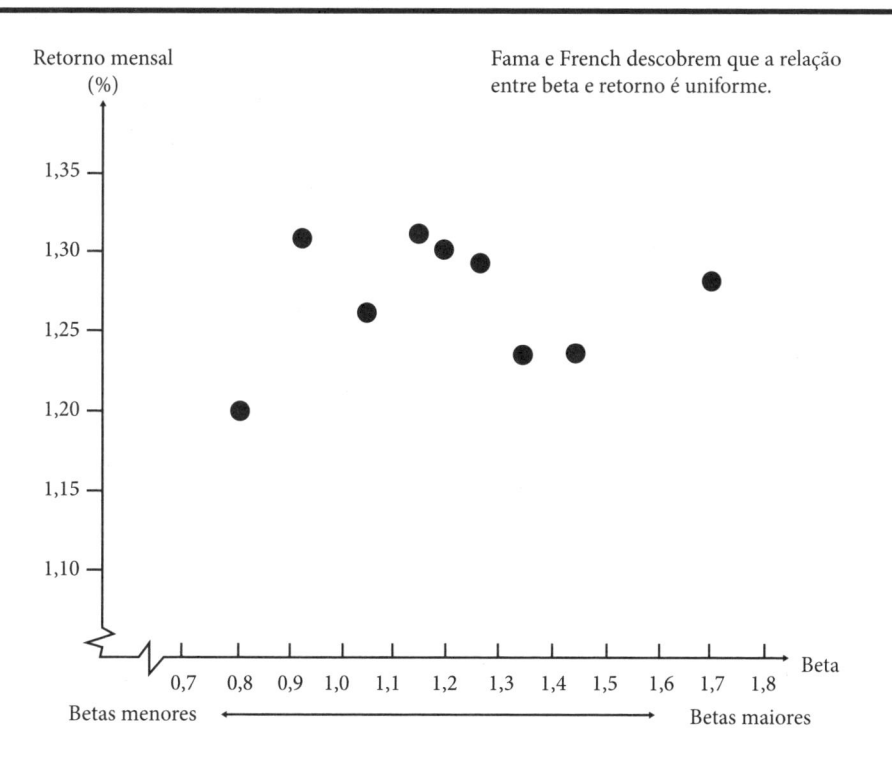

Fama e French descobrem que a relação entre beta e retorno é uniforme.

Num estudo publicado em 1992, Eugene Fama e Kenneth French dividiram todas as ações negociadas em decis, de acordo com suas medidas beta durante o período 1963-1990. O decil 1 continha os 10% de todas as ações com os betas mais baixos; o decil 10 continha os 10% com os betas mais altos. O resultado notável, mostrado no gráfico da página anterior, é que não havia essencialmente nenhuma relação entre o resultado desses portfólios dos decis e suas medidas beta. Achei um resultado semelhante para a relação entre retorno e beta de fundos mútuos. Não havia relação entre os retornos de ações ou portfólios e suas medidas do risco beta.

Como seu estudo abrangente cobriu um período de quase trinta anos, Fama e French concluíram que a relação entre beta e retorno é essencialmente uniforme. Beta, a ferramenta analítica chave do modelo de precificação de ativos financeiros, não é um indicador individual útil para se captar a relação entre risco e retorno. E assim, em meados da década de 1990, não apenas os profissionais, mas até muitos acadêmicos, estavam prontos para jogar beta na lata de lixo. A imprensa financeira, que antes havia relatado a ascendência de beta, agora publicava matérias com títulos como "A morte de beta", "Tchau, beta" e "Beta derrotado". Típica da época foi uma carta citada na *Institutional Investor* de um autor conhecido como "Deep Quant".* A carta começava dizendo: "Existe uma grande novidade na gestão monetária. O modelo de precificação de ativos financeiros está morto." A revista prosseguiu citando um "*quant* vira-casaca" nestes termos: "A matemática avançada se tornará para os investidores o que o *Titanic* foi para a navegação." E assim todo o conjunto de ferramentas constituindo a nova tecnologia de investimento – incluindo a teoria moderna do portfólio – passou a ficar sob uma nuvem de suspeição.

AVALIAÇÃO DOS INDÍCIOS

Meu palpite é que o "*quant* vira-casaca" está errado. A revelação de furos graves no CAPM não levará a um abandono das ferramentas matemáticas na análise financeira e um retorno à análise tradicional de títulos mobiliários. A comunidade financeira não está pronta para escrever um obituário

---

* "*Quant*" é o apelido em Wall Street do analista financeiro de mentalidade quantitativa que dedica a maior parte de sua atenção à nova tecnologia de investimento. (*N. do A.*)

para beta atualmente. Existem muitas razões, acredito, para evitar um julgamento precipitado.

Primeiro, é importante lembrar que retornos estáveis são preferíveis, ou seja, menos arriscados do que retornos muito voláteis. Sem dúvida, se na prospecção de petróleo só se conseguisse obter o mesmo retorno de um título governamental, apenas quem adora a aposta pela aposta iria atrás de petróleo. Se os investidores realmente não se preocupassem com a volatilidade, os mercados multitrilionários de derivativos não estariam prosperando. Assim, a medida beta de volatilidade relativa capta ao menos alguns aspectos do que normalmente consideramos risco. E betas de portfólio do passado prestam um serviço razoavelmente bom em prever a volatilidade relativa no futuro.

Segundo, como argumentou o professor Richard Roll, da UCLA, precisamos manter em mente que é dificílimo (na verdade, provavelmente impossível) medir beta com qualquer grau de precisão. O S&P 500 não é "o mercado". O Mercado de Ações Total contém milhares de ações adicionais nos Estados Unidos e milhares de outras em países estrangeiros. Além do mais, o mercado total inclui títulos de dívida, imóveis, commodities e ativos de toda espécie, incluindo um dos mais importantes que qualquer um de nós possui: o capital humano constituído da educação, do trabalho e de experiências de vida. Dependendo de como exatamente mede o "mercado", você pode obter valores beta bem diferentes. Suas conclusões sobre o modelo de precificação de ativos financeiros, e beta como medida do risco, dependem fortemente de como você mede beta. Dois economistas da Universidade de Minnesota, Ravi Jagannathan e Zhenyu Wang, constatam que, quando o indicador do mercado (em relação ao qual medimos beta) é redefinido para incluir o capital humano e quando se permite que betas variem com as flutuações cíclicas na economia, o apoio ao CAPM e a beta como previsores dos retornos é bem forte.

Finalmente, os investidores deveriam estar cientes de que, ainda que a relação de longo prazo entre beta e retorno seja uniforme, beta pode ainda assim ser uma ferramenta útil de administração de investimentos. Se fosse realmente verdade que ações de beta baixo obterão, de forma confiável, taxas de retorno ao menos tão grandes como as das ações de beta alto (um "se" enorme, de fato), beta seria uma ferramenta de investimento ainda mais valiosa do que se o modelo de precificação de ativos financeiros fosse válido.

Os investidores deveriam buscar ações de beta baixo para obter retornos tão atraentes quanto os do mercado como um todo, mas com bem menos risco. E investidores que desejam buscar retornos maiores correndo mais risco deveriam comprar e conservar ações de beta baixo com dinheiro emprestado, aumentando assim seu risco e seus retornos. Veremos no Capítulo 11 que algumas estratégias de "beta inteligente" e paridade de risco visam executar exatamente essa estratégia. O que está claro, porém, é que beta, como geralmente medido, não é um substituto para os cérebros nem um previsor confiável de retornos de longo prazo.

A BUSCA DOS *QUANTS* POR MELHORES INDICADORES DE RISCO: TEORIA DE PRECIFICAÇÃO POR ARBITRAGEM

Se beta está prejudicado como uma medida quantitativa eficaz do risco, existe algo para assumir seu lugar? Um dos pioneiros no campo da medição do risco foi Stephen Ross. Ele desenvolveu uma teoria de precificação nos mercados de capitais chamada teoria de precificação por arbitragem (APT, na sigla em inglês). Para entender a lógica dessa teoria, é preciso lembrar a ideia correta subjacente ao CAPM: o único risco que deveria recompensar os investidores é aquele que não pode ser eliminado pela diversificação. Somente o risco sistemático oferecerá um prêmio de risco. Mas os elementos sistemáticos do risco em ações e portfólios específicos podem ser complicados demais para serem captados por beta – a tendência das ações de oscilarem mais ou menos que o mercado. Isso é especialmente verdade porque qualquer índice de ações específico é um representante imperfeito do mercado em geral. Portanto, beta pode não conseguir captar uma série de elementos importantes de risco sistemático.

Vamos dar uma olhada em diversos desses outros elementos de risco sistemático. Mudanças na renda nacional sem dúvida afetam os retornos das ações individuais de forma sistemática. Isso foi mostrado em nossa explicação de uma economia insular simples no Capítulo 8. Além disso, mudanças na renda nacional refletem mudanças na renda dos indivíduos, e a relação sistemática entre retornos dos títulos mobiliários e renda salarial deve ter um efeito significativo sobre o comportamento individual. Por exemplo, o trabalhador numa fábrica da Ford descobrirá que manter ações ordinárias da empresa é particularmente arriscado, porque as demissões de funcionários e os retornos baixos da ação da Ford tenderão a ocorrer ao mesmo tempo.

Mudanças nas taxas de juros também afetam sistematicamente os retornos das ações individuais e são elementos de risco não diversificável importantes. Na medida em que as ações tendem a sofrer com o aumento das taxas de juros, tornam-se um investimento arriscado, e aquelas ações que são particularmente vulneráveis a aumentos nos juros são especialmente arriscadas. Assim, algumas ações e alguns investimentos de renda fixa tendem a oscilar em paralelo, e essas ações não ajudarão a reduzir o risco de um portfólio de títulos de dívida. Como os títulos mobiliários de renda fixa são uma parte importante dos portfólios de muitos investidores institucionais, esse fator de risco sistemático é particularmente importante para alguns dos maiores investidores do mercado.

Mudanças na taxa de inflação tenderão igualmente a ter uma influência sistemática nos retornos das ações ordinárias. Isso acontece por ao menos dois motivos. Primeiro, um aumento na taxa de inflação tende a aumentar as taxas de juros e, assim, a reduzir os preços de algumas ações, como acabamos de discutir. Segundo, o aumento na inflação pode comprimir as margens de lucro de certos grupos de empresas: serviços públicos (fornecimento de água, luz, gás etc.), por exemplo, que com frequência constatam que os aumentos das tarifas não acompanham os aumentos nos custos. Por outro lado, a inflação pode beneficiar os preços das ações ordinárias nos setores de recursos naturais. Assim, de novo existem importantes relações sistemáticas entre os retornos das ações e variáveis econômicas que podem não ser captadas adequadamente por uma simples medida beta do risco.

Testes estatísticos da influência de diversas variáveis de risco sistemático sobre os retornos dos títulos mobiliários mostraram resultados um tanto promissores. É possível obter explicações melhores do que as do CAPM para a variação nos retornos entre diferentes títulos mobiliários quando se usa, além das medidas tradicionais de risco beta, uma série de variáveis de risco sistemático, como a sensibilidade a mudanças na renda nacional, nas taxas de juros e na inflação. Claro que as medidas de risco da APT (teoria de precificação por arbitragem) sofrem de alguns dos mesmos problemas enfrentados pela medida beta do CAPM.

O MODELO DE TRÊS FATORES DE FAMA-FRENCH

Eugene Fama e Kenneth French propuseram um modelo de fatores, como a teoria de precificação por arbitragem, para explicar o risco. Dois fatores além de beta são usados para descrever o risco. Os fatores resultam de seu trabalho empírico mostrando que os retornos estão relacionados ao tamanho de uma empresa (medido pela capitalização de mercado) e à relação entre seu preço de mercado e seu valor contábil. Fama-French argumentam que empresas menores são relativamente arriscadas. Uma explicação poderia ser que terão mais dificuldade em se sustentar durante períodos de recessão e, assim, podem ter mais risco relativo a flutuações do PIB. Fama-French também argumentam que ações com preços de mercado baixos em relação aos valores contábeis podem ter algum grau de "dificuldade financeira". Esses pontos de vista provocam debates calorosos e nem todos concordam que os fatores de Fama-French medem o risco. Mas certamente, no início de 2009, quando as ações dos grandes bancos eram vendidas a preços muito baixos em relação aos seus valores contábeis, fica difícil argumentar que os investidores não acharam que corriam o risco de falir. E mesmo aqueles que argumentariam que ações com baixo valor de mercado em relação ao valor contábil fornecem retornos maiores em razão da irracionalidade do investidor acham úteis os fatores de risco de Fama-French.

OS FATORES DE RISCO DE FAMA-FRENCH

- Beta: do modelo de precificação de ativos financeiros
- Tamanho: medido pela capitalização de mercado de ações total
- Valor: medido pela relação entre os valores de mercado e contábil

Alguns analistas adicionariam outras variáveis ao modelo de risco de três fatores de Fama-French. Um fator de impulso poderia ser acrescentado para captar a tendência de ações em alta ou baixa a continuar na mesma direção. Além disso, um fator de liquidez poderia ser acrescentado para refletir o fato de que os investidores precisam receber um prêmio de retorno para induzi-los a manter títulos de baixa liquidez. Outro fator que foi sugerido é a "qualidade" da empresa medida por indicadores como estabilidade de seus lucros, crescimento das vendas e baixo endividamento. Modelos de fatores são amplamente usados agora para medir o desempenho do investimento e projetar portfólios de "beta inteligente", como será discutido no Capítulo 11.

UMA SÍNTESE

Os Capítulos 8 e 9 foram um exercício acadêmico de teoria moderna dos mercados de capitais. O mercado de ações parece ser um mecanismo eficiente que se ajusta bem rápido a informações novas. Nem a análise técnica, que aborda os movimentos de preço das ações no passado, nem a análise fundamentalista, que aborda informações mais básicas sobre as perspectivas das empresas individuais e da economia, parecem fornecer benefícios consistentes. Pelo visto, a única forma de obter retornos de longo prazo maiores dos investimentos é aceitar maiores riscos.

Infelizmente, uma medida do risco perfeita não existe. Beta, a medida do risco do modelo de precificação de ativos financeiros, parece boa à primeira vista. É uma medida simples, de fácil compreensão, da sensibilidade do mercado. No entanto, beta tem seus defeitos. A relação real entre beta e taxa de retorno não tem correspondido à relação prevista pela teoria durante longos períodos do século XX. Além disso, betas de ações individuais não são estáveis ao longo do tempo e são muito sensíveis ao indicador do mercado com base no qual são medidos.

Tenho argumentado aqui que nenhum indicador único tende a captar adequadamente a variedade de influências de risco sistemático sobre ações individuais e portfólios. Os retornos são provavelmente sensíveis às oscilações gerais do mercado, a mudanças nas taxas de juros e de inflação, a mudanças na renda nacional e, sem dúvida, a outros fatores econômicos como taxas de câmbio. Além disso, não há indícios de que sejam maiores os retornos de ações com relação preço de mercado/valor contábil e tamanho menores. A medida do risco perfeita mística está além de nosso alcance.

Para grande alívio dos professores assistentes que precisam publicar artigos para sobreviver, ainda existe muito debate dentro da comunidade acadêmica sobre a medição do risco e muito mais testes empíricos precisam ser feitos. Sem dúvida, muitas melhorias ainda surgirão nas técnicas da análise do risco e a análise quantitativa da medição do risco está longe de ter morrido. Meu palpite é que medidas do risco futuras serão ainda mais sofisticadas – não menos. Não obstante, precisamos ter o cuidado de não aceitar beta, ou qualquer outra medida, como um meio fácil de avaliar o risco e prever os retornos com alguma certeza. Você deveria conhecer as melhores técnicas modernas da nova tecnologia de investimento – elas podem ser úteis. Mas nunca aparecerá um gênio simpático que solucione todos os seus problemas de investimento. E, mesmo que aparecesse, nós provavelmente faríamos alguma besteira – como fez a velhinha na seguinte história predileta de Robert Kirby, do Capital Guardian Trust:

> Ela estava sentada na sua cadeira de balanço no alpendre do lar de idosos quando um pequeno gênio apareceu e disse:
> – Decidi lhe conceder três desejos.
> – Cai fora, seu bestinha. Já vi todos os sabichões que precisava na vida – respondeu a velhinha.
> – Olha, não estou zoando – retrucou o gênio. – É pra valer. Faça um teste.
> Ela deu de ombros e disse:
> – Tudo bem, transforme minha cadeira de balanço em ouro puro.
> Quando, numa lufada de fumaça, ele fez aquilo, o interesse dela aumentou perceptivelmente.
> – Me transforma numa bela donzela – pediu ela.
> De novo, numa lufada de fumaça, ele atendeu seu pedido. Finalmente, ela disse:
> – OK, como meu terceiro desejo, transforme meu gato num jovem príncipe formoso.
> Num instante, eis que surgiu o jovem príncipe, que então se voltou para ela e perguntou:
> – Você agora se arrepende de ter mandado me castrar?

10

FINANÇAS COMPORTAMENTAIS

Finanças comportamentais não são um ramo das finanças comuns: elas são seu substituto, um modelo de humanidade melhor.

– MEIR STATMAN

ATÉ AGORA, DESCREVI as teorias e as técnicas do mercado de ações com base na premissa de que os investidores são completamente racionais. Eles tomam decisões com o objetivo de maximizar sua riqueza e são limitados somente por sua tolerância a correr riscos. Não é bem assim, declara uma escola nova de economistas financeiros que chegou à proeminência na parte inicial do século XXI. Os comportamentalistas acreditam que muitos investidores (talvez a maioria) no mercado de ações estão longe de ser plenamente racionais. Afinal, pense no comportamento de seus amigos e conhecidos, seus colegas de trabalho e supervisores, seus pais e (ouso dizer) seu cônjuge (os filhos são outros quinhentos). Alguma dessas pessoas age racionalmente? Se sua resposta é "não" ou mesmo "às vezes não", você curtirá esta jornada pelas variáveis nada racionais das finanças comportamentais.

A teoria do mercado eficiente, a teoria moderna do portfólio e várias relações risco/retorno de precificação de ativos baseiam-se na premissa de que os investidores no mercado de ações são racionais. Como um todo, eles fazem estimativas lógicas do valor presente das ações e suas compras e vendas asseguram que os preços dos papéis representam razoavelmente suas perspectivas futuras.

A esta altura, deve estar óbvio que a expressão "como um todo" representa a saída de emergência dos economistas. Significa que conseguem admitir que alguns participantes individuais do mercado podem não ser totalmente racionais. Mas eles logo acham uma escapatória declarando que as negociações dos investidores irracionais serão aleatórias e, portanto, se cancelarão entre si sem afetar os preços. E, mesmo que os investidores sejam irracionais de uma forma semelhante, os crentes na teoria do mercado eficiente asseveram que operadores racionais inteligentes corrigirão quaisquer preços errados que possam advir da presença de operadores irracionais.

Os psicólogos não concordarão com essa conversa fiada econômica. Dois em particular – Daniel Kahneman e Amos Tversky – derrubaram os pontos de vista dos economistas sobre como os investidores se comportam e, no processo, atribui-se a eles a criação de toda uma nova disciplina econômica, chamada finanças comportamentais.

Os dois argumentaram simplesmente que as pessoas não são tão racionais como supõem os modelos econômicos. Embora esse argumento seja óbvio para o público em geral e os não economistas, foram necessários vinte anos para ganhar aceitação geral na comunidade acadêmica. Tversky morreu em 1996, justo quando estava ganhando maior credibilidade. Seis anos depois, Kahneman ganhou o Prêmio Nobel Memorial de Ciências Econômicas pelo trabalho. O prêmio foi particularmente notável por não ter sido concedido a um economista. Ao saber da notícia, Kahneman comentou: "O prêmio [...] é explicitamente para o trabalho conjunto, mas infelizmente não existe um prêmio póstumo."

Embora afetassem todas as ciências sociais que lidam com o processo de tomada de decisões, as ideias expostas por Kahneman e Tversky tiveram um impacto particularmente forte nos departamentos econômicos e escolas de negócios através dos Estados Unidos. Imagine! Toda uma área nova para publicar artigos, dar palestras por cachês polpudos e escrever teses de pós--graduação.

Embora isso possa ser ótimo para professores e estudantes, como ficam as pessoas que querem investir em ações? Como as finanças comportamentais podem ajudá-las? Mais especificamente, o que você tem a ganhar? Na verdade, bastante.

Os comportamentalistas acreditam que os preços do mercado são altamente imprecisos. Além disso, as pessoas se afastam sistematicamente da racionalidade, e as negociações irracionais dos investidores tendem a estar correlacionadas. As finanças comportamentais então levam esse enunciado mais longe e afirmam ser possível quantificar ou classificar tal comportamento irracional. Basicamente, existem quatro fatores que criam um comportamento irracional de mercado: excesso de confiança, julgamentos distorcidos, comportamento de manada e aversão à perda.

Tudo bem, dizem os crentes em mercados eficientes. Mas – nós, os crentes, sempre temos um "mas" – as distorções causadas por tais fatores são neutralizadas pelo trabalho dos arbitradores. Trata-se do termo usado para descrever pessoas que lucram com quaisquer desvios dos preços do mercado em relação ao valor racional.

Num sentido estrito, a palavra "arbitragem" significa lucrar com preços do mesmo produto que diferem em dois mercados. Suponha que em Nova York você consiga comprar ou vender libras esterlinas por 1,50 dólar, enquanto em Londres você consegue trocar dólares por libras a uma taxa de câmbio de 2 dólares. O arbitrador então pegaria 1,50 dólar em Nova York e compraria 1 libra e, simultaneamente, a venderia em Londres por 2 dólares, lucrando 50 cents. De forma semelhante, se uma ação ordinária fosse vendida a preços diferentes em Nova York e Londres, seria justificável comprá-la no mercado barato e vendê-la no caro. O termo "arbitragem" costuma se estender a situações em que duas ações bem semelhantes são vendidas por cotações diferentes ou quando se espera que uma ação seja trocada por outra de preço maior caso uma fusão planejada entre duas empresas seja aprovada. No sentido mais livre do termo, "arbitragem" serve para descrever a compra de ações que parecem "subestimadas" e a venda daquelas que "subiram demais". Desse modo, os arbitradores esforçados conseguem nivelar flutuações irracionais nos preços das ações e criar um mercado com preços eficientes.

Por outro lado, os comportamentalistas acreditam que existem barreiras substanciais à arbitragem eficiente. Não podemos contar com a arbitragem para deixar os preços alinhados com uma avaliação racional. A expectativa é que os preços do mercado se desviem substancialmente daqueles que poderiam ser esperados num mercado eficiente.

O restante deste capítulo explora os argumentos-chave das finanças comportamentais para explicar por que os mercados não são eficientes e por que não existe algo como um passeio aleatório por Wall Street. Também explicarei como uma compreensão desse trabalho pode ajudar a proteger os investidores individuais de alguns erros sistemáticos a que estão propensos.

O COMPORTAMENTO IRRACIONAL DOS INVESTIDORES INDIVIDUAIS

Como a Parte Um deixou bastante claro, existem sempre períodos em que os investidores são irracionais. As finanças comportamentais, porém, dizem que esse comportamento é contínuo, e não episódico.

Excesso de confiança

Os pesquisadores em psicologia cognitiva documentaram que as pessoas se desviam sistematicamente da racionalidade ao fazerem julgamentos em meio à incerteza. Entre os mais difundidos desses desvios estão a tendência ao excesso de confiança sobre crenças e habilidades e a tendência ao excesso de otimismo sobre avaliações do futuro.

Um tipo de experimento ilustrando essa síndrome consiste em perguntar a um grupo grande de participantes sobre sua competência como motoristas em relação ao motorista médio do grupo ou a todos que dirigem carros. Conduzir um automóvel é claramente uma atividade arriscada em que a habilidade desempenha um papel importante. Respostas a essa pergunta facilmente revelam se as pessoas têm um conceito realista das próprias habilidades em relação aos outros. No caso dos universitários, 80% a 90% dos entrevistados invariavelmente dizem que são motoristas mais hábeis e prudentes que os outros na turma. Quase todos se consideram acima da média.

Em outro experimento envolvendo estudantes, os entrevistados foram indagados sobre seus prováveis destinos futuros e os de seus colegas de alojamento. Eles tipicamente tiveram visões bem cor-de-rosa sobre os próprios futuros, que imaginaram incluindo carreiras de sucesso, casamentos felizes e boa saúde. Mas, quando se pediu que especulassem sobre o futuro dos colegas de alojamento, suas respostas foram bem mais realistas. Acreditavam que estes estariam bem mais propensos a se tornar alcoólatras, sofrer de doenças, se divorciar e sofrer uma variedade de outros resultados desfavoráveis.

Esses tipos de experimento foram repetidos várias vezes e em diversos contextos diferentes. Por exemplo, no best-seller de administração de empresas *Em busca da excelência*, Peters e Waterman relatam que uma amostra aleatória de homens adultos foi solicitada a fazer uma autoavaliação sobre a própria habilidade em se relacionar bem com os outros. Cem por cento dos entrevistados se classificaram na metade superior da população. Vinte e cinco por cento acreditavam que estavam no 1% superior da população. Mesmo ao julgar a habilidade atlética, uma área na qual o autoengano se afiguraria mais difícil, ao menos 60% dos entrevistados homens se classificaram no quartil superior. Somente 6% dos entrevistados homens acreditaram que sua destreza atlética estava abaixo da média.

Daniel Kahneman tem argumentado que essa tendência ao excesso de confiança é particularmente forte entre investidores. Mais do que a maioria dos outros grupos, os investidores costumam exagerar a própria habilidade e negar o papel do acaso. Eles superestimam os próprios conhecimentos, subestimam os riscos envolvidos e exageram sua capacidade de controlar eventos.

Os testes de Kahneman medem a precisão dos julgamentos das probabilidades dos investidores pedindo a cobaias experimentais que definam intervalos de confiança. Ele faz uma pergunta como esta:

Qual é a sua melhor estimativa para o valor do Dow Jones daqui a um mês? A seguir, escolha um valor alto, de modo que você esteja 99% certo (mas não absolutamente certo) de que o Dow Jones daqui a um mês estará abaixo desse valor. Agora escolha um valor baixo, de modo que esteja 99% certo (mas não totalmente) de que o Dow Jones daqui a um mês estará acima desse valor.

Se as instruções forem seguidas corretamente, a probabilidade de que o Dow será maior (ou menor) do que sua estimativa alta (ou baixa) deveria ser de apenas 1%. Em outras palavras, o investidor deveria estar 98% confiante de que o Dow estará dentro desse dado intervalo. Experimentos similares foram realizados com estimativas de taxas de juros, taxa de inflação, preços de ações individuais e coisas semelhantes.

Na verdade, poucos investidores são capazes de definir intervalos de confiança precisos. Com intervalos corretos, os retornos reais ficariam fora da faixa prevista somente 2% das vezes. Surpresas reais ocorrem quase 20% das vezes. Trata-se do que os psicólogos chamam de excesso de confiança. Se um investidor conta que está 99% seguro, faria melhor em admitir que só estava 80% seguro. Tal precisão implica que as pessoas tendem a apostar mais alto nas previsões do que seria justificado. E os homens costumam exibir mais excesso de confiança do que as mulheres, especialmente sobre sua perícia em questões de dinheiro.

O que deveríamos concluir desses estudos? Fica claro que as pessoas definem intervalos de confiança rigorosos demais para suas previsões. Elas exageram suas habilidades e tendem a ter uma visão otimista demais do futuro. Essas distorções se manifestam de diferentes formas no mercado de ações.

Acima de tudo, muitos investidores individuais estão erroneamente convencidos de que conseguem superar o mercado. Como resultado, especulam mais do que deveriam e negociam demais. Dois economistas comportamentais, Terrance Odean e Brad Barber, examinaram as contas individuais de uma grande corretora de desconto por um período substancial. Descobriram que quanto mais os investidores individuais negociavam, pior se saíam. E investidores homens negociavam bem mais do que as mulheres, com resultados consequentemente piores.

Essa ilusão de habilidade financeira pode muito bem resultar de outra descoberta psicológica, o chamado viés retrospectivo. Tais erros são sustentados por uma memória seletiva do sucesso. Você lembra seus investimentos bem-sucedidos. E, em retrospecto, fica fácil convencer-se de que você "sabia, desde o lançamento, que a ação da Google iria quintuplicar de valor". As pessoas tendem a atribuir qualquer bom resultado às próprias habilidades. Elas tendem a racionalizar os maus resultados como advindos de eventos externos incomuns. O histórico real não nos impele tanto como os episódios de sucesso. A visão retrospectiva promove o excesso de confiança e fomenta a ilusão de que o mundo é bem mais previsível do que é na realidade. Pessoas que vendem conselhos financeiros inúteis podem até acreditar que sejam bons conselhos. Steve Forbes, por muito tempo editor da revista *Forbes*, gostava de citar o conselho que recebeu no colo do avô: "É bem mais rentável vender conselhos do que ouvi-los."

Muitos comportamentalistas acreditam que o excesso de confiança na capacidade de prever o crescimento das empresas leva a uma tendência geral à supervalorização das chamadas ações de crescimento. Se a nova e empolgante tecnologia de computador, dispositivo médico ou loja varejista captura a fantasia do público, os investidores geralmente extrapolarão o sucesso e projetarão altas taxas de crescimento para as empresas envolvidas, confiando nessas crenças muito mais do que o justificável. As previsões de alto crescimento levam a avaliações maiores das ações de crescimento. Mas as previsões cor-de-rosa com frequência não se realizam. Os lucros podem cair, bem como os índices preço/lucro das ações, levando a retornos fracos dos investimentos. O otimismo exagerado na previsão do crescimento de empresas empolgantes poderia então ser uma explicação para a tendência de ações "de crescimento" de ficarem aquém das ações "de valor".

Julgamentos distorcidos

Encontro diariamente investidores que estão convencidos de que podem "controlar" os resultados dos seus investimentos. Principalmente analistas técnicos confiantes na capacidade de definir o futuro olhando para os preços passados.

Larry Swedroe, em seu *Rational Investing in Irrational Times*, fornece uma ilustração maravilhosa de como períodos de sorte ocorrem bem mais frequentemente do que as pessoas acreditam:

> Todos os anos, uma professora de estatística começa seu curso pedindo a todos os alunos que escrevam o resultado de uma série de cem caras ou coroas imaginárias. Um aluno, porém, é escolhido para jogar uma moeda real e anotar o resultado. A professora então sai da sala e retorna em quinze minutos com os resultados aguardando sobre sua mesa. Ela diz à turma que vai identificar o resultado real, dentre os trinta submetidos, com uma só tentativa. Com grande perseverança, ela espanta a turma ao pegar o resultado certo. Como ela consegue realizar esse ato aparentemente mágico? Ela sabe que o relatório com a sequência mais longa de caras (H de *heads*) ou coroas (T de *tails*) tem grandes chances de ser o resultado da jogada real. O motivo é que, diante da pergunta de qual das seguintes sequências – HHHHHTTTTT ou HTHTHTHTHT – é mais provável de ocorrer, embora a estatística mostre que ambas são igualmente prováveis, a maioria das pessoas escolhe a última "mais aleatória". Elas então tendem a escrever sequências imaginárias que parecem mais com HHTTHTHTTT do que com HHHTTTHHHH.

Com exceção da direção positiva de longo prazo do mercado de ações, sequências de retornos excessivamente altos das ações não persistem – costumam ser seguidas por retornos futuros menores. Existe uma reversão à média. Similarmente, a lei da gravidade financeira também opera ao contrário. Ao menos para o mercado de ações como um todo, o que cai acaba subindo de volta. No entanto, o pensamento convencional de cada época costuma supor que mercados anormalmente bons ficarão melhores e mercados anormalmente ruins piorarão.

Os psicólogos há muito identificaram uma tendência dos indivíduos a ser enganados pela ilusão de que têm algum controle sobre situações em que na verdade não existe nenhum. Em um estudo, voluntários se sentaram diante de uma tela de computador dividida por uma linha horizontal, com uma bola flutuando aleatoriamente entre as duas metades. As pessoas receberam um dispositivo para pressionar e fazer a bola subir, mas foram advertidas de que choques aleatórios também influenciariam a bola, de modo a não terem o controle completo. Pediu-se então que os voluntários jogassem um jogo cujo objetivo era manter a bola na metade superior da tela pelo maior tempo possível. Num conjunto de experimentos, o dispositivo nem sequer foi acoplado, de modo que os jogadores não tiveram absolutamente nenhum controle sobre os movimentos da bola. Mesmo assim, quando foram indagados após um período de jogo, os voluntários estavam convencidos de que tiveram bastante controle sobre o movimento da bola. (Os únicos voluntários livres dessa ilusão foram aqueles que haviam sido clinicamente diagnosticados com depressão profunda.)

Em outro experimento, uma espécie de loteria de escritório foi realizada com dois conjuntos idênticos de cartões de beisebol, que têm a figura de um jogador e seu histórico esportivo. Um conjunto foi posto numa caixa da qual um cartão deveria ser selecionado ao acaso. O outro foi distribuído aos participantes. Metade dos participantes pôde escolher qual cartão pegar, enquanto a outra metade simplesmente recebeu um. Eles ficaram sabendo que o vencedor seria a pessoa com o cartão que coincidisse com um que seria sorteado da caixa. Os participantes foram então informados, depois que todos os cartões foram distribuídos, de que um novo jogador queria comprar um cartão. Então puderam escolher entre vender seus cartões a algum preço negociado ou ficar com eles na esperança de ganhar. Obviamente, cada cartão tinha a mesma probabilidade de vencer. Não obstante, os preços pelos quais os jogadores estavam dispostos a vender seus cartões eram sistematicamente mais altos para aqueles que os escolheram do que para o grupo que havia simplesmente recebido um. Descobertas como essa levaram à decisão de deixar os compradores de loterias estaduais americanas escolherem seus números, embora a sorte sozinha determine os vencedores.

É essa ilusão de controle que pode levar os investidores a ver tendências que não existem ou acreditar que conseguem detectar um padrão de preço que permitirá prever os preços da ação. Na verdade, apesar dos grandes esforços para obter alguma forma de previsibilidade dos dados de preços das ações, o desenvolvimento desses preços de um período a outro se aproxima muito de um passeio aleatório, no qual as mudanças de preços no futuro essencialmente não guardam relação com as mudanças no passado.

As distorções nos julgamentos são agravadas (prepare-se para algum jargão adicional) pela tendência das pessoas de usar equivocadamente a "semelhança" ou "representatividade" em substituição ao pensamento probabilístico sensato. Um famoso experimento de Kahneman e Tversky é o que melhor ilustra essa "heurística". Aos voluntários é mostrada a seguinte descrição de Linda:

> Linda tem 31 anos, é solteira, sincera e brilhante. Graduou-se em filosofia. Quando era estudante, estava muito preocupada com questões de discriminação e justiça social, e também participou de protestos antinucleares.

Pediu-se então aos participantes que avaliassem as chances relativas de que oito afirmações diferentes sobre Linda fossem verdadeiras. Duas das afirmações da lista eram "Linda é caixa de banco" e "Linda é caixa de banco e ativista do movimento feminista". Mais de 85% dos participantes julgaram mais provável que Linda fosse caixa de banco e feminista do que apenas caixa de banco. Mas essa resposta é uma violação de um axioma fundamental da teoria das probabilidades (a regra da conjunção): a probabilidade de que alguém pertence a ambas as categorias A e B é inferior ou igual à probabilidade de que pertence à categoria A somente. Obviamente, poucos participantes haviam aprendido a teoria das probabilidades.

A descrição de Linda fez com que se parecesse com uma feminista e, assim, ser caixa de banco e feminista parece uma descrição mais natural, portanto mais representativa de Linda, do que simplesmente ser caixa de banco. Esse experimento tem sido replicado várias vezes com participantes ingênuos e sofisticados (inclusive aqueles com conhecimentos de probabilidades, mas que não haviam estudado todas as suas nuances).

Kahneman e Tversky forjaram o termo "heurística representativa" para descrever essa descoberta. Sua aplicação leva a uma série de outras distorções no julgamento – por exemplo, a subutilização das probabilidades das taxas básicas. Uma regra essencial das probabilidades (lei de Bayes) informa que nossa avaliação das chances de algo pertencer a um grupo específico deveria combinar "representatividade" com taxas básicas (a porcentagem da população que se enquadra em diferentes grupos). Em palavras simples, significa que, se vemos alguém que tem a aparência de um criminoso (parece representar nossa ideia de um tipo criminoso), nossa avaliação da probabilidade de que seja um criminoso também requer conhecimentos sobre taxas básicas – ou seja, a porcentagem de pessoas que são criminosas. Mas em um experimento após o outro os participantes subutilizaram o conhecimento das taxas básicas ao fazerem previsões. Por mais misterioso que tudo isso pareça, a heurística representativa provavelmente explica uma série de erros de investimento, como ir atrás de fundos quentes ou a extrapolação excessiva a partir de indícios recentes.

Comportamento de manada

Em geral, as pesquisas mostram que os grupos tendem a tomar decisões melhores do que os indivíduos. Se mais informações são compartilhadas, e se diferentes pontos de vista são levados em conta, a discussão abalizada do grupo melhora o processo de tomada de decisões.

A sabedoria do comportamento da multidão é talvez mais bem ilustrada na economia como um todo pelo sistema de preços do livre mercado. Uma variedade de decisões individuais de consumidores e produtores leva a economia a produzir os bens e serviços que as pessoas querem comprar. Reagindo às forças da demanda e oferta, o sistema de preços guia a economia pela mão invisível de Adam Smith para produzir a quantidade correta de produtos. Como as economias comunistas descobriram, para seu desalento, um planejador central todo-poderoso não consegue sequer se aproximar da eficiência do mercado ao decidir quais bens produzir e como os recursos deveriam ser alocados.

De forma semelhante, milhões de indivíduos e investidores institucionais, com suas decisões de compras e vendas coletivas, produzem um painel de preços do mercado de ações que parecem tornar uma ação tão boa de comprar quanto outra. E, embora as previsões de retornos futuros do mercado costumem estar erradas, como um grupo elas parecem estar mais corretas do que as previsões feitas por qualquer investidor individual. Os gestores de portfólio mais ativos deveriam se envergonhar quando seus retornos são comparados com os resultados de investimentos feitos em um fundo de ações indexado de base ampla.

Como todos os leitores deste livro reconhecem, o mercado como um todo não toma invariavelmente decisões de preços corretas. Às vezes existe uma loucura no comportamento da multidão, como vimos desde os bulbos de tulipas do século XVII até as ações da internet do século XX. Foi esse comportamento patológico ocasional da multidão que atraiu a atenção das finanças comportamentais.

Um fenômeno amplamente reconhecido no estudo do comportamento da multidão é a existência do "pensamento de grupo". Grupos de indivíduos às vezes se reforçarão mutuamente na crença de que algum ponto de vista incorreto é, na verdade, o correto. Com certeza, as previsões de grupo superotimistas sobre o lucro potencial da internet e a precificação incorreta das ações da Nova Economia no início da década de 2000 são exemplos da patologia do comportamento de manada.

O psicólogo social Solomon Asch foi um dos primeiros a estudar como o comportamento de grupo pode levar a tomadas de decisão incorretas. Durante a década de 1950, Asch realizou um famoso experimento de laboratório em que foi pedido a um grupo de participantes que respondessem a uma questão simples que qualquer criança conseguia acertar. Foram mostradas aos voluntários duas cartas com linhas verticais, como as mostradas a seguir. A da esquerda exibia uma linha vertical. Os participantes tiveram que responder qual linha na da direita tinha o mesmo comprimento daquela da primeira. Sete voluntários participaram de uma série de tais perguntas.

Mas Asch acrescentou um detalhe diabólico ao experimento. Em alguns dos experimentos, ele recrutou seis dos sete participantes para que deliberadamente dessem a resposta errada antes que o sétimo participante tivesse uma chance de expressar sua opinião. Os resultados foram espantosos. O sétimo participante com frequência dava a resposta errada. Asch conjecturou que a pressão social levou os participantes a escolher a linha errada mesmo sabendo que sua resposta estava incorreta.

AMOSTRA DAS CARTAS USADAS NO EXPERIMENTO DE ASCH

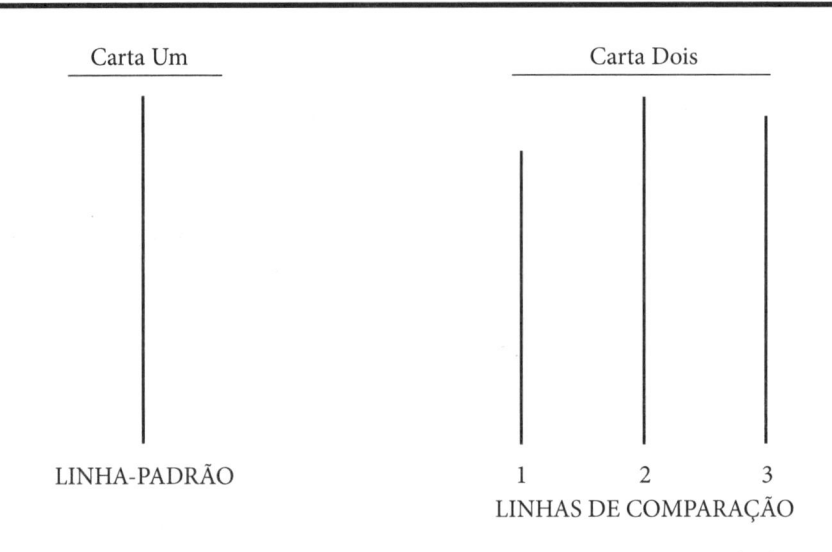

Carta Um   Carta Dois

LINHA-PADRÃO   1   2   3
                          LINHAS DE COMPARAÇÃO

Fonte: Solomon E. Asch, *Social Psychology* (Oxford, 1987). Com permissão da Oxford University Press, http://www.oup.com.

Um estudo de 2005 de Gregory Berns, um neurocientista, usou ressonância magnética para examinar o funcionamento do cérebro a fim de descobrir se as pessoas cederam ao grupo sabendo que suas respostas estavam erradas ou se suas percepções tinham realmente mudado. Se ceder ao grupo havia sido o resultado da pressão social, o estudo raciocinou, deveriam ser vistas mudanças na área do cérebro anterior envolvida em monitorar conflitos. Mas, se a conformidade resultava de mudanças reais na percepção, seriam de esperar mudanças nas áreas posteriores do cérebro dedicadas à visão e à percepção espacial. Na verdade, o estudo constatou que, quando as pessoas aderiam ao grupo ao dar respostas erradas, a atividade aumentava na área do cérebro dedicada à percepção espacial. Em outras palavras, parecia que as escolhas das outras pessoas de fato mudaram o que os participantes acreditavam ver. Pelo visto, os erros das outras pessoas realmente afetam como alguém percebe o mundo exterior.

Em outro estudo, psicólogos sociais colocaram uma pessoa sozinha numa esquina e pediram que ficasse olhando para o céu vazio por sessenta segundos. Os psicólogos então observaram que uma fração minúscula dos pedestres parou para saber o que a pessoa estava olhando, mas a maioria simplesmente continuou andando. Aí os psicólogos colocaram cinco pessoas na esquina olhando para o céu. Dessa vez, quatro vezes mais pessoas pararam a fim de olhar o céu vazio. Quando os psicólogos colocaram 15 pessoas na esquina olhando para o céu, quase metade dos passantes parou. Aumentar o número de pessoas olhando para o céu fez crescer ainda mais o número de pedestres olhando.

Claramente, a bolha da internet do período de 1999 a início de 2000 fornece um exemplo clássico de julgamentos de investimento incorretos, levando as pessoas a enlouquecer em manadas. Os investidores individuais, empolgados com a perspectiva de ganhos enormes das ações que abastecem a Nova Economia, são infectados por uma mentalidade de rebanho irracional. Comunicações boca a boca de amigos no clube de golfe, colegas no trabalho e parceiros de carteado transmitiram uma mensagem poderosa de que uma enorme riqueza vinha sendo criada pelo crescimento da internet. Os investidores então começaram a comprar ações ordinárias pelo simples motivo de os preços estarem subindo e outras pessoas estarem ganhando dinheiro, mesmo que os aumentos de preço não se justificassem por razões fundamentais como o crescimento dos lucros e dividendos. Conforme afirmou o historiador da economia Charles Kindleberger: "Não há nada tão perturbador para o bem-estar e o julgamento de alguém como ver um amigo enriquecer." E como observou Robert Shiller, autor de *Exuberância irracional*, o processo se autoalimenta em um "ciclo de feedback positivo". O aumento de preço inicial encoraja mais pessoas a comprar, o que por sua vez produz maiores lucros e induz um grupo cada vez maior de participantes. O fenômeno é outro exemplo do esquema Ponzi que descrevi no Capítulo 4, em conexão com a bolha da internet. No fim, o estoque de tolos maiores acaba.

Tal comportamento de manada não se limita a investidores individuais simplórios. Gestores de fundos mútuos têm a tendência de seguir as mesmas estratégias e comprar, como um rebanho, as mesmas ações. De fato, um estudo de Harrison Hong, Jeffrey Kubik e Jeremy Stein, três referências no campo das finanças comportamentais, descobriu que gestores de fundos mútuos tendiam mais a conservar ações semelhantes se outros gestores na mesma cidade estivessem conservando portfólios semelhantes. Tais resultados são compatíveis com um modelo epidêmico, em que os investidores rápida e irreversivelmente espalham informações sobre ações boca a boca. Tal comportamento de manada tem tido efeitos devastadores para o investidor individual. Embora os retornos de longo prazo do mercado de ações tenham sido generosos, os retornos para o investidor comum têm sido bem menores. O motivo é que os investidores tendem a comprar fundos mútuos de ações apenas quando a exuberância levou a picos do mercado. Durante os doze meses até março de 2000, mais fluxo de caixa novo foi para fundos mútuos de ações do que durante qualquer período precedente. Mas, enquanto o mercado estava atingindo o fundo do poço, em 2002 e 2008, indivíduos fizeram fortes retiradas de seus investimentos em ações. Um estudo da Dalbar Associates indica que o investidor comum pode obter uma taxa de retorno 5 pontos percentuais inferior ao retorno médio do mercado em razão dessa penalidade de timing.

Além disso, os investidores tendem a aplicar seu dinheiro nos tipos de fundo mútuo que tiveram recentemente um bom desempenho. Por exemplo, os grandes influxos nos fundos mútuos de ações no primeiro trimestre de 2000 foram inteiramente para os fundos de "crescimento" de alta tecnologia. Os chamados fundos de "valor" sofreram grandes retiradas. Nos dois anos subsequentes, os fundos de crescimento perderam muito valor, enquanto os fundos de valor produziram retornos positivos. Essa penalidade de seleção exacerba a penalidade de timing descrita acima. Uma das lições mais importantes das finanças comportamentais é que os investidores individuais devem evitar ser arrebatados pelo comportamento de manada.

Aversão à perda

A contribuição mais importante de Kahneman e Tversky chama-se teoria da perspectiva, que descreve o comportamento individual em face de situações arriscadas em que existem perspectivas de ganhos e perdas. Em geral, economistas financeiros como Harry Markowitz construíram modelos nos quais indivíduos tomavam decisões baseados nos efeitos prováveis de suas escolhas sobre a riqueza final da pessoa. A teoria da perspectiva desafia esse pressuposto. As escolhas das pessoas são motivadas, em vez disso, pelos valores que atribuem a ganhos e perdas. As perdas são consideradas bem mais indesejáveis do que os ganhos equivalentes são desejáveis. Além disso, a linguagem usada para apresentar os possíveis ganhos e perdas influenciará a decisão final tomada. Em termos psicológicos, trata-se de "como a escolha é enquadrada".

Por exemplo, você é informado de que uma moeda será jogada e que, se der cara, você receberá 100 dólares. Mas, se der coroa, você deve pagar 100. Você aceitaria uma aposta assim? A maioria das pessoas diria que não, embora a aposta seja justa no sentido de que, em tentativas repetidas, você acabaria empatando. Metade das vezes você ganharia 100 e na outra metade perderia 100. Em termos matemáticos, o jogo tem um "valor esperado" zero, calculado assim:

Probabilidade de cara × recompensa se der cara + probabilidade de coroa × recompensa se der coroa = Valor esperado.
Valor esperado = ½($100) + ½(−$100) = 0

Kahneman e Tversky então tentaram esse experimento com muitos voluntários diferentes, variando a quantia da recompensa positiva para testar o que seria preciso para induzir as pessoas a aceitar o jogo. Eles descobriram que a recompensa positiva teria que ser em torno de 250 dólares. Observe que o valor esperado do ganho nesse jogo é 75 dólares, sendo portanto uma aposta bem favorável.

Valor esperado = ½($250) + ½(−$100) = $75

Kahneman e Tversky concluíram que o medo das perdas era 2,5 vezes o desejo de ganhar. Em outras palavras, a perda de 1 dólar é 2,5 vezes tão dolorosa quanto o ganho de 1 dólar é agradável. As pessoas exibem extrema aversão à perda, embora uma mudança de 100 dólares na riqueza mal seja percebida pela maioria das pessoas afluentes. Veremos adiante como a aversão à perda leva muitos investidores a cometer erros custosos.

O interessante é que, quando os indivíduos enfrentaram uma situação na qual perdas certas estavam envolvidas, os psicólogos descobriram que eles estavam predominantemente propensos a fazer a aposta. Considere as seguintes alternativas:

1. Uma perda certa de 750 dólares.
2. Uma chance de 75% de perder mil dólares e uma chance de 25% de não perder nada.

Observe que os valores esperados das duas alternativas são iguais: ou seja, uma perda de 750 dólares. Mas quase 90% dos voluntários testados escolheram a alternativa (2), a aposta. Em face de perdas certas, as pessoas parecem exibir o comportamento de busca do risco.

Kahneman e Tversky também descobriram um importante efeito de "enquadramento" associado. A maneira como as escolhas são apresentadas para o tomador de decisão pode levar a desdobramentos bem diferentes. Eles formularam o seguinte problema:

> Imagine que os Estados Unidos estejam se preparando para o surto de uma doença incomum, cujas expectativas são de causar 600 mortes. Dois programas alternativos para combatê-la foram propostos. Suponha que as estimativas científicas exatas das consequências dos programas sejam:
> Se o Programa A for adotado, 200 pessoas serão salvas.
> Se o Programa B for adotado, existe uma probabilidade de um terço de as 600 pessoas serem salvas e uma probabilidade de dois terços de que nenhuma pessoa será salva.

Note que o valor esperado do número de pessoas salvas é das mesmas 200 nos dois programas. Mas, de acordo com a teoria da perspectiva, as pessoas são avessas ao risco ao examinar os ganhos possíveis dos dois programas e, como esperado, cerca de dois terços dos que responderam à pergunta escolheram o Programa A como o mais desejável.

Mas suponha que apresentássemos o problema de forma diferente:

> Se o Programa A* for adotado, 400 pessoas morrerão.
> Se o Programa B* for adotado, existe uma probabilidade de um terço de que ninguém morrerá e uma probabilidade de dois terços de que 600 pessoas morrerão.

Note que as opções A e A*, bem como B e B*, são idênticas. Mas a apresentação no segundo problema se volta para os riscos de pessoas morrerem. Quando o problema foi descrito assim, mais de 75% dos participantes escolheram o Programa B*. Essa escolha ilustrou o efeito do "enquadramento", bem como as preferências pela busca do risco no âmbito das perdas. Quando os médicos se defrontam com decisões sobre opções de tratamento para pessoas com câncer, diferentes escolhas tendem a ser feitas se o problema é enunciado apresentando probabilidades de sobrevivência em vez de probabilidades de mortalidade.

Orgulho e arrependimento

Os comportamentalistas também enfatizam a importância dos sentimentos de orgulho e arrependimento em influenciar o comportamento do investidor. Investidores acham bem difícil admitir, até para si mesmos, que tomaram uma decisão ruim no mercado de ações. Os sentimentos de arrependimento podem ser ampliados se uma tal admissão teve de ser feita a amigos ou ao cônjuge. Por outro lado, os investidores costumam se orgulhar em contar ao mundo sobre seus investimentos de sucesso que geraram grandes ganhos.

Muitos investidores podem sentir que, se persistirem numa posição de perda, acabará havendo uma recuperação e sensações de arrependimento serão evitadas. O orgulho e o arrependimento podem estar por trás da tendência dos investidores de conservar as posições que deram prejuízo e vender as ganhadoras. O estudo de Barber e Odean dos registros de transações de 10 mil clientes de uma grande corretora de desconto achou um pronunciado "efeito de disposição". Havia uma clara disposição entre os investidores de vender suas ações ganhadoras e conservar seus investimentos perdedores. Vender uma ação que subiu permite aos investidores embolsar lucros e melhorar sua autoestima. Se vendessem suas ações perdedoras, sofreriam os efeitos dolorosos do arrependimento e da perda.

Essa relutância em assumir prejuízos está longe do ideal, de acordo com a teoria do investimento racional, e é estúpida em termos do senso comum. Vender ações com ganhos (afora as contas de aposentadoria com incentivos fiscais) envolve pagar impostos sobre ganhos de capital. Vender ações com realização de perdas envolve reduzir impostos sobre outros ganhos realizados ou uma dedução tributária, até certos limites. Mesmo que o investidor acreditasse que sua ação perdedora fosse se recuperar no futuro, valeria a pena vender a ação e comprar uma ação no mesmo setor com perspectivas e características de risco similares. Uma relutância semelhante em assumir perdas parece evidente no mercado imobiliário. Quando os preços das casas estão subindo, o volume de vendas aumenta e as casas costumam ser vendidas rapidamente, pelos preços pedidos ou mais. Durante períodos de preços em queda, porém, os volumes de vendas declinam e as pessoas deixam suas casas imobilizadas no mercado por longos períodos, pedindo preços bem acima da média. A extrema aversão à perda ajuda a explicar a relutância dos vendedores em se desfazer de suas propriedades com prejuízo.

FINANÇAS COMPORTAMENTAIS E POUPANÇAS

A teoria comportamental das finanças também ajuda a explicar por que muitas pessoas se recusam a aderir a um plano de previdência privada no trabalho (também chamado de fundo de pensão), mesmo quando a empresa paga uma contribuição equivalente.

Para entender melhor o contexto, pode-se ver como funcionam esses fundos no Brasil, por exemplo. Existem as Entidades Fechadas de Previdência Complementar (EFPC), organizações sem fins lucrativos que gerem o patrimônio dos funcionários de uma empresa, associação ou cooperativa. Nesses fundos, o aporte feito pelo funcionário e complementado pela empresa é administrado com o objetivo de fazer um pagamento adicional ao pago pelo INSS. Muitas empresas fazem uma contribuição em cima do que a pessoa contribuiu (*match*), ou seja, colocam 100 reais se o funcionário puser 100, por exemplo.

Se pedirmos a um funcionário habituado a um nível específico de pagamento líquido que aumente, por exemplo, em 1 real sua alocação ao fundo, ele verá a dedução resultante (mesmo que seja inferior a um real, porque contribuições para alguns planos são dedutíveis da renda tributável até um limite generoso) como uma perda da capacidade de gasto corrente. Os indivíduos avaliam essas perdas com bem mais força do que os ganhos. Quando essa aversão à perda é acoplada à dificuldade em exibir autocontrole, à facilidade de procrastinar e à propensão a não fazer mudanças (viés do status quo), torna-se perfeitamente compreensível, como os psicólogos nos ensinam, por que as pessoas tendem a poupar tão pouco.

Para superar a relutância das pessoas em poupar, existem duas opções possíveis. A primeira é evitar a inércia e o viés do status quo mudando o enquadramento da escolha. Sabemos que, se pedirmos a funcionários que optem ativamente por um fundo de pensão, muitos se negarão a aderir. Mas se o problema for enquadrado de um jeito diferente, de modo que seja preciso ativamente optar por sair do plano, o grau de participação será bem maior. As empresas que enquadram seus planos de previdência com um recurso de adesão automática (de que a "saída optativa" requer uma decisão consciente de preencher uma declaração) têm graus de participação bem maiores do que os planos em que os funcionários precisam ativamente optar por entrar.

Outro chamariz brilhante foi desenvolvido pelos economistas Richard Thaler e Shlomo Benartzi, levando em conta que alguns funcionários se negarão a poupar mesmo com planos de adesão automática porque mal conseguem pagar suas contas com o salário atual. A essência do plano "Poupe Mais Amanhã" de Thaler-Benartzi é fazer com que os funcionários se comprometam de antemão a alocar ao fundo uma parte de quaisquer aumentos de salário. Se os funcionários aderem, suas contribuições são aumentadas, começando pelo primeiro contracheque após um aumento. Esse recurso mitiga a aversão à perda percebida após um corte no pagamento líquido. A taxa de contribuição continua crescendo a cada aumento programado, até atingir a quantia máxima dedutível do imposto de renda permitida por lei. Desse modo, a inércia e o viés do status quo ajudam a manter as pessoas no plano. O funcionário está autorizado a sair a qualquer momento.

Thaler e Benartzi implementaram pela primeira vez seu plano em 1998 em uma empresa industrial de porte médio. A empresa vinha sofrendo de baixa adesão ao seu fundo de pensão na época. O plano "Poupe Mais Amanhã" se mostrou bem popular. Mais de três quartos dos funcionários concordaram em participar. Além disso, mais de 80% desses funcionários permaneceram no plano em meio aos aumentos salariais subsequentes. Mesmo aqueles que saíram não reduziram suas taxas de contribuição aos níveis originais, mas apenas interromperam os aumentos futuros. Desse modo, até esses trabalhadores estavam poupando bem mais do que antes de aderirem ao fundo.

OS LIMITES DA ARBITRAGEM

Até agora examinamos as distorções cognitivas que influenciam os investidores e, portanto, os preços dos títulos mobiliários. Os atos dos investidores individuais são com frequência irracionais, ou ao menos não plenamente compatíveis com o ideal dos economistas da tomada de decisões ótima. Talvez no caso mais patológico, os indivíduos parecem enlouquecer em manada e apostam em certas categorias de ação, levando-as a alturas absurdas. Como os erros dos investidores irracionais não se cancelam, mas se reforçam mutuamente, como atribuir preços eficientes às ações? Os crentes nos mercados eficientes mecanicamente afirmam que a "arbitragem" tornará o mercado eficiente, ainda que muitos investidores individuais sejam irracionais. Espera-se que os árbitros, como os operadores profissionais de Wall Street e administradores de fundos hedge, adotem posições equilibradoras – como vender a descoberto* ações supervalorizadas e comprar ações subestimadas –, de modo que quaisquer distorções de preços causadas por investidores irracionais sejam rapidamente corrigidas. Espera-se que operadores racionais contrabalancem o impacto dos operadores comportamentais. Desse modo, o segundo grande pilar em que alguns comportamentalistas baseiam seu argumento contra os mercados eficientes é que tal arbitragem é fortemente limitada. Os comportamentalistas acreditam na existência de importantes limites à arbitragem que impedem a correção de preços absurdos.

Suponha que investidores irracionais causem a supervalorização das ações de uma empresa em relação ao seu valor fundamental e às outras empresas do mesmo ramo de atividade. Os arbitradores podem simplesmente vender a descoberto o título supervalorizado e comprar um título substituto similar de uma outra empresa do setor. Desse modo, o arbitrador está "hedgeado" (protegido), no sentido de que acontecimentos favoráveis ou desfavoráveis afetando o setor influenciarão ambas as empresas. Se estivermos falando de uma empresa de petróleo, por exemplo, o aumento do preço da commodity que fizer o título a descoberto subir fará subir igualmente a posição comprada do arbitrador.

---

* "Vender a descoberto" significa vender algo que o investidor não tem. Nesse caso, ele aluga uma ação e a vende na expectativa de recomprá-la mais barato no futuro e lucrar com a diferença. *(N. do E.)*

Mas esse tipo de arbitragem é altamente arriscado. Suponha que um título "supervalorizado" divulgue alguma boa notícia incomum, como uma grande descoberta de petróleo que não estava prevista. Ou suponha que o título "justamente avaliado" sofra algum revés imprevisto, como a explosão de um poço de petróleo em águas profundas, que faz o preço cair. O arbitrador poderia perder nos dois lados do negócio. O título que foi vendido a descoberto poderia subir e o título na posição comprada poderia cair. O tipo de arbitragem requerido para corrigir os erros de preço percebidos é extremamente arriscado.

O operador que tenta "corrigir" distorções de preço percebidas também corre o risco de os investidores se entusiasmarem ainda mais com as perspectivas do título "supervalorizado". Suponha que um arbitrador se convencesse, durante 1999, de que as ações da internet estavam absurdamente supervalorizadas. O operador poderia vender a descoberto as favoritas, esperando comprá-las de volta mais tarde a preço menores. Mas, com o aumento do entusiasmo pela Nova Economia, os preços dessas ações subiram ainda mais – muitos dobrando e depois voltando a dobrar. Somente em retrospecto sabemos que a bolha estourou durante 2000. Nesse ínterim, muitos operadores perderam tudo. O mercado consegue permanecer irracional mais tempo do que o arbitrador consegue permanecer solvente, especialmente quando o arbitrador tem seu crédito restringido. O Long Term Capital Management, um fundo hedge cujas estratégias eram concebidas por ganhadores do Nobel, viu-se em uma posição insustentável quando os preços de suas coberturas contrariaram as expectativas e faltou capital para mantê-lo a salvo.

Os protagonistas naturais do jogo de vender a descoberto títulos supervalorizados e comprar títulos subvalorizados são os fundos hedge globais, com trilhões de dólares para investir. Seria de supor que esses fundos tivessem reconhecido a insustentabilidade dos preços das ações da internet e explorado as distorções de preços vendendo a descoberto. Um estudo de Markus Brunnermeier e Stefan Nagel examinou o comportamento dos fundos hedge durante o período de 1998-2000 para ver se esses fundos restringiram a subida dos favoritos dos especuladores.

As descobertas foram surpreendentes. Especuladores sofisticados, como fundos hedge, não foram uma força corretiva durante o período da bolha. Na verdade, ajudaram a inflá-la, surfando-a em vez de atacá-la. Os fundos hedge foram compradores líquidos de ações da internet no período de 1998 a início de 2000. Sua estratégia refletiu a crença de que o entusiasmo contagioso e o comportamento de manada de investidores simplórios fariam com que as distorções de preços aumentassem. Estavam jogando o jogo descrito antes no famoso concurso de beleza do jornal de Keynes. Embora uma ação vendida a 30 dólares pudesse "valer" apenas 15 dólares, seria uma boa compra se pessoas ainda mais tolas estivessem dispostas a pagar 60 dólares pela ação em algum momento futuro.

Parece que os fundos hedge também desempenharam um papel desestabilizador no mercado de petróleo durante 2005 e 2006. De 2004 a 2006, o preço do barril de petróleo bruto mais do que dobrou. Embora forças econômicas, como o crescimento da economia mundial, fornecessem algumas razões fundamentais para a pressão ascendente sobre o preço, parece que a atividade especulativa, sobretudo dos fundos hedge, ajudou a alimentar o avanço. E os poucos fundos hedge que venderam a descoberto no mercado de futuros de petróleo sofreram perdas substanciais. Fica claro que negociações de arbitragem para corrigir uma bolha de preço percebida são inerentemente arriscadas.

E existem também períodos em que vendas a descoberto não são possíveis ou ao menos são fortemente restringidas. Na venda a descoberto, tipicamente o título é emprestado para ser entregue ao comprador. Se, por exemplo, vendo a descoberto 100 ações da IBM, preciso pegar emprestados os títulos para poder entregar ao comprador. Preciso também pagar ao comprador quaisquer dividendos declarados sobre a ação durante o período em que mantenho a posição a descoberto. Em alguns casos, pode ser impossível achar ações para pegar emprestadas e assim pode ser tecnicamente impossível até mesmo executar uma venda a descoberto. Em alguns dos exemplos mais gritantes de preços ineficientes, restrições técnicas à venda a descoberto impediram os arbitradores de corrigir o preço distorcido.

As arbitragens podem também ser difíceis de estabelecer se um substituto próximo do título supervalorizado é difícil de achar. Para uma arbitragem ser eficaz, precisa haver um título similar de preço justo que possa ser comprado para compensar a posição a descoberto e com expectativa de subir caso algum evento favorável ocorra e influencie o mercado inteiro ou o setor a que pertence o título.

Um dos melhores exemplos usados pelos comportamentalistas para mostrar que os preços do mercado podem ser ineficientes é o caso de duas ações idênticas que não são negociadas por preços idênticos. A Royal Dutch

Petroleum e a Shell Transport são consideradas empresas gêmeas siamesas. Em 1907 concordaram em formar uma aliança e dividir seus lucros após os impostos, com 60% para a Royal Dutch e 40% para a Shell. Num mercado eficiente, o valor de mercado da Royal Dutch sempre deveria ser uma vez e meia o valor de mercado da Shell. Na verdade, a Royal Dutch tem com frequência sido negociada com uma diferença em relação à Shell de até 20% acima do valor justo. Em mercados eficientes, os mesmos fluxos de caixa deveriam ser vendidos por avaliações equivalentes.

O problema nesse exemplo é que os dois títulos são negociados em mercados nacionais distintos, com diferentes regras e possivelmente diferentes restrições às operações de futuros. Mas, mesmo se a Royal Dutch e a Shell fossem consideradas equivalentes em todos os aspectos, a arbitragem entre os dois títulos mobiliários seria inerentemente arriscada. Se a Royal Dutch é vendida com uma diferença de 10% em relação à Shell, a arbitragem apropriada é vender as ações supervalorizadas da Royal Dutch a descoberto e comprar as ações da Shell, mais baratas. Mas a arbitragem é arriscada. Um título mobiliário supervalorizado pode muito bem se valorizar ainda mais, causando prejuízos para o vendedor a descoberto. Barganhas de hoje podem se tornar barganhas melhores amanhã. Fica claro que não se pode contar totalmente com a arbitragem para nivelar quaisquer desvios dos preços do mercado em relação ao valor fundamental. Restrições às vendas a descoberto sem dúvida desempenharam um papel na propagação da bolha imobiliária durante o fim da primeira década do século XXI. Quando é praticamente impossível vender imóveis a descoberto em áreas específicas do país, somente os votos dos otimistas são contados. Quando os otimistas conseguem se alavancar facilmente com empréstimos hipotecários, fica fácil ver por que uma bolha imobiliária dificilmente será restringida pela arbitragem.

QUAIS SÃO AS LIÇÕES DAS FINANÇAS COMPORTAMENTAIS PARA OS INVESTIDORES?

Notívagos como eu costumam assistir aos programas de TV tarde da noite. Um dos quadros mais cômicos do antigo programa de David Letterman era "Truques estúpidos dos pets", em que os donos dos animais de estimação faziam com que eles realizassem todo tipo de palhaçada. Infelizmente, os investidores costumam agir de forma bem semelhante aos donos dos animais daquele programa da TV – o que não é engraçado. Eles são confiantes demais, são atropelados pela manada, abrigam ilusões de controle e se recusam a reconhecer seus erros nos investimentos. Numa comparação, os pets acabam parecendo inteligentes.

Acabamos de ver como diferentes aspectos do comportamento humano influenciam os investimentos. Ao investir, somos geralmente nossos piores inimigos. Nas palavras do personagem Pogo: "Achamos o inimigo, e somos nós." Uma compreensão de quão vulneráveis somos à nossa psicologia pode nos ajudar a evitar as ilusões estúpidas dos investidores capazes de comprometer nossa segurança financeira. Existe um velho ditado sobre o pôquer: se você se senta à mesa e não consegue descobrir quem é o otário, levante-se e vá embora, porque o otário é você. Essas sacadas sobre a psicologia do investidor podem evitar que você seja o tolo.

Charles Ellis, um observador de longa data dos mercados de ações e autor do brilhante livro sobre investimentos *Winning the Loser's Game*, observa que, no jogo de tênis amador, a maioria dos pontos não resulta das suas jogadas hábeis, mas dos erros do seu oponente. O mesmo ocorre nos investimentos. Ellis argumenta que a maioria dos investidores derrota a si mesma ao se envolver em estratégias equivocadas no mercado de ações em vez de aceitar a abordagem de indexação de comprar e conservar recomendada neste livro. Do jeito como muitos investidores se comportam, o mercado de ações torna-se um jogo de perdedores.

No início da década de 2000, quando as ações de tecnologia que você comprou não paravam de subir, quão fácil foi se convencer de que você era um gênio dos investimentos? Quão fácil era se convencer de que perseguir o fundo mútuo com melhor desempenho no último período era uma estratégia segura para o sucesso? E, para os poucos que largaram seus empregos durante a bolha para se envolverem em *day trade*, quão estimulante era comprar uma ação às dez da manhã e ver que subira 10% ao meio-dia? Todas essas estratégias acabaram em desastre. Os operadores frequentes invariavelmente auferem retornos menores do que os investidores constantes que compram e conservam.

O primeiro passo para lidar com os efeitos perniciosos de nossas fraquezas comportamentais é reconhecê-las. Submeta-se à sabedoria do mercado. Assim como o tenista amador que apenas tenta devolver a bola sem lances complicados é quem costuma vencer, o mesmo ocorre com o investidor que simplesmente compra e conserva um portfólio diversificado composto de todas as ações transacionadas no mercado. Não seja seu pior inimigo. Evite os ardis dos investidores estúpidos. Eis as lições mais importantes das finanças comportamentais:

1. Evite o comportamento de manada

Os economistas financeiros comportamentais entendem os mecanismos de feedback que levam os investidores a seguir a multidão. Quando as ações da internet vinham subindo sem parar, foi difícil não ser arrebatado pela euforia – sobretudo quando todos os seus amigos estavam se vangloriando de seus lucros espetaculares no mercado de ações. Uma vasta literatura documenta a predominância da influência dos amigos nas decisões de investimento das pessoas. Robert Shiller e John Pound pesquisaram 131 investidores individuais e perguntaram o que chamou sua atenção para a ação comprada mais recentemente. Uma resposta típica foi que um contato pessoal, como um amigo ou parente, havia recomendado a compra. Hong, Kubik e Stein forneceram indícios mais sistemáticos da importância dos amigos para influenciar as decisões dos investidores. Eles descobriram que famílias sociáveis – aquelas que interagem com seus vizinhos e frequentam a igreja – tendem a investir no mercado bem mais do que famílias não sociáveis, levando em conta a riqueza, a raça, o grau de instrução e a tolerância ao risco.

Qualquer investimento que se tornou tema de conversas generalizadas tende a ser prejudicial à sua riqueza. Aconteceu com o ouro no início da década de 1980 e com os imóveis e ações japoneses no fim da década de 1980. Aconteceu com as ações ligadas à internet no fim da década de 1990 e com os condomínios na Califórnia, em Nevada e na Flórida na primeira década do século XXI.

Invariavelmente, as ações ou os fundos mais quentes em um período têm o pior desempenho no próximo. E, assim como o comportamento de manada induz investidores a correr riscos crescentes durante períodos de euforia, o mesmo comportamento costuma induzir muitos investidores simultaneamente a jogar a toalha quando o pessimismo domina. A mídia tende a encorajar tal comportamento autodestrutivo apregoando a gravidade das quedas do mercado e distorcendo a proporção dos eventos para conquistar mais audiência. Mesmo sem atenção excessiva da mídia, grandes movimentos do mercado incentivam decisões de compra e venda baseadas na emoção, não na lógica.

Por causa do timing errado, o investidor típico de fundos mútuos obtém uma taxa de retorno do mercado de ações bem abaixo dos retornos que seriam auferidos simplesmente comprando e conservando um fundo indexado ao mercado. O motivo é que os investidores tendem a aplicar seu dinheiro nos fundos mútuos no auge do mercado, ou perto (quando todos estão entusiasmados), e a retirar seu dinheiro no fundo do poço do mercado (quando impera o pessimismo). O gráfico abaixo mostra esse fato. Nele, vemos que o fluxo de caixa novo líquido ingressando nos fundos mútuos chegou ao auge quando o mercado atingiu uma alta no início de 2000. Na baixa do mercado no outono de 2002, os investidores retiraram seu dinheiro. Em 2008 e início de 2009, bem no fundo do poço do mercado durante a crise financeira, mais dinheiro foi retirado do mercado do que em qualquer época anterior. Você pode ver os efeitos dessa penalidade de timing no gráfico.

Existe também uma penalidade de seleção. No pico do mercado no início de 2000, o dinheiro fluiu para os fundos mútuos orientados para o

NÃO TENTE PREVER O MERCADO: FLUXOS PARA FUNDOS DE AÇÕES COMPARADOS AO DESEMPENHO DOS PREÇOS DAS AÇÕES

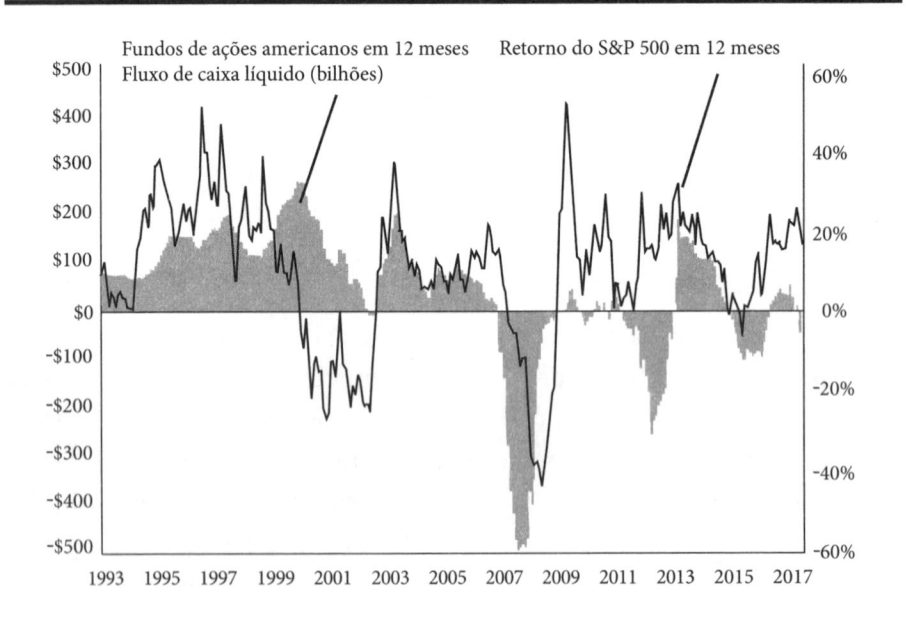

"crescimento", tipicamente aqueles associados à alta tecnologia e à internet, e saiu dos fundos de "valor", com ações da velha economia vendidas a preços baixos em relação aos valores contábeis e lucros. Nos três anos seguintes, os fundos de "valor" forneceram retornos positivos generosos aos seus investidores e os fundos de "crescimento" caíram fortemente. Durante o terceiro trimestre de 2002, após um declínio de 80% em relação ao pico do índice NASDAQ, os fundos de crescimento sofreram grandes resgates. Ir atrás do investimento quente atual leva ao congelamento do investimento amanhã.

2. Evite o excesso de transações (*overtrading*)

Especialistas em finanças comportamentais descobriram que os investidores costumam ser confiantes demais em seus julgamentos e invariavelmente transacionam demais para seu bem-estar financeiro. Muitos investidores mudam de uma ação para outra, e de um fundo mútuo para outro, como se estivessem escolhendo e descartando cartas num jogo. Os investidores nada conseguem com esse comportamento, exceto contrair custos de transações e pagar mais impostos. Os ganhos de curto prazo são tributados pelas taxas normais do imposto de renda. O investidor que compra e conserva adia quaisquer pagamentos de impostos sobre os ganhos e pode até evitá-los por completo se as ações forem conservadas até serem distribuídas como parte do patrimônio de alguém. Lembre-se do conselho do lendário investidor Warren Buffett: a letargia beirando a preguiça permanece o melhor estilo de investimento. O período de conservação correto para o mercado de ações é para sempre.

O custo do *overtrading* é substancial. Usando dados do comportamento transacional de cerca de 66 mil domicílios durante o período 1991-1996, Barber e Odean constataram que o domicílio médio na amostra auferiu um retorno anual de 16,4%, enquanto o mercado deu um retorno de 17,9%. Em contraste, o retorno anual do portfólio dos domicílios que mais transacionaram foi de apenas 11,4%. Em outras palavras, os portfólios dos domicílios com transações mais substanciais tiveram um desempenho aquém dos parâmetros mais passivos. Além disso, os homens costumavam ser mais superconfiantes e transacionar com bem mais frequência do que as mulheres.

O conselho de Odean aos investidores: se você está pensando em transacionar uma ação (e é casado), consulte a esposa sobre se deve fazer isso.

3. Caso venha a transacionar, venda as ações perdedoras, não as vencedoras

Vimos que as pessoas ficam bem mais contrariadas em assumir prejuízos do que eufóricas em realizar ganhos. Assim, paradoxalmente, os investidores poderiam assumir mais riscos para evitar perdas do que fariam para obter ganhos semelhantes. Além disso, os investidores tendem a evitar a venda de ações ou fundos mútuos que caíram, de modo a evitar a realização do prejuízo e ter de admitir que cometeram um erro. Por outro lado, os investidores geralmente estão dispostos a se desfazer de suas ações vencedoras, já que assim conseguem curtir o sucesso de terem acertado.

Às vezes é sensato conservar uma ação que caiu durante um desastre do mercado, em especial se você tem motivos para acreditar que a empresa continua bem-sucedida. Além disso, você sofreria um arrependimento duplo se vendesse a ação e esta em seguida subisse. Mas não faz sentido conservar ações perdedoras, como Enron e WorldCom, em razão da crença equivocada de que, se você não vende, não terá sofrido uma perda. Uma "perda em papel" é tão real quanto uma perda realizada. A decisão de não vender é exatamente igual à decisão de comprar a ação ao preço atual. Além disso, se você possui a ação numa conta tributável, vendê-la permite que tenha um prejuízo fiscal e o governo ajudará a amortecer o golpe reduzindo o montante dos seus impostos. Vender suas vencedoras aumentará sua carga fiscal.

4. Outros ardis do investidor estúpido

Cuidado com novos lançamentos. Você acha que pode ganhar rios de dinheiro chegando na linha de frente de uma oferta pública inicial de ações (IPO) de uma empresa que está ingressando no mercado? Particularmente durante a grande bolha da internet que estourou em 2000, parecia que essas ofertas eram o rumo certo para a riqueza. Alguns lançamentos bem-sucedidos começaram sendo transacionados a duas, três e (em um caso) sete vezes o preço pelo qual foram inicialmente oferecidos ao público. Não causa admiração que alguns investidores viessem a crer que participar de uma IPO era a forma mais fácil de fabricar dinheiro no mercado de ações.

O meu conselho é que você não deveria comprar IPOs pelo preço da oferta inicial e que nunca deveria comprar uma IPO logo depois que começa a ser transacionada a um preço em geral superior ao lançamento inicial. Historicamente, as IPOs têm sido maus negócios. Ao medir todas as IPOs cinco anos após sua emissão inicial, pesquisadores descobriram que seu desempenho ficou 4 pontos percentuais abaixo do mercado a cada ano. O mau desempenho começa uns seis meses após a venda da emissão. Seis meses costumam ser fixados como o período de "bloqueio", em que os *insiders* são proibidos de vender a ação ao público. Uma vez abolida essa restrição, o preço da ação geralmente despenca.

Os resultados dos investimentos são ainda piores para investidores individuais. Nunca permitirão que você compre as IPOs realmente boas ao preço da oferta inicial. As IPOs quentes são arrebatadas pelos grandes investidores institucionais ou clientes mais abastados da empresa subscritora. Se seu corretor ligar para dizer que ações de uma oferta pública inicial estarão disponíveis, você pode apostar que esse lançamento é uma "canoa furada". Somente se a corretora não conseguir vender as ações a grandes instituições e aos melhores clientes individuais você obterá a chance de comprar ao preço da oferta inicial. Portanto, você constatará sistematicamente que estará comprando as piores dentre as novas emissões. Não conheço estratégia melhor para perder seu dinheiro, exceto talvez as corridas de cavalos ou as mesas de jogo de Las Vegas.

Não se empolgue com dicas quentes. Todos nós ouvimos esses tipos de história. Seu tio Carlos sabe de uma mina de diamantes no Zaire que é dinheiro na certa. Por favor, lembre-se de que uma mina costuma ser um buraco no chão com um mentiroso postado na frente. A cunhada do seu primo, Márcia, recebeu uma informação confidencial sobre uma pequena empresa de biotecnologia ainda desconhecida. "Uma pechincha sem igual. Está sendo vendida a 1 dólar por ação e estão prontos para anunciar uma cura para o câncer. Pense bem, por 2 mil dólares dá para comprar 2 mil ações." Dicas chegam de todos os lados: amigos, parentes, pelo telefone, até pela internet. Não se deixe envolver. Afaste-se de dicas quentes. A maioria tende a ser o pior investimento de sua vida. E lembre: nunca compre nada de alguém esbaforido.

Desconfie de esquemas infalíveis. Amadores e profissionais vão lhe dizer que existem esquemas para escolher os melhores gestores de fundos e manter você fora do mercado quando os preços estiverem caindo. O triste fato é que tais esquemas não existem. Tudo bem, existem estratégias de portfólio que, em retrospecto, produziram retornos acima da média, mas todas se autodestroem com o tempo. Existem até estratégias de previsão da tendência do mercado que funcionaram por anos ou até décadas. No longo prazo, porém, concordo com Bernard Baruch, um investidor lendário do início do século XX que disse: "A previsão da tendência do mercado só consegue ser alcançada por mentirosos." E Jack Bogle, uma lenda do fim do século XX, observou: "Não conheço ninguém que conseguiu [prever o rumo do mercado] com sucesso e de maneira sistemática."

Os investidores tampouco devem esquecer a velha máxima: "Se algo é bom demais para ser verdade, é bom demais para ser verdade." Ouvir essa máxima poderia ter evitado que os investidores fossem vítimas do maior esquema Ponzi de todos os tempos: a fraude de Bernard L. Madoff, descoberta em 2008, em que 50 bilhões de dólares teriam sido perdidos. O golpe real do caso Madoff foi que as pessoas acreditaram no mito de que Madoff poderia sistematicamente remunerar os investidores de seu fundo com 10% a 12% anuais.

A "genialidade" da fraude foi que Madoff ofereceu o que parecia um retorno modesto e seguro. Se tivesse oferecido um retorno de 50%, as pessoas poderiam ter desconfiado de tal promessa irreal. Mas retornos regulares de 10% a 12% ao ano pareciam perfeitamente dentro do domínio da possibilidade. Na verdade, porém, obter tais retornos ano após ano no mercado de ações (ou em qualquer outro mercado) não é nem remotamente possível e tais alegações deveriam ter sido desmascaradas. O mercado de ações americano pode ter rendido em média mais de 9% ao ano por longos períodos, mas somente com tremenda volatilidade; aliás, houve anos em que os investidores perderam até 40% de seu capital. A única forma de Madoff divulgar tal desempenho seria via fraude contábil. E não conte com os órgãos reguladores para protegê-lo de tais esquemas fraudulentos. A SEC foi alertada de que os resultados de Madoff eram impossíveis, mas a agência deixou de agir. Sua única proteção é perceber que tudo que parece bom demais para ser verdade sem dúvida não é verdade.

AS FINANÇAS COMPORTAMENTAIS ENSINAM MEIOS DE SUPERAR O MERCADO?

Alguns comportamentalistas acreditam que os erros sistemáticos dos investidores podem fornecer oportunidades para investidores racionais, não emocionais, superarem o mercado. Eles acreditam que as transações irracionais criam padrões previsíveis no mercado de ações que podem ser explorados pelos investidores inteligentes. Essas ideias são bem mais controversas do que as lições precedentes, e vamos examinar algumas delas no próximo capítulo.

11

NOVOS MÉTODOS DE CONSTRUÇÃO DE PORTFÓLIO: "BETA INTELIGENTE" E PARIDADE DE RISCO

Resultados? Gente, obtive um monte de resultados.
Sei de milhares de coisas que não vão funcionar.

– Thomas Edison

Enquanto a segunda década do século XXI chegava ao fim, um número crescente de investidores passou a duvidar de que uma seleção de ações tradicionais pudesse produzir um portfólio superior ao fundo indexado de baixo custo, baixa tributação e base ampla. Centenas de bilhões de dólares em fundos de investimento começaram a mudar de fundos mútuos ativamente geridos para fundos indexados passivamente geridos e fundos negociáveis em bolsa. Mas uma nova estirpe de gestores de portfólio argumentou que você não precisa ser um selecionador de ações para superar o mercado. Ao contrário, você pode gerir um portfólio relativamente passivo (de baixa rotatividade) para obter bons resultados de maneira mais confiável sem assumir riscos extras.

As duas novas estratégias de investimento são chamadas de "beta inteligente" e paridade de risco. Com a promessa implícita de que podem melhorar o desempenho do portfólio, atraíram centenas de bilhões de dólares em ativos. Este capítulo faz as perguntas: "beta inteligente" é realmente inteligente? A paridade de risco é arriscada demais? É importante que os investidores estejam cientes dos pontos fortes e fracos dessas estratégias e do papel que poderiam desempenhar em seus planos de investimento.

O QUE É "BETA INTELIGENTE"?

Não existe uma definição universalmente aceita de estratégias de investimento "beta inteligentes". O que a maioria das pessoas que usam o termo tem em mente é que é possível ganhar retornos excedentes (superiores aos do mercado) usando uma variedade de estratégias de investimento relativamente passivas baseadas em regras que não envolvem maior risco do que aquele que seria assumido investindo em um fundo indexado ao mercado de ações total e de baixo custo.

Nos capítulos anteriores argumentei que o núcleo de todo portfólio de investimento deveria consistir de fundos indexados de baixo custo, baixa tributação e base ampla. Na verdade, desde a primeira edição deste livro, em 1973 – mesmo antes que os fundos indexados existissem –, recomendei que fossem criados, porque tais fundos atenderiam aos investidores bem melhor do que fundos ativamente geridos caros e de alta tributação. Conservando um portfólio contendo todas as ações do mercado, em proporção ao seu tamanho relativo ou sua capitalização (o número de ações em circulação vezes seu preço), o investidor teria a garantia de receber o retorno do mercado. Os indícios substanciais citados nos capítulos anteriores deixam claro que os fundos indexados geralmente fornecem retornos líquidos maiores aos investidores do que os fundos ativamente geridos que tentam superar o mercado.

Se comprar um fundo indexado do mercado de ações (americano) total, como recomendei, o investidor receberá a taxa de retorno do mercado, assumindo também os riscos das altas e baixas típicas do mercado de ações americano. Lembre-se de que o risco do mercado é medido por beta e que o beta do mercado é definido como tendo o valor 1, como apresentado na discussão do modelo de precificação de ativos financeiros no Capítulo 9. Ao assumir o risco de estar no mercado de ações, o investidor recebe um prêmio de risco, definido como o retorno excedente do mercado acima dos retornos seguros que teria obtido conservando letras do Tesouro dos Estados Unidos.

Esse prêmio pelo risco por aceitar os altos e baixos voláteis dos preços das ações tem sido substancial. Desde 1927, as ações recompensaram os investidores com retornos (incluindo dividendos e aumentos de preços) de cerca de 7 pontos percentuais anuais acima do retorno das letras do Tesouro. O Índice de Sharpe para investidores num índice amplo do mercado de ações desde 1927 tem sido 0,42. Mas ocorreram longos períodos em que as ações tiveram desempenho ruim e geraram retornos inferiores comparados com ativos seguros. Durante os nove anos de março de 2000 a março de 2009, os preços das ações na verdade declinaram. Desse modo, o investidor em ações precisa ser capaz de aceitar longos períodos de desempenho sofrível.

Ao avaliar a utilidade de inclinar um portfólio em qualquer direção (ou em várias direções simultaneamente), empregaremos uma ferramenta comumente usada por acadêmicos e profissionais chamada de Índice de Sharpe. Essa ferramenta estatística foi criada por William Sharpe, um dos desenvolvedores do modelo de precificação de ativos financeiros (CAPM). Sabemos que os investidores desejam altas recompensas (altos retornos) e baixo risco (baixa volatilidade). O Índice de Sharpe combina esses elementos em uma só estatística. O numerador é o retorno da estratégia ou, mais comumente, o retorno excedente acima da taxa livre de risco (geralmente a taxa da letra do Tesouro de três meses). O denominador é o risco ou a volatilidade da estratégia medido pelo desvio-padrão dos retornos (quão variáveis têm sido ao longo do tempo). Se a estratégia A produz retorno excedente de 10% com 20% de volatilidade e a estratégia B produz o mesmo retorno com 30% de volatilidade, podemos dizer que a estratégia A é preferível, porque tem um Índice de Sharpe maior – tem retorno maior por unidade de risco.

$$\text{Índice de Sharpe}_A = \frac{\text{Retorno} = 0{,}10}{\text{Risco} = 0{,}20} = 0{,}50$$

$$\text{Índice de Sharpe}_B = \frac{\text{Retorno} = 0{,}10}{\text{Risco} = 0{,}30} = 0{,}33$$

Os administradores de investimentos "beta inteligentes" querem que acreditemos que a pura indexação, em que cada empresa tem um peso no portfólio dado pelo tamanho da sua capitalização total, não é uma estratégia ótima. Uma relação risco/retorno melhor (ou seja, um Índice de Sharpe maior) pode ser obtida. O segredo consiste em inclinar o portfólio ("dar um sabor") em certa direção, como "valor" *versus* "crescimento", empresas pequenas *versus* grandes e ações relativamente fortes *versus* fracas.

Outras inclinações ou "sabores" que foram sugeridos incluem "qualidade" (englobando atributos como vendas estáveis, crescimento dos lucros e baixa alavancagem), rentabilidade, baixa volatilidade e liquidez. Assim como a boa culinária mescla uma série de bons sabores, alguns portfólios "beta inteligentes" mesclam dois ou mais sabores. Existem portfólios que mesclam "valor" com "tamanho pequeno", assim como aqueles que mesclam diversos dos sabores mencionados.

As estratégias de "beta inteligente" estão relacionadas aos modelos multifatores discutidos no Capítulo 9. De fato, a técnica é muitas vezes chamada de investimento baseado em fatores. Se supomos que o beta do modelo de precificação de ativos financeiros é uma medida do risco incompleta, as inclinações ou os sabores listados anteriormente podem ser considerados fatores de risco adicionais. Ao inclinar o portfólio para empresas menores, por exemplo, o investidor está fazendo uma aposta de que o prêmio de risco de empresas menores pode aumentar os retornos. Aqui, claro, "beta inteligente" é interpretado como uma técnica para aumentar retornos assumindo um risco adicional.

QUATRO SABORES AGRADÁVEIS:
SEUS PRÓS E CONTRAS

1. O valor vence

Em 1934, David L. Dodd e Benjamin Graham publicaram um manifesto para investidores que atraiu muitos adeptos, inclusive o lendário Warren Buffett. Eles argumentaram que o "valor" vence com o tempo. Para achar "valor", os investidores deveriam buscar ações com índices preço/lucro baixos e preços baixos em relação ao valor contábil. O "valor" baseia-se em realidades atuais em vez de projeções de crescimento futuro. A teoria resultante é compatível com as visões dos behavioristas de que os investidores tendem a confiar demais na capacidade de projetar grande crescimento dos lucros e, assim, a pagar demais por ações de "crescimento".

Tenho grande simpatia intelectual por essa abordagem. Uma de minhas regras cardeais da seleção de ações é buscar empresas com boas perspectivas de crescimento que ainda não foram descobertas pelo mercado de ações e são vendidas a índices P/L relativamente baixos. Essa abordagem costuma ser descrita como "crescimento a preço razoável". Tenho alertado repetidamente os investidores para os perigos de ações em voga com altos índices P/L. Particularmente em razão da dificuldade de prever o crescimento dos lucros, é melhor aplicar em ações com índices P/L baixos. Se o crescimento ocorrer, tanto os lucros quanto o índice P/L provavelmente crescerão, dando ao investidor um duplo benefício. Comprar uma ação com índice P/L alto cujos lucros acabam não crescendo sujeita os investidores a um duplo revés. Tanto os lucros como o índice podem cair.

Existem sinais de que um portfólio com ações de índice P/L relativamente baixo (bem como índices baixos de valor contábil, fluxo de caixa e/ou vendas) produz taxas de retorno acima da média mesmo após os ajustes para o risco, como medidas pelo modelo de precificação de ativos financeiros. Por exemplo, as cifras a seguir mostram o retorno de dez grupos de ações de mesmo tamanho, classificados por seus índices P/L. O Grupo 1 tinha o P/L mais baixo, o Grupo 2, o segundo menor, e assim por diante. A figura mostra que, com o aumento do P/L de um grupo de ações, o retorno decrescia.

RETORNOS ANUAIS MÉDIOS VERSUS ÍNDICE P/L

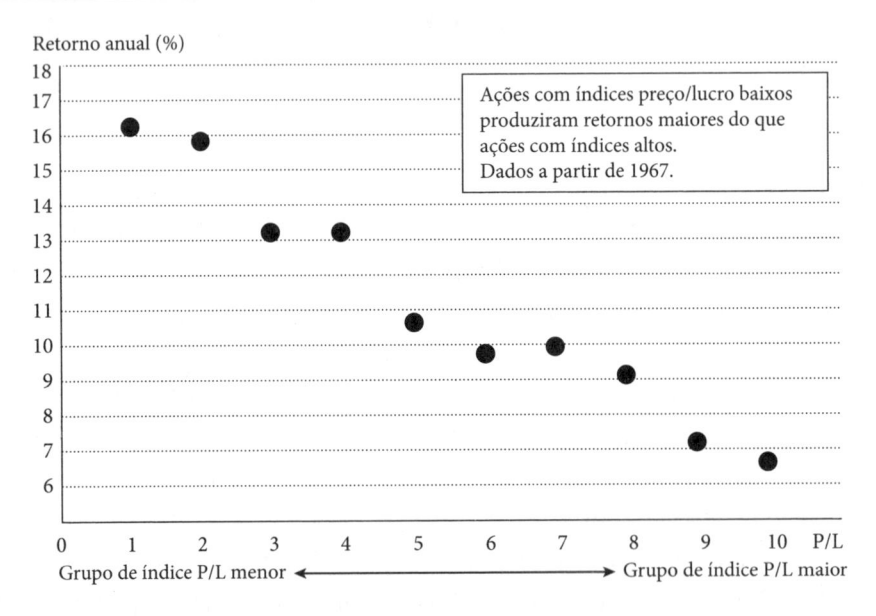

Ações com índices preço/lucro baixos produziram retornos maiores do que ações com índices altos. Dados a partir de 1967.

Fonte: Stern School of Business, Universidade de Nova York.

Outro padrão de retorno previsível é a relação entre o índice preço da ação/valor contábil (o valor dos ativos da empresa conforme registrado em seus livros contábeis) e seu retorno futuro. Ações vendidas por índices preço da ação/valor contábil baixos tendem a produzir retornos futuros maiores. Esse padrão parece valer para mercados de ações americanos e estrangeiros, como mostrado por Fama e French, cujo trabalho foi descrito no Capítulo 9.

Índices preço/lucro e preço/valor contábil baixos podem refletir fatores de risco que são incorporados ao preço de mercado. Empresas com algum grau de dificuldade financeira tendem a ter suas ações vendidas a preços baixos em relação aos lucros e valores contábeis. Por exemplo, os grandes bancos de centros financeiros como Citigroup e Bank of America tiveram suas ações vendidas a preços bem inferiores aos valores contábeis informados durante 2009, quando parecia que essas instituições poderiam ser incorporadas pelo governo e o patrimônio líquido poderia ser eliminado.

A medida-padrão do fator de valor é chamada de HML – o retorno dos 30% das ações vendidas pelos índices de valor contábil mais altos menos o retorno dos 30% das ações vendidas pelos índices de valor contábil mais baixos. De 1927 a 2017, o prêmio de risco anual disponível por conservar um portfólio de ações de "valor" foi de 4,9%.

Outra forma de medir o prêmio de valor é calcular seu Índice de Sharpe. Desde 1927, o fator de valor (como medido pelo HML) produziu um Índice de Sharpe de 0,34 – uma recompensa considerável para o risco relativo quase tão grande quanto a do fator de mercado beta já discutido.

É possível comprar portfólios que dividem o portfólio do mercado de ações amplo em dois componentes: de "valor" e de "crescimento". O componente de "valor" contém aquelas ações com os menores índices P/L e preço da ação/valor contábil. Um fundo negociado em bolsa de "valor" representativo patrocinado pelo Vanguard Group é transacionado sob o código VVIAX. Esse fundo pretende rastrear o desempenho do Índice de Valor de Alta Capitalização CRSP U.S., um índice amplamente diversificado constituído predominantemente por ações de "valor" de grandes empresas americanas. Ele tenta replicar o índice-alvo investindo todos, ou quase todos, os seus ativos nas ações que constituem o índice, conservando cada ação aproximadamente na mesma proporção de seu peso no índice. O fundo negociado em bolsa Vanguard VIGAX rastreia o desempenho do componente de "crescimento" do Índice de Alta Capitalização CRSP. Fundos de "valor" e "crescimento" negociados em bolsa estão disponíveis também para índices amplos de baixa capitalização.

2. Quanto menor, melhor

Outro padrão que os investigadores acadêmicos acharam nos retornos das ações é a tendência, em longos períodos, de as ações das empresas pequenas gerarem retornos maiores do que as ações das empresas de grande porte. Desde 1926, de acordo com a Ibbotson Associates, ações de empresas pequenas nos Estados Unidos produziram taxas de retorno cerca de 2 pontos percentuais maiores do que os retornos das ações de empresas de grande porte. O gráfico abaixo mostra o trabalho de Fama e French, que dividiram as ações em decis de acordo com seu tamanho. Eles descobriram que o decil 1, os 10% de ações com a menor capitalização total, produziu a maior taxa de retorno, enquanto o decil 10, as ações de maior capitalização, produziu a taxa de retorno menor. Além disso, as empresas pequenas tenderam a superar o desempenho das empresas maiores com os mesmos níveis beta. Embora mais estudos tenham lançado dúvida sobre a durabilidade do fenômeno do tamanho, bem como sobre a viabilidade de os investidores capturarem o efeito, por causa da baixa liquidez das ações das empresas pequenas, parece que o tamanho é, sim, um fator que explica os retornos históricos.

RETORNOS MENSAIS MÉDIOS *VERSUS* TAMANHO: 1963-1990

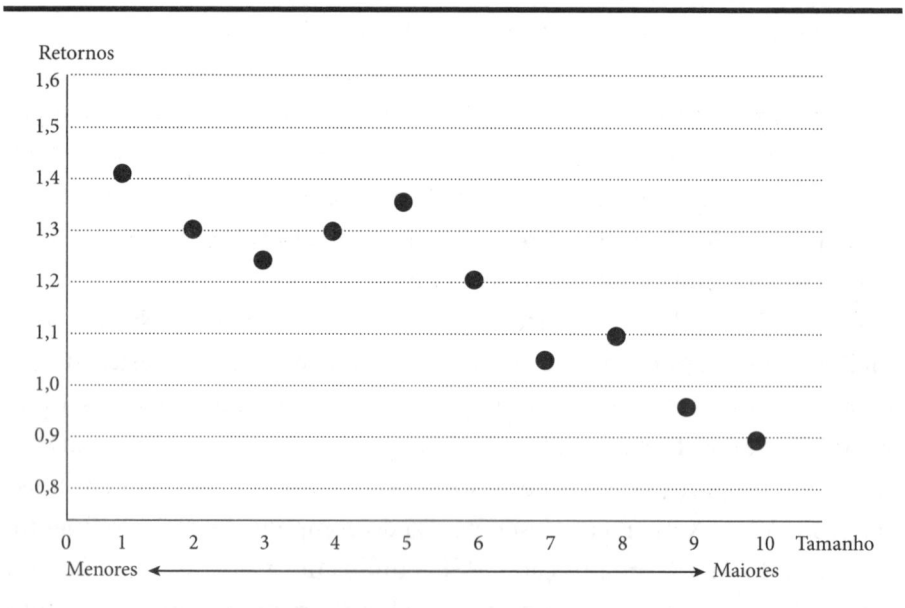

Fonte: Fama e French, "The Cross-Section of Expected Stock Returns", *Journal of Finance* (junho de 1992).

Não obstante, precisamos lembrar que empresas pequenas podem ser mais arriscadas do que empresas grandes e é justo que ofereçam uma taxa de retorno maior aos investidores. Desse modo, ainda que o "efeito das empresas pequenas" viesse a persistir no futuro, tal descoberta não violaria a eficiência do mercado. Os retornos mais altos de empresas menores podem simplesmente ser a recompensa necessária devida aos investidores por assumirem maior risco. O tamanho é, portanto, um fator de risco que merece ser compensado com retorno adicional.

O fator de tamanho é calculado medindo o retorno anual médio das menores 50% das ações no mercado e depois subtraindo o retorno anual médio das maiores 50% das ações. No período de 1927 até 2017, o tamanho do prêmio foi de 3,3 pontos percentuais. O efeito do tamanho produziu um Índice de Sharpe de 0,25.

3. Existe certo impulso no mercado de ações

Os primeiros trabalhos empíricos sobre o comportamento dos preços das ações retrocedendo ao início do século XX, descobriram que uma sequência de números aleatórios tinha a mesma aparência de uma série temporal de preços das ações. Mas, embora esses estudos respaldassem uma descoberta geral de aleatoriedade, trabalhos mais recentes indicaram que o modelo do passeio aleatório não se sustenta estritamente. Parecem existir alguns padrões no desenvolvimento dos preços das ações. Durante tempos de manutenção curtos, existem certos indícios de impulso no mercado de ações. É ligeiramente mais provável que aumentos dos preços das ações sejam seguidos por mais aumentos do que por declínios de preços. Para períodos de manutenção mais longos, a reversão à média parece ser o padrão. Quando grandes aumentos de preço foram experimentados por um período de meses ou anos, tais aumentos costumam ser seguidos por fortes reversões.

Duas explicações possíveis para a existência do impulso foram oferecidas: a primeira baseia-se em considerações comportamentais; a segunda, nas reações morosas a novas informações. Robert Shiller, um dos líderes no campo das finanças comportamentais, enfatizou em 2000 um mecanismo de feedback psicológico transmitindo um grau de impulso aos preços das ações, especialmente durante períodos de entusiasmo extremo. As pessoas, vendo os preços das ações subindo, são atraídas ao mercado em uma espécie de "efeito adesão". A segunda explicação baseia-se no argumento de que os investidores não ajustam suas expectativas imediatamente quando chegam as notícias – especialmente notícias de lucros de empresas que excederam a previsão (ou ficaram aquém). Alguns investigadores constataram que retornos anormalmente altos sucedem lucros acima das expectativas dos analistas, já que os preços do mercado parecem reagir apenas de modo gradual às informações sobre lucros.

É difícil interpretar os indícios de impulso no mercado de ações como reflexos do risco. É fato, porém, que ocorrem frequentes "colapsos do impulso", quando as ações que foram favoritas do mercado sofrem reversões punitivas. Certamente existe um grau de risco nas estratégias de seguir tendências.

O impulso é tipicamente medido olhando-se o retorno dos últimos doze meses, excluído o mais recente. O mês mais recente é eliminado porque com frequência exibe uma reversão. A medida do fator de impulso é o retorno médio dos 30% das ações com melhor desempenho menos o retorno médio dos 30% das ações com pior desempenho. De 1927 a 2017, uma estratégia de impulso envolvendo uma posição comprada nas ações de melhor desempenho e uma posição vendida naquelas de pior desempenho gerou um prêmio de risco de 9,2 pontos percentuais e um Índice de Sharpe de 0,58, ambos maiores até do que o fator beta do CAPM. Claro que o pressuposto na medição de todos os fatores é que o investidor está comprado nas ações de impulso mais forte, valor mais profundo e tamanho menor, e vendido nas ações na outra extremidade do espectro. Não são levados em conta custos de transação, impostos e outros possíveis gastos de implementação.

4. Ações de baixo beta dão os mesmos retornos das ações de alto beta

Lembre-se da discussão do Capítulo 9 demonstrando o resultado empírico de que a relação entre beta e retorno era uniforme. Ações de beta alto não produzem os retornos maiores supostos pelo modelo de precificação de ativos financeiros (leitores esquecidos podem voltar ao gráfico da página 195, que apresenta os resultados do estudo de Fama-French). Mas, como ações de beta baixo são menos voláteis, um investidor pode melhorar seu Índice de Sharpe conservando portfólios de beta baixo. Desse modo, a baixa volatilidade pode ser considerada um fator adicional capaz de melhorar a relação risco/retorno do investidor. A relação entre beta e retorno é relativamente uniforme no âmbito internacional.

Os investidores podem explorar esse fato para forjar uma variedade de estratégias de portfólio de "apostas contra beta". Por exemplo, suponha que portfólios de beta muito baixo possuem um beta de 0,5 (eles têm metade da volatilidade do portfólio do mercado amplo), mas produzem o mesmo retorno do mercado, que por definição tem um beta 1. Suponha que o retorno do mercado foi de 10%. Ao comprar um portfólio de beta baixo com dinheiro emprestado (aplicando 50 cents para cada dólar de valor de mercado), um investidor poderia dobrar beta e dobrar o retorno do portfólio de beta baixo. Veremos na discussão da última metade deste capítulo que tal técnica é a base do chamado investimento de paridade de risco.

O que poderia dar errado?

Agora veremos se as estratégias funcionam com dinheiro real como nos estudos de dados. Ao menos historicamente, os quatro fatores considerados anteriormente – valor, tamanho, impulso e beta baixo – têm produzido bons retornos ajustados ao risco. Pareceria que inclinar os portfólios nessas direções poderia ser uma estratégia de investimento inteligente. Mas na prática os investidores podem não conseguir capturar os prêmios por risco adicional que parecem estar disponíveis.

Lembre-se de que os resultados de risco/retorno reais que os pesquisadores têm calculado geralmente presumem que o portfólio está comprado em um fator e vendido em outro (por exemplo, comprado no valor, vendido no crescimento). Na prática, tal estratégia pode envolver consideráveis custos de transações e pode ser difícil de implementar. O custo de pegar ações emprestadas para realizar uma venda a descoberto pode ser muito caro e o suprimento de ações disponíveis para empréstimo pode ser limitado. Se os retornos dos fatores são causados por erros comportamentais em vez de reflexos de riscos, podem ser eliminados via arbitragem com o tempo, em particular conforme mais dólares de investimentos fluem para produtos "beta inteligentes". De fato, tem havido uma tendência de os prêmios de fatores no mercado se diluírem depois de serem reconhecidos e receberem ampla publicidade.

Existem fundos de investimento e fundos negociados em bolsa disponíveis que permitem aos investidores comprar um portfólio que se concentre em cada um dos quatro fatores discutidos. Os fundos negociados em bolsa VTI e SPY permitem aos investidores uma ampla exposição ao "mercado de ações total" e ao S&P 500, respectivamente. Esses são os fundos indexados simples que venho há muito recomendando para dar exposição beta ao mercado. Como indicado, o fundo negociado em bolsa VVIAX, patrocinado pelo Vanguard Group, é um fundo de "valor" representativo que acompanha o desempenho do Índice de Valor de Alta Capitalização CRSP U.S., um índice amplamente diversificado constituído predominantemente de ações de "valor" de grandes empresas americanas. O fundo negociado em bolsa Vanguard VIGAX acompanha o desempenho do componente de "crescimento" do Índice de Alta Capitalização CRSP. Fundos negociados em bolsa de "valor" e "crescimento" estão disponíveis também para índices amplos de baixa capitalização.

Instrumentos de investimento contendo portfólios de ações inclinados para empresas de pequeno porte, ou seja, ações de baixa capitalização, também estão disponíveis. Por exemplo, o fundo negociado em bolsa (sigla inglesa ETF, de Exchange Traded Fund) sob o código IWB acompanha o Índice Russell 1000 das mil maiores empresas americanas. O ETF IWN acompanha o Índice Russell 2000 de baixa capitalização contendo as 2 mil maiores empresas em tamanho (capitalização total) que se seguem a essas mil. Além disso, existem ETFs que inclinam o portfólio para ações que estão exibindo uma força relativa em comparação com o mercado inteiro. O fundo AMOMX, patrocinado pela empresa de investimentos AQR, investe em empresas de alta e média capitalização que estejam determinadas a ter impulso positivo. Existe também um ETF SPLV de fator único, que compra ações de baixa volatilidade.

Existem centenas de ETFs de fator único no mercado americano agora. Além disso, existem centenas de fundos mútuos que buscam se concentrar em um fator único. Juntos, esses fundos administram mais de meio trilhão de dólares em ativos. Alguns já existem há mais de 25 anos, de modo que temos indícios substanciais de como funcionam na prática. Os indícios de que produtos "beta inteligentes" de fator único não produziram resultados superiores são claros.

Na tabela abaixo comparamos os resultados de quatro ETFs de fator único com fundos indexados simples. Na comparação, usamos um fundo indexado do mercado de ações total da Vanguard (código VTSAX) em que o fundo de fator foi projetado como um fundo de alta capitalização. Para o ETF de fator de baixa volatilidade usamos um fundo indexado ao S&P 500 de alta capitalização equivalente para comparação. A tabela apresenta os resultados: os fundos de fator único produziram retornos mais ou menos equivalentes – ou inferiores – aos fundos indexados de base ampla. Eles também passaram por longos períodos de baixo desempenho. Além disso, não houve melhoria significativa nos retornos ajustados ao risco, como evidenciado por seus Índices de Sharpe. O ETF de baixa volatilidade produziu um Índice de Sharpe ligeiramente maior, mas tem um retorno inferior. O investimento "beta inteligentes" com produtos de fator único não se revelou um investimento inteligente.

**AVALIAÇÃO DE FUNDOS DE FATOR ÚNICO
(AO LONGO DA VIDA DO FUNDO ATÉ 2018)**

Fator (fundo e início do período de comparação)	Retorno excedente versus Índice do Mercado de Ações Total VTSAX	Índice de Sharpe excedente versus Índice do Mercado de Ações Total VTSAX
Value Vanguard VVIAX (a partir de 12/92)	0,02	0
Size Vanguard VSMAX (a partir de 09/00)	-1,74	-0,21
Momentum* AQR AMOMX (a partir de 08/09)	-0,45*	-0,18
Low Volatility Power Shares 500 SPLV (a partir de 05/11)	-0,95*	+0,21*

* Comparação feita com o Vanguard 500 Index Fund VFIAX.

Estratégias de fatores mesclados

Até agora examinamos o emprego de inclinações (ou sabores) de fatores como "valor", "tamanho" e "impulso" isoladamente na construção de portfólios. A partir daqui podemos examinar se estratégias mescladas, nas quais diferentes inclinações ou sabores são aplicados simultaneamente, podem produzir resultados mais consistentes. Talvez a diversificação entre os diferentes fatores possa produzir retornos melhores ou risco menor para um dado nível de retorno. A diversificação de fatores deveria ajudar se a correlação entre eles for pequena, como mostramos no Capítulo 8, sobre a teoria do portfólio. Se, na verdade, a correlação entre alguns fatores for negativa, deveríamos esperar retornos ajustados ao risco ainda maiores das estratégias mescladas.

Na realidade, as correlações entre os fatores são baixas ou negativas. Por exemplo, o fator impulso se correlaciona negativamente com os fatores beta do mercado, valor e tamanho. Desse modo, os resultados deveriam melhorar captando-se os benefícios de diversificação potenciais do uso de estratégias de fatores mesclados. Por exemplo, quando a inclinação para o valor não está funcionando, uma exposição ao impulso tenderá a melhorar os retornos. A tabela abaixo mostra as correlações medidas entre fatores no período 1964-2017.

CORRELAÇÕES ENTRE FATORES (1964-2017)

Fator	Beta do mercado	Tamanho	Valor	Impulso
Beta do mercado	1,00	0,26	-0,25	-0,18
Tamanho	0,26	1,00	0,02	-0,12
Valor	-0,25	0,02	1,00	-0,20
Impulso	-0,18	-0,12	-0,20	1,00

Fonte: Andrew L. Berkin e Larry E. Swedroe, *Your Complete Guide to Factor-Based Investing*.

Andrew Berkin e Larry Swedroe, os autores de um excelente guia do investimento baseado em fatores, simularam resultados da construção de portfólios combinando as diferentes inclinações de fatores. Na tabela anterior, o portfólio mesclado é alocado colocando 25% dos fundos investidos em cada um dos quatro fatores: beta do mercado, tamanho, valor e impulso. Observamos que o portfólio mesclado exibe uma instabilidade tremendamente menor (desvio-padrão dos retornos) e um Índice de Sharpe bem maior.

RESULTADOS SIMULADOS DE SWEDROE E BERKIN: 1927-2017 RETORNO E RISCO

	Retorno médio (%)	Desvio-padrão (%)	Índice de Sharpe
Beta do mercado	8,5	20,4	0,42
Tamanho	3,2	13,8	0,23
Valor	4,9	14,2	0,34
Impulso	9,2	15,8	0,58
Portfólio mesclado	6,4	8,8	0,73

Claro que esses resultados simulados não levam em conta quaisquer taxas de administração ou custos de transação. Além disso, os segmentos individuais de tamanho, valor e impulso são portfólios comprados/vendidos* e supõe-se que não haja dificuldades em efetuar vendas a descoberto. A questão que permanece é se os ganhos simulados no desempenho do portfólio podem realmente ser obtidos na prática.

FUNDOS MESCLADOS NA PRÁTICA

Dimensional Fund Advisors (DFA)

A empresa de investimentos Dimensional Fund Advisors foi formada no início da década de 1980 para fornecer aos investidores veículos que aplicam estratégias de fatores mesclados a portfólios reais. Os portfólios são projetados usando os fatores tamanho e valor do modelo de três fatores de Fama-French, aumentados por uma inclinação para um forte impulso de preço recente e forte crescimento da rentabilidade. A DFA administrava mais de 500 bilhões de dólares em ativos no início de 2018.

Os fundos da DFA experimentaram um desempenho um pouco melhor do que muitas das outras ofertas "beta inteligentes" disponíveis aos investidores. Geralmente são de baixo custo, com taxas de despesas apenas moderadamente superiores àquelas dos ETFs ponderados pela capitaliza-

---

* Por exemplo, o portfólio de tamanho mantém as ações menores como uma posição comprada, enquanto vende a descoberto as ações maiores. (N. do A.)

ção de base ampla. Porém são vendidos apenas por meio de consultores de investimentos americanos, que cobram pela prestação do serviço, sem comissões extras por direcionar os investidores a fundos específicos. Assim, esses consultores tendem a não sofrer conflitos de interesses, ao contrário de muitos outros profissionais. Não obstante, suas taxas podem chegar a 1% ou mais, portanto os retornos extras obtidos de muitos desses fundos da DFA precisam abatê-las. Na tabela da página 250 apresentamos os resultados do fundo de valor de baixa capitalização (Small-Cap Value, código DFSVX) e do fundo de valor de alta capitalização (Large-Cap Value, DFLVX). A DFA deixa explícito que quaisquer retornos extras representam uma remuneração apropriada pelo risco adicional dos portfólios. Note também que os fundos da DFA, como todos os fundos "beta inteligentes", passam por períodos de mau desempenho.

Índice Fundamental da Research Affiliates (RAFI)

Pelo critério do sucesso comercial, os fundos "beta inteligentes" RAFI também têm tido sucesso em reunir ativos. No início de 2018, a empresa administrava mais de 200 bilhões de dólares. Ao contrário da DFA, a Research Affiliates afirma que as ineficiências do mercado, e não o risco, explicam quaisquer retornos excedentes produzidos. O fundador da Research Affiliates, Robert Arnott, consegue encantar auditórios ao argumentar que a ponderação pela capitalização (ou seja, ponderar pelo valor de mercado de cada empresa) implica que detentores de tais portfólios sempre estarão conservando uma fração exagerada de ações de crescimento caras demais. Ele evita esse problema ajustando o peso de cada ação à sua pegada econômica, como lucros, ativos e assemelhados. Ele chama isso de "Indexação Fundamental". Claro que essa ponderação dá aos portfólios RAFI uma inclinação para o valor e tamanho pequeno, de modo que os portfólios se assemelham a outras ofertas de "beta inteligente" multifatores. O fundo negociado em bolsa RAFI é transacionado sob o código PRF.

O PRF forneceu excelentes resultados em 2009. Nesse ano, o portfólio RAFI aumentou substancialmente o peso de ações de grandes bancos, que estavam saindo da crise financeira, já que essas ações eram vendidas com descontos excepcionalmente altos em relação aos seus "valores" contábeis (ativos). O Índice Fundamental RAFI tinha cerca de 15% de seu portfólio em duas ações (Citigroup e Bank of America) naquela época. Acabou que esse aumento do peso ajudou a produzir excelentes retornos. Mas não estava claro na época se os bancos em apuros conseguiriam evitar a nacionalização (estatização). De qualquer modo, a estratégia envolvia um risco considerável. É difícil evitar a conclusão de que o sucesso do RAFI em gerar retornos excedentes resultou de assumir maior risco, e não de ações de crescimento com preços errados.

Fundo negociável em bolsa beta ativo Goldman Sachs

A Goldman Sachs lançou seu fundo "beta inteligente" em 2015. O fundo negociado em bolsa é transacionado sob o código GSLC. O ETF da Goldman apoia-se em quatro fatores: bom preço, impulso forte, alta qualidade e baixa volatilidade. A taxa de despesas do fundo era de apenas nove pontos-base (9/100 de 1%), a menor entre as ofertas de "beta inteligente". Essa taxa de despesas está próxima do fundo indexado do mercado de ações total mais baixo, que simplesmente compra e conserva todas as ações no mercado.

Portfólios igualmente ponderados

Ao ponderar cada ação de um índice igualmente em vez de ponderar pela capitalização total, um investidor pode obter retornos semelhantes aos de alguns dos modelos multifatores. Um portfólio S&P 500 igualmente ponderado incluiria cada ação a um peso de 1/500. A ponderação igual, portanto, aumenta o peso de empresas pequenas e ações de valor, enquanto reduz o peso das ações de crescimento por capitalização mais populares como Amazon e Alphabet (Google). O ETF Guggenheim Equal Weight 1000 (EWRI) investe em cada ação do Índice Russell 1000 a um peso de 1/1.000 e o portfólio é periodicamente reequilibrado. Portfólios igualmente ponderados têm características de diversificação e risco bem diferentes daquelas dos portfólios ponderados pela capitalização. Também são fiscalmente ineficientes, já que reequilibrar envolve vender ações cujos preços mais subiram a fim de reduzir seu peso no portfólio.

Os históricos dos fundos multifatores têm sido um tanto promissores. Por terem sido capazes de se beneficiar das correlações baixas ou negativas entre os fatores, conseguiram fornecer aumentos moderados do retorno, com Índices de Sharpe muito próximos daqueles dos índices do mercado de ações amplo. Mas podem ser um pouco menos eficientes sob o aspecto fiscal, já que o reequilíbrio envolvido na execução da estratégia pode produzir ganhos de capital tributáveis. Além disso, os investidores precisam estar cientes das taxas extras que serão cobradas pelo acesso a fundos multifatores só oferecidos por consultores de investimentos.

AVALIAÇÃO DE FUNDOS MULTIFATORES (AO LONGO DA VIDA DO FUNDO ATÉ 2018)

Fundo	Retorno excedente versus Índice do Mercado de Ações Total VTSAX	Índice de Sharpe excedente versus Índice do Mercado de Ações Total VTSAX
DFA Large-Cap Value (a partir de 03/93)	+0,81	-0,02
DFA Small-Cap Value (a partir de 04/93)	+2,21	-0,01
Power Shares RAFI (a partir de 01/06)	+0,24	-0,06
Equal Weight* ETF RSP (a partir de 05/03)	+1,57*	-0,01*

* Comparação feita com o Vanguard 500 Index Fund VFIAX.

IMPLICAÇÕES PARA INVESTIDORES

As estratégias de "beta inteligente" dependem de um tipo de gestão ativa. Não são ativas no sentido usual da palavra. Não tentam selecionar ações individuais, mas inclinam o portfólio para diferentes características que historicamente parecem gerar retornos maiores do que os do mercado. A seu favor, os portfólios "beta inteligentes" fornecem essas inclinações de fatores por taxas de despesas que costumam ser consideravelmente menores do que aquelas cobradas por gestores ativos tradicionais.

Em geral, os históricos dos fundos "beta inteligentes" de fator único e ETFs têm sido irregulares. Muitos ETFs de fator único não conseguiram produzir retornos excedentes confiáveis. Além disso, esses fundos são mais fortemente tributados do que os fundos ponderados pela capitalização que não requerem reequilíbrio.

Os fundos "beta inteligentes" multifatores parecem ter produzido resultados melhores ao se beneficiarem das correlações baixas ou negativas entre os fatores. Sobretudo quando podem ser obtidos com taxas de despesas baixas, são capazes de suplementar um portfólio de índice de núcleo de base ampla. Mas quaisquer retornos excedentes ou Índices de Sharpe mais favoráveis deveriam ser interpretados como uma recompensa por assumir riscos extras. Ao se afastarem do portfólio do mercado, os investidores estão assumindo um conjunto diferente de riscos. Portfólios "beta inteligentes" podem não representar uma ratoeira para os investidores, mas eles devem tomar cuidado para não cair nas próprias armadilhas mais arriscadas.

Os portfólios "beta inteligentes" têm sido objeto de considerável exagero de marketing. São muitas vezes uma evidência do marketing inteligente, e não do investimento inteligente. Se as estratégias de "beta inteligente" se revelarão válidas no futuro, vai depender crucialmente das avaliações do mercado existentes na época em que a estratégia for implementada. As estratégias de "valor" americanas tiveram um desempenho extraordinário ao saírem da bolha da internet, quando ações de "crescimento" de tecnologia estavam com preços altos em relação à maioria das ações de "valor". De modo similar, ações de baixa capitalização se saíram particularmente bem quando tinham preços baratos em relação às ações de alta capitalização. Os investidores devem estar cientes de que, se "valor" e "tamanho pequeno" encarecem à medida que os fundos "beta inteligentes" vão se popularizando, os resultados podem ser decepcionantes.

Estratégias que se tornam bem conhecidas com frequência perdem sua eficácia após a publicação de seus resultados. Especialmente quando dependem de erros de precificação, e não da compensação pelo risco. Desse modo, não há razão para modificar o velho conselho das edições anteriores deste livro: o núcleo de todo portfólio deveria consistir em fundos indexados de baixo custo, baixa tributação e base ampla. Se você quiser tentar a sorte apostando que alguns fatores de risco gerarão melhores retornos ajustados ao risco no futuro, pode fazer isso com mais prudência se o núcleo de seu portfólio consistir em fundos indexados de base ampla ponderados pela capitalização. E, caso queira acrescentar fatores de risco na busca por retorno extra, recomendo uma oferta multifatores de baixo custo em vez de um fundo concentrado num único fator de risco.

PARIDADE DE RISCO

Ray Dalio é um indivíduo singular. É ao mesmo tempo um bilionário que está entre os mais ricos do mundo e um autor de grandes best-sellers. Ele administra os maiores fundos hedge do mundo na Bridgewater Associates, onde desenvolveu o altamente bem-sucedido fundo de paridade de risco chamado All Weather Fund. Em seu livro, intitulado *Princípios*, ele descreve os mais de 200 princípios que guiaram sua empresa.

Não está claro se *Princípios* é um modelo para mostrar às pessoas como ter sucesso na área dos investimentos. Com certeza não se pode discordar da ideia de que as estratégias de investimento precisam ser "baseadas em indícios" e resistir ao teste do debate vigoroso e das críticas dos outros. Mas o ambiente de trabalho que Dalio criou na Bridgewater tem sido descrito como tóxico.

Dalio insiste que os funcionários sejam constantemente avaliados com "honestidade radical" em vez de gentileza, na tentativa de alçar seu desempenho ao nível máximo. São coletadas observações diárias (chamadas de pontos) sobre a eficácia da organização e de seus funcionários individualmente. Todas as reuniões são gravadas. Os funcionários estão sujeitos a críticas em público e uma ficha detalhando seus pontos fracos está disponível on-line para todos na organização verem. As críticas em público de funcionários que não estão à altura são chamadas de "enforcamentos públicos". Os funcionários são orientados a mirar o exemplo de um bando de hienas assassinando um jovem gnu como um modelo de como lidar entre si no local de trabalho. Não é de admirar que um terço dos funcionários da Bridgewater deixa a empresa após poucos anos. Um funcionário queixou-se à Comissão de Direitos Humanos de Connecticut de que a Bridgewater era um "caldeirão de medo e intimidação".

Mas não dá para negar que a organização produziu resultados de investimentos incomuns. E algumas pessoas têm apreciado essa cultura radical. Uma delas foi um ex-funcionário, James Comey, famoso por atuar no FBI. Comey disse: "Fui 'examinado' nessa estranha viagem de campo pela vida que fiz por um monte de lugares diferentes. Depus em tribunal, atualizei o presidente dos Estados Unidos repetidamente, argumentei diante da Suprema Corte e fui escrutinado na Bridgewater. E a Bridgewater é de longe a mais difícil." E, por mais que vocês critiquem Ray Dalio, Comey disse: "Ele é um canalha inteligente."

Um dos maiores sucessos da Bridgewater foi o desenvolvimento das técnicas de investimento de paridade de risco. O princípio baseado em indícios em que repousa é que ativos relativamente seguros com frequência fornecem retornos maiores do que os que são apropriados para seu nível de risco, enquanto ativos mais arriscados têm preços relativamente altos e dão retornos menores do que deveriam. Os investidores podem, portanto, melhorar seus retornos alavancando os ativos de baixo risco, comprando-os com algum dinheiro emprestado, de modo a aumentar seu risco e retorno, como será mostrado nos exemplos a seguir.

A técnica da paridade de risco

Existem dois métodos pelos quais um investidor pode esperar aumentar o retorno e o risco de um portfólio. Uma técnica é sobrecarregar o portfólio com ativos de maior risco, como ações ordinárias. Um segundo plano é investir num portfólio amplamente diversificado dando um peso substancial a ativos relativamente mais seguros, que prometem retornos modestos e têm volatilidade esperada relativamente baixa. Esse portfólio relativamente seguro pode então ser alavancado para aumentar o risco e o retorno. A essência da paridade de risco é que a segunda estratégia pode, em certas circunstâncias, oferecer ao investidor um retorno esperado melhor por unidade de risco. Sem dúvida, a alavancagem pode criar o próprio conjunto único de riscos extras, já que o investidor alavancado é menos capaz de sair de uma tempestade temporária que muitas vezes engole os mercados financeiros. Mas, para investidores (em especial aqueles com patrimônio líquido alto) com capacidade e temperamento para aceitar os riscos adicionais da alavancagem, a barganha oferecida por portfólios de paridade de risco pode ser suficientemente atrativa para merecer um lugar no portfólio geral.

Existem indícios consideráveis de que os indivíduos parecem pagar demais por apostas que oferecem chances escassas de ganho, mas uma grande recompensa potencial se bem-sucedidas. Imagine que você está num hipódromo. Se apostar em todos os cavalos, certamente será premiado, já que sempre um deles ganhará a corrida. Mas, após receber seu prêmio, você descobriria que perdeu quase 20% do seu dinheiro, já que o hipódromo calcula o pagamento somente após deduzir 20% do montante apostado para cobrir impostos, despesas e lucros. Se você continuasse apostando em cada cavalo, corrida após corrida, perderia sistematicamente 20% do montante apostado.

Em cada corrida, existem cavalos azarões, considerados os mais improváveis de vencer, mas com os maiores pagamentos potenciais. Suponha que você achasse a perspectiva de tais pagamentos altos tão atrativa que apostasse no azarão em cada corrida. Você ganharia ocasionalmente, mas com o tempo perderia cerca de 40% da quantia apostada. Por outro lado, se você aposta no favorito em todas as corridas, ganharia cerca de um terço das vezes. Mesmo assim, com o tempo você perderia, mas apenas uns 5% da quantia apostada. Embora não exista um método seguro de ganhar num hipódromo (a não ser que você tenha uma informação de cocheira de que um cavalo específico foi dopado), é melhor apostar sistematicamente nos favoritos do que nos azarões. Os apostadores do turfe pagam demais por azarões e pela empolgação da possibilidade de uma bolada. Embora em geral as chances das apostas sejam eficientes em prever a ordem de chegada, as pessoas apostam mais nos azarões e menos nos favoritos.

No mundo das classes de ativos, existem também favoritos e azarões. E também parece haver uma tendência dos investidores de pagar demais pelos azarões. Uma impressionante semelhança entre o mercado de ações e as corridas de cavalos é a tendência das pessoas de pagarem demais por investimentos com altos riscos mas uma possibilidade de retornos anormalmente altos. Ações muito seguras (e outros ativos seguros) parecem oferecer retornos maiores do que seu risco garantiria. Vimos um exemplo perfeito dessa descoberta em nossa discussão do modelo de precificação de ativos financeiros no Capítulo 9.

Naquele capítulo examinamos o estudo original de Fama-French mostrando que ações de beta alto (aquelas com a maior sensibilidade a declínios gerais nos preços das ações) não fornecem aos investidores quaisquer taxas de retorno maiores do que ações mais estáveis. Estudos subsequentes confirmaram esses resultados. Essas descobertas estão subjacentes a uma estratégia de paridade de risco possível. Se o padrão histórico de uma relação retorno/beta uniforme continua, o ideal será comprar ativos de beta baixo com dinheiro emprestado para aumentar o risco e o retorno do portfólio ao nível que o investidor deseja. Empregando alavancagem suficiente, será possível aumentar o beta do portfólio até o mesmo nível do portfólio do mercado. Mas o investidor auferirá uma taxa de retorno maior que a do mercado se o padrão histórico continuar.

Títulos de dívida seguros também podem fornecer oportunidades de empregar técnicas de paridade de risco

A descoberta de que ativos de baixo risco parecem produzir taxas de retorno maiores do que costumam ser garantidas por suas características de risco é válida não apenas no mercado de ações, mas também em diferentes classes de ativos. Os títulos de dívida têm cerca de metade da volatilidade das ações. A volatilidade dos retornos desses títulos é cerca de 50% inferior à dos retornos de ações (2% de desvio-padrão dos retornos para ações *versus* menos de 1% para títulos de dívida). Mas os títulos têm produzido retornos médios de 7,1% *versus* retornos das ações de 11,4% no período de 50 anos encerrado em 2016.

A paridade de risco reconhece tais aparentes regularidades empíricas e tenta tirar vantagem delas comprando títulos de dívida com dinheiro emprestado para aumentar a taxa de retorno do portfólio desses títulos, enquanto aumenta o risco do investidor até o nível inerente a conservar um portfólio de ações ordinárias. Um exemplo de tal transação é mostrado na tabela a seguir. Mostraremos quais teriam sido os resultados no período 2007-2016 para um investidor que comprasse títulos de dívida com uma margem de 50%. Esse investidor dobraria seu retorno e seu risco.* Para cada 100 dólares de títulos de dívida comprados, o investidor só tem 50

---

* O cálculo preciso teria de incluir o custo de financiamento da posição alavancada, como, por exemplo, empréstimo à taxa livre de risco. Se a compra com dinheiro emprestado foi financiada pela taxa livre de risco, o retorno do investimento em títulos de dívida alavancado seria reduzido para 9,9%. Mas, mesmo que se contraia um empréstimo e pague uma taxa de juros livre de risco de curto prazo ou um pouco mais, a mesma vantagem continua valendo. A alavancagem desejada pode também ser obtida usando mercados derivativos. O custo embutido de contrair empréstimo via derivativos é tipicamente menor do que a taxa de financiamento de dinheiro. (*N. do A.*)

investidos. Essa técnica dobra o retorno do investidor à custa de dobrar a volatilidade (desvio-padrão) dos retornos do investimento.

UMA ILUSTRAÇÃO DOS RETORNOS DE PARIDADE DE RISCO DE AÇÕES E TÍTULOS DE DÍVIDA, 2007-2016

	Retorno anual médio (%)	Desvio-padrão (%)
S&P500	8,6	2,0
Títulos da dívida do Tesouro americano de 10 anos	5,1	0,8
Investimento em títulos de dívida alavancados (margem de 50%)*	10,2	1,6

* Assumindo um custo de financiamento zero.

Paridade de risco *versus* o portfólio tradicional 60/40

Um argumento alternativo a favor da paridade de risco encontra respaldo também nas técnicas descritas no Capítulo 8, na nossa discussão da teoria do portfólio. Muitos portfólios institucionais e fundos "balanceados" contêm 60% de ações e 40% de títulos de dívida ou usam o referencial 60/40 como substituto do seu referencial de desempenho. A paridade de risco, porém, pode fornecer uma relação risco/retorno melhor.

O portfólio 60/40 pode parecer bem prudente e engenhoso para proteger os investidores das inevitáveis quedas bruscas do mercado de ações. Na verdade, cerca de 90% da volatilidade desses portfólios vêm dos 60% investidos em ações. Além disso, no ano de "crise" de 2008, os portfólios 60/40 perderam mais de 25% de seus valores de mercado. Podemos facilmente demonstrar que um portfólio 60/40 pode não ser o ideal.

Pense no *locus* dos pontos (chamado de *locus* de oportunidade, como o mostrado no gráfico da página seguinte) como representando todas as combinações de ações/títulos de dívida e as características de risco/retorno produzidas pelos portfólios alternativos. O portfólio de menor risco consiste em 100% de títulos de dívida, já que estes possuem um desvio-padrão inferior ao das ações. Acrescentando algumas ações ao portfólio, podemos obter uma taxa de retorno maior, já que os retornos das ações têm sido historicamente superiores aos dos títulos. Para ao menos algumas combinações de ações e títulos de dívida, o desvio-padrão do portfólio resultante pode declinar, já que os títulos tiveram tipicamente correlações baixas (e às vezes até negativas) com as ações. No fim, porém, ao chegarmos a um portfólio de 100% de ações, o risco aumenta, já que o desvio-padrão dos retornos das ações excede aquele dos retornos dos títulos de dívida.

PARIDADE DE RISCO VERSUS PORTFÓLIO 60/40

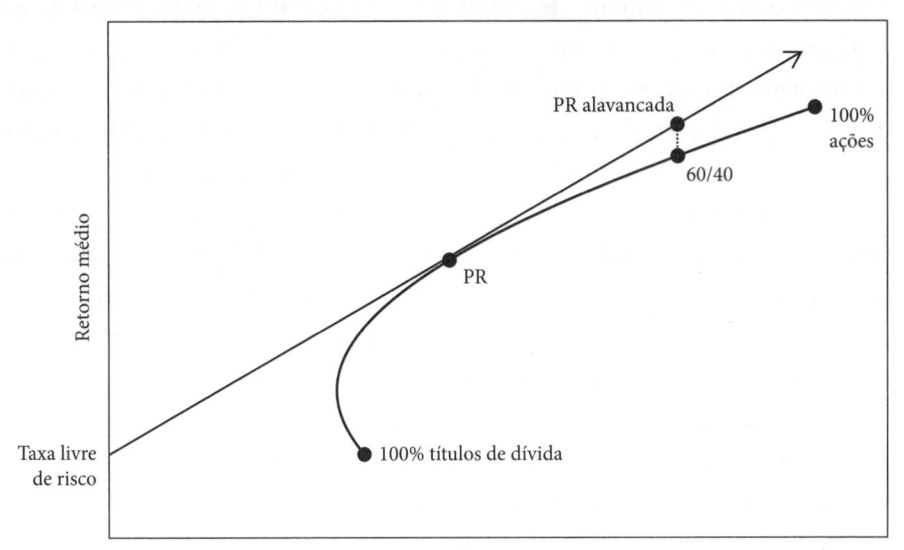

Dois pontos adicionais ao longo do *locus* curvo merecem nossa atenção. Observe que o portfólio consistindo em 60% de ações e 40% de títulos de dívida situa-se ao longo do *locus* perto do ponto que representa todas as ações. Observe também o segmento de linha procedendo da taxa livre de risco que é tangente ao *locus* de oportunidade. Chamaremos o portfólio no ponto de tangência de portfólio de paridade de risco (PR) de ações e títulos de dívida.* Um investidor pode mover-se ao longo da linha à direita da PR comprando o portfólio de PR com dinheiro emprestado à taxa livre de risco. Todas as alternativas de investimento ao longo da linha de tangência fornecem relações risco/retorno tão boas quanto ou melhores do que os portfólios no *locus* curvo. Em

---

* Note que todos os portfólios à esquerda da PR representam uma mistura do investimento na taxa livre de risco com o portfólio de PR. (*N. do A.*)

particular, o portfólio de PR alavancada domina claramente o portfólio 60/40. Ele possui o mesmo risco do portfólio 60/40, mas oferece um retorno maior.

O fundo All Weather de Dalio

Até aqui, apresentamos os portfólios de paridade de risco usando apenas duas classes de ativos: ações e títulos de dívida. Na prática, portfólios de paridade de risco incluem uma série de classes de ativos, e portfólios gerais incluem mais do que apenas ações e títulos de dívida. Por exemplo, ativos imobiliários (acessados, por exemplo, com um fundo indexado REIT) poderiam ser incluídos no portfólio geral. Também poderiam ser incluídos fundos de commodities e títulos do Tesouro protegidos contra inflação (TIPS). De fato, o portfólio de paridade de risco geral poderia se beneficiar substancialmente acrescentando outras classes de ativos. Na medida em que a classe de ativo acrescentada possui uma correlação relativamente baixa (ou ao menos uma correlação não muito alta), os efeitos do portfólio tenderiam a reduzir a volatilidade do portfólio geral. Além disso, as classes distintas de ativos reagiriam cada uma à sua maneira a diferentes condições econômicas. Por isso a Bridgewater Associates chama sua oferta de paridade de risco de All Weather Fund (Fundo para Todos os Climas).

Observe que a técnica não depende da gestão ativa do portfólio. As partes componentes do portfólio poderiam ser indexadas e passivamente geridas tão bem quanto se ativamente geridas. A técnica não depende de realizar trocas entre classes de ativos de acordo com os instintos de timing do gestor do portfólio. Ademais, a paridade de risco aplica-se mesmo que outras medidas de risco, como sensibilidade descendente, sejam consideradas mais apropriadas do que a volatilidade do portfólio geral. O que se requer é que as alocações de ativos sejam ajustadas, de modo que todos os componentes do portfólio contribuam igualmente para o risco do portfólio.

O que poderia dar errado?

A abordagem da paridade de risco ganhou popularidade durante a crise financeira porque os portfólios de PR tenderam a superar aqueles tradicionalmente ponderados com suas fortes alocações em ações. Diferentes abordagens de PR usarão diferentes pesos e diferentes ativos, mas todas tendem a dar aos títulos mobiliários de renda fixa um peso maior do que ocorre nos portfólios-padrão. Embora a PR não seja simplesmente uma aposta em títulos de dívida alavancados, os riscos envolvidos nessa característica do plano precisam ser avaliados com cuidado.

Os títulos de dívida têm produzido excelentes retornos ajustados ao risco do início da década de 1980 até o fim da década de 2010. Com isso, os investidores na paridade de risco puderam comprar títulos de dívida com alavancagem e obter um retorno líquido superior ao das ações ordinárias. Mas no início da década de 1980 as obrigações do Tesouro americano tinham rendimentos de dois dígitos. Em 2018, os rendimentos de obrigações de dez anos eram de cerca de 3%, apenas um pouco mais de metade dos seus retornos históricos desde 1926. Especialmente se os rendimentos sobem a níveis mais normais, os preços dos títulos de dívida cairão, reduzindo ainda mais suas taxas de retorno. Embora as taxas de juros possam permanecer baixas em um ambiente não inflacionário de baixo crescimento, como experimentado no passado recente, os títulos de dívida dificilmente produzirão retornos que cheguem a se aproximar daqueles do período 1982-2018.

A alavancagem é uma ferramenta potencialmente perigosa para investidores. Um investidor desalavancado pode continuar conservando um título de dívida cujo preço caiu, na esperança de que acabará voltando a subir ou o título vencerá ao valor nominal. O investidor alavancado pode ser forçado a liquidar sua posição durante uma forte retração nos preços e assim ser obrigado a transformar um prejuízo temporário num permanente. Desse modo, embora os retornos dos títulos de dívida possam ter baixa volatilidade sob circunstâncias normais, essa volatilidade poderia subir substancialmente e exibir uma curva negativa forte.

Também é possível que outras classes de ativos no portfólio de paridade de risco possam não produzir prêmios adequados pelo risco e não ter as mesmas correlações com as condições econômicas como tiveram no passado. As commodities como uma classe de ativos costumam ser elogiadas por terem baixa volatilidade, com a característica desejável de que sua correlação com a inflação as torna uma parte muito útil do portfólio bem diversificado. Mas, numa perspectiva histórica, o retorno de futuros de commodities tem resultado de os preços dos futuros sistematicamente ficarem aquém do preço à vista realizado ao final do contrato de futuros. Esse retorno, chamado *roll return*,* é adicionado a quaisquer outros que possam ser esperados da tendência dos preços de commodities de subir com o nível geral de inflação. Mas, conforme mais dinheiro de investimentos tem entrado no mercado de commodities, o *roll premium* (prêmio) tem tendido a se dissipar e até ficar negativo.

Além disso, os índices de commodities podem ter uma correlação menos favorável com a inflação do que no passado. Muitos índices de commodities dão um peso enorme ao petróleo. Com a disponibilidade abundante do óleo de xisto e a transição para fontes alternativas de energia, a relação entre os preços do petróleo e o nível geral de inflação poderá no futuro ser diferente daquela do passado. Os portfólios de paridade de risco não serão ajudados alavancando uma classe de ativos com um prêmio de risco inexistente.

Os retornos históricos reais do fundo Bridgewater All Weather (12% Strategy) são mostrados na tabela a seguir. O fundo produziu retornos próximos daqueles de todos os fundos de ações indexados, com uma volatilidade bem menor. Desse modo, o fundo Bridgewater teve um Índice de Sharpe maior. Comparado com um fundo indexado balanceado 60/40, o All Weather Fund teve uma taxa de retorno maior, mas também um desvio-padrão maior. Seu Índice de Sharpe foi um pouco menor que o do fundo indexado balanceado.

RETORNOS REALIZADOS E RISCO
JUNHO DE 1996 A FEVEREIRO DE 2018

	Bridgewater All Weather 12% Strategy	*Vanguard 500 Index Admiral*	*Vanguard Total Stock Market Index Admiral*	*Vanguard Balanced Index Admiral*
Retorno anual (%)	8,21	8,88	8,94	7,78
Desvio-padrão (%)	11,43	14,93	15,32	9,17
Índice de Sharpe	0,51	0,44	0,43	0,59

Portfólios de paridade de risco não serão ideais em todas as circunstâncias econômicas. Não obstante, o uso de alavancagem é uma tecnologia de

---

* Também chamado de *roll yield*, é um tipo de retorno em investimentos futuros de commodities baseado na diferença entre o preço de contratos de commodities de prazo mais curto, mais próximos do vencimento, e seus equivalentes de prazo mais longo. *(N. do E.)*

investimento que precisa estar na caixa de ferramentas do investidor. Na minha visão, a paridade de risco não deveria ser considerada simplesmente uma aposta alavancada em conservar títulos de renda fixa. Ao contrário, a técnica deveria ser julgada apropriada em algumas circunstâncias para investidores que conservam um portfólio amplamente diversificado (incluindo títulos mobiliários internacionais) e desejam aumentar o retorno e o risco do portfólio inteiro com o uso de alavancagem.

Investidores com alto patrimônio líquido que querem ter uma parte de seus portfólios em ativos de retorno maior, e que têm a capacidade de aceitar o risco de empregar alavancagem, deverão pensar em adicionar um portfólio de paridade de risco a seus outros investimentos. Já entre concentrar o portfólio em investimentos de retorno maior ou aumentar os retornos via alavancagem, esta última estratégia parece mais eficaz. Para obter um retorno maior sem alavancagem, o investidor teria de conservar um portfólio menos diversificado, concentrado em classes de ativos de maior risco.

COMENTÁRIOS FINAIS

Os investidores deveriam certamente estar cientes dos novos métodos de construção de portfólios. E investidores de alto patrimônio líquido poderiam pensar em acrescentar uma oferta de "beta inteligente" multifatores, ou um portfólio de paridade de risco, ao mix geral de seus investimentos. O investimento em fatores pode potencialmente aumentar os retornos à custa de assumir um conjunto de exposições ao risco um pouco diferente daquelas de um fundo indexado de base ampla padrão. E os investidores capazes de aceitar os riscos adicionais inerentes à alavancagem poderiam lançar mão da vantagem de acrescentar um portfólio de paridade de risco ao seu conjunto de investimentos. Mas tais ofertas só devem ser levadas em conta se forem de baixo custo e se seus efeitos fiscais potencialmente adversos puderem ser compensados em outras partes do portfólio geral. E continuo acreditando que um fundo indexado do mercado de ações total de base ampla deveria ser o núcleo do portfólio de todas as pessoas. Certamente, para investidores que estão começando a construir um portfólio de ações pensando na aposentadoria, fundos indexados ponderados pela capitalização-padrão são os investimentos iniciais apropriados.

Parte Quatro

—

UM GUIA PRÁTICO PARA CAMINHANTES ALEATÓRIOS E OUTROS INVESTIDORES

12

UM MANUAL DE FITNESS PARA CAMINHANTES ALEATÓRIOS E OUTROS INVESTIDORES

Ao investir dinheiro, a quantia de juros que você deseja deveria depender de se você quer comer bem ou dormir bem.

– J. Kenfield Morley, *Some Things I Believe*

A Parte Quatro é um guia prático para seu passeio aleatório. Neste capítulo ofereço conselhos de investimentos gerais que deveriam ser úteis a todos os investidores, ainda que não acreditem que mercados de títulos mobiliários sejam altamente eficientes. No Capítulo 13 tento explicar as flutuações recentes que têm ocorrido nos retornos de ações e títulos de dívida e mostrar como estimar o que o futuro reserva. No Capítulo 14 apresento um guia de investimento de ciclo de vida indicando como o estágio de sua vida desempenha um papel importante em definir o mix de investimentos com mais chances de permitir que você atinja suas metas financeiras.

No capítulo final delineio estratégias específicas para investidores em ações que acreditam ao menos parcialmente na teoria do mercado eficiente ou que estão convencidos de que, ainda que a expertise real exista, dificilmente a acharão. Mas, se você for sensato, fará seu passeio aleatório somente depois de ter feito preparativos detalhados e cuidadosos. Ainda que os preços das ações se movam aleatoriamente, você não deveria fazer o mesmo. Pense nos conselhos seguintes como um conjunto de exercícios de aquecimento que permitirão tomar decisões financeiras sensatas e aumentar os retornos líquidos após pagamentos de impostos sobre seus investimentos.

EXERCÍCIO 1: REÚNA OS SUPRIMENTOS NECESSÁRIOS

Muitas pessoas acreditam que, para conquistar uma aposentadoria confortável e um portfólio de investimentos vultoso, basta saber quais ações individuais ou fundos mútuos extraordinários se deve comprar. Infelizmente, não é bem assim. A dura verdade é que o propulsor mais importante do crescimento de seus ativos é quanto você poupa, e poupar requer disciplina. Sem um programa de poupança regular, não importa se você ganha 5%, 10% ou mesmo 15% em seus fundos de investimento. A coisa mais importante que você pode fazer por conta própria para alcançar a segurança financeira é começar um programa de poupanças regular, e começá-lo o mais cedo possível. A única rota confiável para uma aposentadoria confortável é formar um fundo de reserva de forma lenta e constante. No entanto, poucas pessoas seguem essa regra básica e as poupanças de uma família típica são totalmente inadequadas.

É de suma importância começar a poupar agora. Cada ano em que você protela os investimentos torna suas metas de aposentadoria mais difíceis de alcançar. Confie no tempo, não no timing. Como diz um cartaz na vitrine de um banco, pouco a pouco você pode acumular com segurança uma sólida reserva, mas só depois de começar.

O segredo de ficar rico aos poucos (mas de forma segura) é o milagre dos juros compostos, descritos por Albert Einstein como a "maior descoberta matemática de todos os tempos". Simplesmente envolve obter um retorno não apenas sobre seu investimento original, mas também sobre os juros acumulados que você reinveste.

Jeremy Siegel, autor do excelente livro *Investindo em ações no longo prazo*, calculou os retornos de uma variedade de ativos financeiros de 1800 a 2017. Sua obra mostra o poder incrível da capitalização. Um dólar investido em ações em 1802 teria crescido para quase 28 milhões de dólares no fim de 2017. Esse montante superou de longe a taxa de inflação conforme medida pelo índice de preços ao consumidor (IPC). A figura a seguir mostra também os retornos modestos que foram obtidos por letras do Tesouro dos Estados Unidos e pelo ouro.

Se quiser uma estratégia para enriquecer rápido, este livro não é para você. Deixarei isso para o vendedor de poções mágicas. Você só vai empobrecer rápido. Para enriquecer, terá de fazer isso devagar, e precisa começar agora.

ÍNDICES DE RETORNO TOTAL

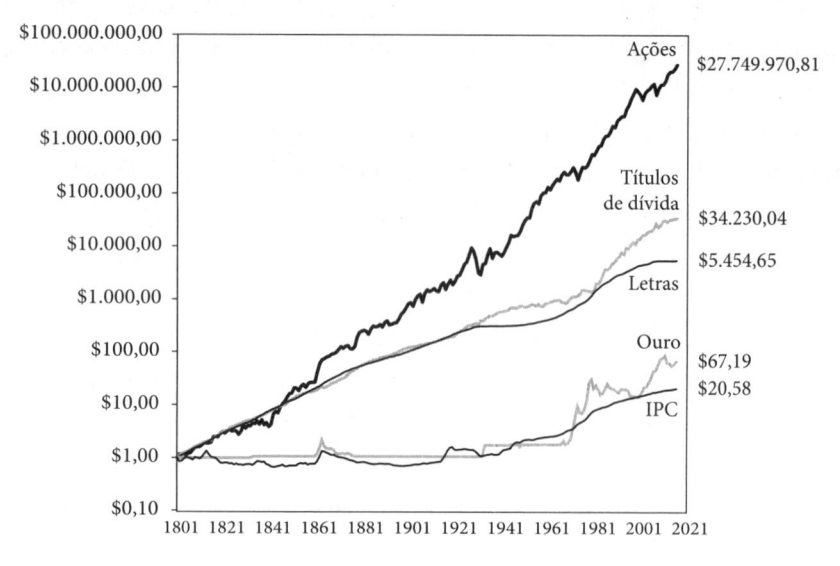

[Gráfico: eixo Y logarítmico de $0,10 a $100.000.000,00; eixo X de 1801 a 2021]
- Ações: $27.749.970,81
- Títulos de dívida: $34.230,04
- Letras: $5.454,65
- Ouro: $67,19
- IPC: $20,58

Fonte: Siegel, *Investindo em ações no longo prazo*, 5ª edição.

E se você não poupou quando mais jovem e se vê na casa dos 50 anos sem poupança, sem plano de aposentadoria e com uma dívida pesada no cartão de crédito? Será bem mais difícil planejar uma aposentadoria confortável. Mas nunca é tarde demais. Não existe outro jeito de compensar o tempo perdido senão reduzir seu estilo de vida e começar um programa de poupança rigoroso. Talvez não lhe reste outra opção senão permanecer na força de trabalho e protelar a aposentadoria por alguns anos. Felizmente, você pode recuperar o tempo perdido por meio de planos de aposentadoria com vantagens tributárias que serão descritos a seguir.

Portanto, transforme o tempo em aliado. Comece a poupar cedo e poupe regularmente. Viva moderadamente e não toque no dinheiro que foi posto de lado. Se precisar de mais disciplina, lembre-se de que a única coisa pior do que estar morto é viver mais tempo do que o dinheiro que você reservou para a aposentadoria. E, se acreditarmos nas projeções, cerca de um milhão dos *baby boomers* atuais viverão ao menos até os 100 anos.

EXERCÍCIO 2: NÃO SEJA PEGO DE MÃOS ABANANDO – CARREGUE-SE DE RESERVAS MONETÁRIAS E SEGUROS

Lembre-se da Lei de Murphy: o que pode dar errado dará errado. E não se esqueça do comentário de O'Toole: Murphy era um otimista. Coisas ruins acontecem com pessoas boas. A vida é uma aventura arriscada e necessidades financeiras inesperadas ocorrem na vida de todos. A caldeira costuma explodir justo no momento em que sua família está arcando com despesas médicas gigantes. Uma demissão ocorre logo depois que seu filho detonou o carro. Por isso toda família precisa de uma reserva monetária, bem como de seguros adequados para enfrentar as catástrofes da vida.

Reservas monetárias

Sei que muitos corretores vão lhe dizer para não perder oportunidades de investimento deixando de aplicar seu dinheiro. "Dinheiro não aplicado é lixo" é o mantra da comunidade de corretagem. Mas todos precisam manter algumas reservas em investimentos seguros e líquidos para pagar uma conta médica inesperada ou fornecer uma proteção durante um período de desemprego. Supondo que você esteja protegido por um seguro-saúde e um seguro-invalidez no trabalho, essa reserva poderia ser criada para cobrir três meses de despesas básicas. O fundo de reserva monetária deveria ser maior quanto mais velho você for, mas poderia ser menor se você trabalha numa profissão sob demanda e/ou se possui grandes ativos investíveis. Além disso, quaisquer despesas futuras grandes (como a anuidade da faculdade de sua filha) deveriam ser financiadas com investimentos de curto prazo (como certificados de depósito bancário, que veremos na página 271) cujo vencimento coincida com a data em que os recursos serão necessários.

Seguros

A maioria das pessoas precisa de seguros. Aqueles com obrigações familiares são absolutamente negligentes se não adquirem seguros. Corremos o risco de morrer a cada vez que entramos no nosso automóvel ou atravessamos uma rua movimentada. Um furacão ou incêndio poderia destruir nossa casa e nossos bens. As pessoas precisam se proteger contra o imprevisível.

Para indivíduos, seguros residenciais e de carro são imprescindíveis. O mesmo vale para os seguros-saúde e de invalidez. Um seguro de vida para proteger a família da morte do membro que era responsável por seu sustento também é uma necessidade. Você não precisa de seguro de vida se for solteiro e não tiver dependentes. Mas, se tiver família com filhos pequenos que contam com sua renda, você precisa.

Duas grandes categorias de produtos de seguro de vida estão disponíveis: apólices de prêmio elevado que combinam seguro com uma conta de investimento e seguros de vida temporários e prêmio baixo, que fornecem benefícios na morte apenas, sem acúmulo de valor em dinheiro.

As apólices de prêmio elevado têm algumas vantagens e são muitas vezes recomendadas por seus benefícios fiscais. Os rendimentos da parte do prêmio do seguro que vai para o plano de poupança se acumulam livres de impostos, o que pode ser vantajoso para alguns indivíduos que atingiram o limite de seus planos de aposentadoria com impostos diferidos. Além disso, indivíduos que não poupam regularmente podem descobrir que as contas premium periódicas fornecem a disciplina necessária para terem certeza de que certa quantia estará disponível às suas famílias caso venham a falecer e que um valor em dinheiro se acumula na parte de investimento do programa. Mas as maiores vantagens dessa espécie de apólices vão para o corretor de seguros que as vende e arrecada alta comissão de venda. Os prêmios iniciais vão sobretudo para a comissão de venda e outras despesas gerais, e não para o acúmulo de valor em dinheiro. Assim, nem todo o seu dinheiro entra em ação. Para a maioria das pessoas, é preferível a abordagem "Faça você mesmo". Compre um seguro de vida temporário para proteção e invista a diferença você mesmo num plano de aposentadoria de impostos diferidos, como os PGBLs (veremos mais sobre eles no Exercício 4). Tal plano de investimento é bem superior às apólices de seguro de "vida inteira" ou "vida variável".

Meu conselho é comprar um seguro de vida temporário renovável. Você pode ficar renovando sua apólice sem necessidade de exame médico. Os chamados seguros de vida temporários decrescentes, renováveis por quantias progressivamente menores, deveriam ser mais adequados para muitas famílias, porque com o passar do tempo (e o crescimento dos filhos, e o aumento dos recursos da família), a necessidade de proteção costuma diminuir. Você deveria entender, porém, que prêmios de seguros de vida temporários aumentam fortemente quando você atinge 60, 70 anos ou mais. Se você continua precisando de seguro a essa altura, constatará que o seguro de vida temporário ficou proibitivamente caro. Mas o maior risco nesse ponto não é a morte prematura. É viver demais e esgotar seus ativos. Você pode aumentar esses ativos de maneira mais eficiente comprando um seguro de vida temporário e investindo você mesmo o dinheiro que poupa.

Pesquise a melhor oferta. Use serviços de cotação ou a internet para se assegurar de estar obtendo as melhores taxas. Você não precisa de um corretor de seguros. As apólices oferecidas pelos corretores serão mais caras, já que precisam incluir os prêmios extras para pagar a comissão de venda do corretor. Você consegue obter uma oferta bem melhor comprando por conta própria.

Não compre um seguro de qualquer empresa mal avaliada. Um prêmio menor não compensará o risco de que a seguradora sofra dificuldades financeiras e seja incapaz de pagar seus pedidos de indenização. Não aposte a vida numa seguradora mal capitalizada.

Rendas vitalícias variáveis diferidas

Eu evitaria comprar produtos de renda vitalícia variável, sobretudo os de alto custo oferecidos pelos corretores de seguros. Uma renda vitalícia variável diferida é essencialmente um produto de investimento (geralmente um fundo mútuo) com um componente de seguro. O componente de seguro estipula que, se você morre e o valor do fundo de investimento ficou abaixo do valor que você aplicou, a seguradora restituirá seu pleno investimento. Essas apólices são caríssimas porque você tipicamente paga altas comissões de vendas e um prêmio pelo componente de seguro. A não ser que seu fundo mútuo caia fortemente devido a uma queda do mercado de ações e você morra logo após comprar uma renda vitalícia variável, o valor desse seguro costuma ser baixo. Lembre a regra dominante para obter segurança financeira: mantenha a simplicidade. Evite quaisquer produtos financeiros complexos, bem como os corretores ávidos que tentam vendê-los. O único motivo para você chegar a cogitar uma renda vitalícia variável é se for super-rico e tiver atingido o limite de todas as outras alternativas de poupança com impostos diferidos. E, mesmo então, você deveria comprar tal renda vitalícia direto de um dos provedores de baixo custo.

EXERCÍCIO 3: SEJA COMPETITIVO – FAÇA O RENDIMENTO DE SEU DINHEIRO ACOMPANHAR A INFLAÇÃO

Como já observei, alguns ativos disponíveis são necessários para despesas iminentes, como com ensino universitário, possíveis emergências ou mesmo apoio psicológico. Desse modo, você enfrenta um dilema real. Sabe que, se mantiver seu dinheiro numa aplicação e obtiver, digamos, 4% de juros num ano em que a taxa de inflação excede 4%, você perderá poder de compra real. Na verdade, a situação é ainda pior, porque os juros que você obtém estão sujeitos ao imposto de renda regular. Além disso, as taxas de juros de curto prazo foram excepcionalmente baixas durante a década de 2010. Então, o que o pequeno poupador deve fazer? Existem diversos investimentos de curto prazo que costumam ajudar a obter a melhor taxa de retorno, embora não existam alternativas muito boas quando as taxas de juros estão bem baixas.

Fundos mútuos do mercado monetário (*Money-market funds*)

Os fundos mútuos do mercado monetário costumam oferecer aos investidores o melhor instrumento para deixar suas reservas em dinheiro. Eles combinam segurança com a capacidade de oferecer rendimentos vultosos até a liquidação. As taxas de juros desses fundos nos Estados Unidos geralmente variaram de 1% a 5% durante a primeira década do século XXI. Mas, por grande parte da década de 2010, as taxas de juros foram bem baixas e os rendimentos dos fundos monetários foram quase zero. Nem todos os fundos do mercado monetário são criados iguais. Alguns têm taxas de administração bem mais altas do que outros. Em geral, despesas mais baixas significam retornos maiores.

Certificados de depósito bancário (CDBs)

Uma reserva para qualquer despesa futura conhecida deveria ser investida em um instrumento seguro cujo vencimento coincida com a data em que os recursos serão necessários. Suponha que você tenha reservado dinheiro para as contas da universidade do filho mais novo, que precisarão ser pagas no início de cada ano por quatro anos (muitas universidades e escolas oferecem desconto para pagamento antecipado das mensalidades). Um plano de investimento apropriado nesse caso seria comprar três CDBs com vencimentos em um, dois e três anos.

Ao comprar um CDB, você está fazendo um empréstimo ao banco ou outra instituição financeira. Os CDBs são ainda mais seguros do que os fundos monetários, podem oferecer rendimentos maiores, a depender da inflação e das taxas básicas de juros, e são um excelente meio para investidores que podem imobilizar seus fundos líquidos por ao menos seis meses.

A desvantagem é que costumam ser aplicadas penalidades para retiradas antes do vencimento. As taxas dos CDBs variam amplamente. Use a internet e consulte cada banco ou corretora para saber quais são os retornos mais atraentes.

Bancos na internet

Os investidores também podem se beneficiar de instituições financeiras digitais que reduzem suas despesas por não terem filiais nem caixas e realizarem todos os seus negócios de forma eletrônica. Graças às baixas despesas gerais, podem oferecer taxas bem acima das cadernetas de poupança e fundos do mercado monetário típicos. E, diferentemente dos fundos do mercado, bancos digitais que forem membros da Federal Deposit Insurance Corporation (nos Estados Unidos) ou do Fundo Garantidor de Créditos (FGC, no Brasil) podem garantir a segurança de seus fundos até determinado valor. Os bancos digitais geralmente fornecem as maiores taxas de CDB disponíveis no mercado.

Letras do Tesouro

Conhecidas nos Estados Unidos como *T-bills*, são os instrumentos financeiros mais seguros que você pode encontrar, sendo amplamente tratadas como equivalentes ao dinheiro. Emitidas e garantidas pelo governo americano, são leiloadas com vencimentos de um mês, três meses, seis meses e um ano. São vendidas por um valor nominal mínimo de mil dólares e, acima disso, em incrementos de mil dólares. As letras do Tesouro americano oferecem uma vantagem em relação aos fundos do mercado monetário e CDBs: sua renda está isenta de impostos estaduais e locais. Além disso, os rendimentos das *T-bills* costumam ser maiores do que os dos fundos do mercado monetário.

Os títulos do Tesouro brasileiro são igualmente seguros e oferecem uma variedade de características que vão da proteção contra a inflação a taxas prefixadas ou atreladas à taxa básica de juros Selic. O investidor também tem à disposição uma variedade de vencimentos que superam os 30 anos, mas, diferentemente do mercado de dívida soberana americano, no Brasil os rendimentos oriundos de títulos do Tesouro estão sujeitos a tributação regressiva, de 15% a 22,5%.

EXERCÍCIO 4: APRENDA A DRIBLAR O COBRADOR DE IMPOSTOS

Uma das piadas que circulam pela internet diz:

> Um casal, ambos com 78 anos, dirigiu-se a uma clínica de terapia sexual. O terapeuta perguntou: "O que posso fazer por vocês?" O homem respondeu: "Você pode observar enquanto transamos?" O terapeuta olhou intrigado, mas concordou. Quando o casal terminou, o terapeuta disse "Não há nada de errado na maneira como vocês transaram" e cobrou 50 dólares. O casal marcou outra consulta e retornou semanalmente por algum tempo. Eles transavam, pagavam ao terapeuta, depois partiam. Finalmente, o terapeuta indagou: "O que exatamente estão tentando descobrir?" O velhinho disse: "Não estamos tentando descobrir nada. Ela é casada e não podemos ir na casa dela. Sou casado e não podemos vir na minha casa.

O Holiday Inn cobra 93 dólares e o Hilton Inn, 108. Fazemos aqui por 50 e eu recebo um reembolso de 43 do plano de saúde."

Ao contar essa história, não estou sugerindo que você tente enganar o governo. Mas sugiro que aproveite cada oportunidade de tornar suas poupanças dedutíveis do imposto de renda e deixe suas poupanças e seus investimentos crescerem livres de impostos. Para a maioria das pessoas, não há motivo para pagar impostos sobre os rendimentos dos investimentos feitos para prover sua aposentadoria ou outro fim. Quase todos os investidores conseguem construir um patrimônio substancial de modo a assegurar que nada ou pouco será drenado pela Receita. Este exercício mostra como você pode driblar legalmente o cobrador de impostos.

No Brasil, as alternativas que o investidor tem para alocar seus recursos em ativos isentos de impostos são poupança, Letra de Crédito Imobiliário (LCI), Letra de Crédito do Agronegócio (LCA), Certificado de Recebíveis do Agronegócio (CRA), Certificado de Recebíveis Imobiliários (CRI) e debêntures incentivadas.

A poupança é um investimento de alta segurança mas rentabilidade baixa. Oferece, também, a facilidade de investir porque todos os bancos têm essa alternativa e com as mesmas condições definidas pelo Estado.

Os outros investimentos permanecem isentos de imposto porque assim o governo consegue fomentar alguns setores da economia, como o agrícola, o imobiliário e o de infraestrutura. Eles são de renda fixa e oferecem retornos superiores à poupança. Como a decisão de isentá-los de imposto é uma política governamental, essa vantagem pode mudar se o governo decidir que não quer mais fomentar um setor ou outro.

Letra de Crédito Imobiliário (LCI) e Letra de Crédito do Agronegócio (LCA). Esses dois investimentos são lastreados em empréstimos dos dois setores (imobiliário e agrícola, respectivamente), ou seja, ao comprar uma das letras, você está indiretamente emprestando recursos para os setores. Quem investe nesses títulos tem seu risco atrelado ao da instituição emitente.

Tanto a LCI quanto a LCA podem ter remuneração prefixada, pós-fixada ou atrelada à inflação. As pós-fixadas costumam estar vinculadas à taxa do CDI (Certificado de Depósito Interbancário). Geralmente, o retorno que um investidor recebe é um percentual do CDI ao ano. Alguns também oferecem a taxa do CDI mais um prêmio (chamado no mercado de *spread*).

As letras com remuneração atrelada à inflação pagam retornos com base em uma taxa de juros predeterminada acrescida da variação de um índice de inflação oficial, como o Índice Nacional de Preços ao Consumidor Amplo (IPCA) ou o Índice Geral de Preços do Mercado (IGP-M).

Certificado de Recebíveis do Agronegócio (CRA). Os CRAs são similares à LCA no sentido de servirem como empréstimos ao setor agrícola, mas há algumas diferenças. A primeira é que os CRAs costumam oferecer retornos mais atraentes.

Cada CRA tem as próprias regras de pagamento de juros, prazos e amortizações. Em geral, eles pagam uma taxa prefixada, mas alguns acrescentam um prêmio atrelado à variação de um índice de inflação.

Porém, no Brasil, os CRAs estão restritos a investidores qualificados, que têm mais de 1 milhão de reais investidos. Por isso os aportes iniciais costumam ser mais altos.

Porém, em termos de risco, um elemento vale a pena ser destacado. Ao contrário da poupança, das LCIs, LCAs e dos CDBs, os CRAs não são cobertos pelo Fundo Garantidor de Créditos (FGC), entidade mantida pelas instituições financeiras autorizadas que serve como seguro até um teto do investimento.

Certificado de Recebíveis Imobiliários (CRI). Assim como as LCIs, também serve como financiamento ao setor imobiliário, mas não está restrito apenas a investidores qualificados.

Os certificados são emitidos por securitizadoras, que seguem diversas formalidades para constituir o termo de securitização e fazer a emissão. Nesse termo constam o valor de cada crédito, a identificação do devedor e dos títulos emitidos e a indicação de garantias, quando houver.

As securitizadoras de créditos imobiliários são instituições não financeiras constituídas na forma de sociedade para adquirir e securitizar créditos do segmento, e então fazer as emissões de CRIs.

Assim como os CRAs, os CRIs não são cobertos pelo FGC e podem ter várias formas de remuneração: prefixada, taxas flutuantes ou que tenham cláusulas de correção monetária, atreladas a índices de preços ou à variação de títulos do Tesouro.

Debêntures incentivadas. Foram criadas pelo governo como maneira de aumentar o financiamento de projetos de infraestrutura pública, como rodovias, portos, praças de pedágio e programas de sustentabilidade.

Também não têm a garantia do FGC, por isso o risco desse ativo está atrelado à situação financeira da empresa que o emitiu.

Esses investimentos costumam ter prazo de vencimento mais longo e podem servir para alongar sua carteira, contrabalanceando com o risco.

Previdência privada

Diferentemente das contribuições para a Previdência Social – que no Brasil são obrigatórias a todos os trabalhadores, com algumas exceções, e correspondem a um percentual do salário –, na previdência privada é o contribuinte que define o valor da contribuição. E não existe teto.

A previdência privada tem outras diferenças, como a possibilidade de portabilidade (carregar o dinheiro acumulado para outro fundo de previdência), resgate antecipado e opções de recebimento dos benefícios mensal ou único. Também permite que o contribuinte defina a idade da aposentadoria. E essas características possibilitam que a previdência privada sirva de real complemento à aposentadoria paga pelo INSS.

No Brasil, há planos de previdência privada fechados e abertos. Na verdade, eles nem sempre são dedutíveis ou isentos, mas servem como poupança.

Planos de previdência abertos. Nesse tipo de plano, qualquer pessoa pode entrar. São eles o PGBL (plano gerador de benefício livre) e o VGBL (vida gerador de benefício livre). A principal diferença entre os dois é a tributação. No caso do primeiro, o imposto incide apenas sobre a rentabilidade. No caso do segundo, a carga fiscal recai sobre o montante investido, mas dando a possibilidade de que o investidor abata o valor aportado do seu imposto de renda até um teto de 12% da renda bruta. Essas características são o que torna um ou outro mais atraente para cada pessoa. O VGBL é mais interessante para quem faz a declaração simplificada de imposto de renda ou que tenha superado os 12% de renda dedutível. O PGBL é mais interessante para quem não se enquadra nesse perfil.

Os dois tipos de investimento também permitem que o contribuinte defina a forma da tributação: regressiva ou progressiva. No primeiro caso, a alíquota do IR varia de 35% para quem investe até dois anos até 10% para quem investe por mais de dez anos. No caso da progressiva, o percentual varia de acordo com o volume de recursos a ser resgatado: mínimo de 7,5% para resgates de até cerca de 1.900 reais, chegando a 27,5% para saques superiores a 4.664 reais.

Fundos de pensão. São os planos de previdência fechados. No Brasil, existem as Entidades Fechadas de Previdência Complementar (EFPC), organizações sem fins lucrativos que gerem o patrimônio dos funcionários de uma empresa, associação ou cooperativa. Nesses fundos, o aporte feito pelo funcionário e complementado pela empresa é administrado com o objetivo de fazer um pagamento adicional à aposentadoria paga pelo INSS.

Verifique se seu empregador dispõe de um. Os fundos são veículos perfeitos para poupar e investir, já que o dinheiro é retirado do seu salário antes que você sequer o veja, desde que, é claro, você opte por isso. Além disso, muitos empregadores entram com uma contribuição equivalente à do empregado, de modo que cada real poupado é multiplicado. No Brasil, estão isentas de imposto as contribuições até 12% da renda total.

Trabalhadores autônomos no Brasil estão sujeitos às mesmas condições tributárias e de acesso a fundos de previdência abertos, mas não têm acesso aos fundos fechados, que são destinados somente a colaboradores de empresas ou instituições específicas. Autônomos também podem fazer contribuições ao INSS, como qualquer trabalhador.

EXERCÍCIO 5: CERTIFIQUE-SE DE QUE O SAPATO ESTÁ CABENDO – ENTENDA SEUS OBJETIVOS DE INVESTIMENTO

Definir metas claras é parte do processo de investimento que muita gente acaba ignorando, o que gera resultados desastrosos. Você precisa decidir de saída que grau de risco está disposto a assumir e quais investimentos são mais adequados para sua faixa de imposto de renda. Os mercados de títulos

A ESCALA DO SONO DOS GRANDES INVESTIMENTOS

Ponto de sono	Tipo de ativo	Escala de retorno esperado antes do imposto de renda (de 0 a 10)	Tempo em que o investimento precisa ser mantido para obter o retorno esperado	Nível de risco
Estado semicomatoso	Conta-poupança	0-2	Nenhum período de investimento específico requerido. As instituições calculam os juros desde o dia do depósito até o aniversário e você perde o retorno se tirar antes de completar o mês.	Nenhum risco de perder o que você depositou. Depósitos até 250 mil reais garantidos pelo FGC. Porém, prejuízo certo com inflação alta.
Boa noite de sono	Fundos do mercado monetário (*Money-market funds*)	1-2	Nenhum período de investimento específico requerido. A maioria dos fundos oferece privilégios de emissão de cheques. Mas só é possível investir nesse tipo de fundo nos Estados Unidos.	Pouquíssimo risco, pois a maioria dos fundos investe em títulos públicos e certificados bancários. Geralmente não garantidos. As taxas variam conforme a inflação esperada.
	Certificados de depósito bancário (CDBs)	0,5-2,5	O dinheiro precisa ser mantido em depósito pelo período completo para tirar vantagem de uma taxa maior.	Retiradas prematuras sujeitas a multa. As taxas são voltadas para a inflação esperada e variam.
	Títulos do Tesouro protegidos contra a inflação (Tesouro IPCA)	0,5-1 (+ índice de inflação)	Títulos mobiliários de longo prazo, com vencimentos de cinco a 25 anos no Brasil. As taxas básicas variam com o vencimento.	Preços podem variar se vendidos antes do vencimento.

(*continua*)

A ESCALA DO SONO DOS GRANDES INVESTIMENTOS (continuação)

Um ou dois sonhos ocasionais, alguns possivelmente desagradáveis	Títulos de dívida corporativos de alta qualidade	3,5-5	Os investimentos precisam ser mantidos até o vencimento para garantir a taxa declarada (os títulos também precisam estar protegidos contra resgate). Os títulos podem ser vendidos a qualquer momento, mas os preços do mercado variam com as taxas de juros.	Pouquíssimo risco se mantidos até o vencimento. Flutuações moderadas a substanciais podem ser esperadas no retorno realizado se os títulos forem vendidos antes do vencimento. Taxa voltada para a inflação de longo prazo esperada. Emissões feitas por empresas com avaliações de risco piores prometem retornos bem maiores, mas com risco bem maior.
Rolar um pouco na cama antes de cochilar e sonhos vivos antes de despertar	Portfólios diversificados de ações mais líquidas ou ações ordinárias de países estrangeiros desenvolvidos	5,5-7	Nenhum período de investimento específico requerido e as ações podem ser vendidas a qualquer momento. O retorno esperado médio supõe um período de investimento razoavelmente longo e só pode ser tratado como um guia aproximado baseado nas condições atuais.	Risco moderado a substancial. Em qualquer ano, o retorno real pode ser negativo. Portfólios diversificados às vezes perdem 25% ou mais de seu valor real. Ao contrário de algumas opiniões, uma boa proteção contra a inflação no longo prazo.
	Imóveis	Semelhante às ações ordinárias	O mesmo das ações ordinárias em geral se a compra se der por meio de fundos de investimento imobiliário (FIIs).	Mesmo que o anterior, mas FIIs são bons diversificadores e podem ser uma boa proteção contra a inflação.

A ESCALA DO SONO DOS GRANDES INVESTIMENTOS (*continuação*)

Pesadelos não são incomuns, mas, no longo prazo, bom descanso	Portfólios diversificados de ações relativamente arriscadas de empresas de menor crescimento	6,5-7,5	O mesmo que o anterior. O retorno esperado médio pressupõe um período de investimento razoavelmente longo e só pode ser tratado como um guia aproximado baseado nas condições atuais.	Risco substancial. Em qualquer ano, o retorno real pode ser negativo. Portfólios diversificados de ações bem arriscadas às vezes perdem 50% ou mais do seu valor. Boa proteção contra inflação.
Sonhos vivos e pesadelos ocasionais	Portfólios diversificados de ações de maior risco, menos líquidas ou de empresas com histórico mais curto	8-9	Planeje conservar por ao menos dez anos. Retornos projetados impossíveis de quantificar precisamente.	Flutuações para cima ou para baixo de 50% a 75% num só ano não são incomuns.
Surtos de insônia	Ouro	Impossível prever	Altos retornos podem ser obtidos em qualquer onda especulativa desde que haja tolos ainda maiores a serem encontrados.	Risco substancial. Acredita-se que seja uma proteção contra o apocalipse e a hiperinflação, mas pode desempenhar um papel útil em equilibrar um portfólio diversificado.

mobiliários são como um grande restaurante com uma variedade de opções no menu adequadas a diferentes gostos e necessidades. Assim como não existe uma comida que seja melhor para todos, não existe um investimento que seja melhor para todos os investidores.

Todos gostaríamos de dobrar nosso capital da noite para o dia, mas quantos de nós podem se dar ao luxo de ver o próprio capital se desintegrar com a mesma rapidez? J. P. Morgan tinha um amigo que, de tão preocupado com suas aplicações em ações, não conseguia dormir direito à noite. O amigo perguntou: "O que devo fazer com minhas ações?" "Venda até chegar ao ponto de sono", respondeu Morgan. Ele não estava brincando. Cada investidor deve decidir a escolha que está disposto a fazer entre comer bem e dormir bem. A decisão cabe a você. Recompensas altas nos investimentos só podem ser obtidas aceitando um risco substancial. Achar seu ponto de sono é um dos passos de investimento mais importantes que você precisa dar.

Para ajudar a aumentar sua consciência dos investimentos, preparei uma escala do sono com base no risco do investimento (ver páginas 277-279) e na escala de retorno esperado. No fim embrutecedor do espectro está uma variedade de investimentos de curto prazo como contas-poupança e fundos de baixo risco e alta liquidez (*money-market funds*). Se esse é seu ponto de sono, você estará interessado nas informações do Exercício 3.

Títulos do Tesouro protegidos contra a inflação (Tesouro IPCA) vêm a seguir na escala da segurança. Esses títulos prometem uma taxa baixa e garantida, aumentada a cada ano pela variação do Índice de Preços ao Consumidor Amplo (IPCA). Por serem títulos de longo prazo, podem flutuar de preço com mudanças nas taxas de juros reais (taxas de juros declaradas reduzidas pela taxa de inflação). Mas, se mantidos até o vencimento, preservam o poder de compra real. No Exercício 7 discutirei as vantagens de ter uma pequena parcela do seu portfólio investida nesses títulos.

Títulos de dívida corporativos são um pouco mais arriscados e alguns sonhos começarão a se intrometer no seu padrão de sono se você optar por esse tipo de investimento. Se os vender antes disso, seu retorno dependerá do nível das taxas de juros no momento da venda. Se as taxas de juros aumentarem, seus títulos de dívida cairão a um preço que tornará seu rendimento competitivo com novos títulos de dívida oferecendo uma taxa de juros declarada maior. Sua perda de capital pode ser suficiente para consumir um ano inteiro de juros – ou até mais. Por outro lado, se as taxas de juros caem, o preço de seus títulos subirá. Se você vender antes do vencimento, seu retorno anual real pode variar consideravelmente, dado que os títulos de dívida são mais arriscados do que instrumentos de curto prazo, que não correm quase nenhum risco de flutuação do principal. Em geral, quanto maior o prazo de vencimento de um título de dívida, maior o risco e maior o rendimento resultante.* Você achará algumas informações úteis sobre como comprar títulos de dívida no Exercício 7.

Ninguém pode prever ao certo quais serão os retornos das ações ordinárias. Mas o mercado de ações é como um cassino em que as chances estão ajustadas a favor dos jogadores. Embora os preços das ações às vezes despenquem, como aconteceu de modo desastroso no início da década de 2000 e em 2007, o retorno geral durante todo o século XX foi de cerca de 9% ao ano, incluindo dividendos e ganhos de capital. O retorno médio das carteiras de ações na década de 2011 a 2020 foi de quase 14% nos Estados Unidos e 5% no Brasil. São prováveis retornos semelhantes das grandes empresas nos mercados de países desenvolvidos. O retorno anual real no futuro pode e vai se desviar substancialmente dessa meta – em anos de baixa você pode perder até 25% ou mais. Você consegue aguentar as noites insones nos anos ruins?

Que tal sonhos em cores vivas com som quadrifônico? Você pode querer um portfólio de ações um tanto mais arriscadas (mais voláteis), como aquelas nos fundos mútuos mais agressivos de empresas menores. É nessas ações de empresas mais jovens com tecnologias mais novas que ocorre a promessa de crescimento maior. Tais empresas tendem a ser mais voláteis e essas emissões podem facilmente perder metade de seu valor num ano de mercado ruim. Mas sua taxa de retorno futura média no século XXI poderá ser de 6,5% a

---

* "Em geral" porque este nem sempre é o caso. Durante alguns períodos, os títulos mobiliários de curto prazo na verdade renderam mais do que títulos de dívida de longo prazo. A armadilha era que os investidores não podiam contar com o reinvestimento constante de seus fundos de curto prazo a taxas tão altas assim, e mais tarde as taxas de curto prazo haviam caído muito. Assim, os investidores podem razoavelmente esperar que o investimento contínuo em títulos mobiliários de curto prazo não produzirá um retorno tão alto como o investimento em títulos de dívida de longo prazo. Em outras palavras, existe uma recompensa por assumir o risco de possuir títulos de dívida de longo prazo, ainda que as taxas de curto prazo estejam temporariamente acima das de longo prazo. *(N. do A.)*

7,5% ao ano. Portfólios de ações menores têm superado as médias do mercado por pequenas margens. Se você não tem dificuldade de dormir durante mercados em baixa e dispõe do poder de permanência para perseverar com seus investimentos, um portfólio de ações ordinárias agressivo pode ser o ideal para você. Retornos ainda mais vultosos, bem como maiores oscilações do mercado, são prováveis com portfólios de ações de mercados emergentes de rápido crescimento.

Infelizmente, imóveis têm sido um investimento inalcançável para muitos indivíduos. Seus retornos têm sido bem generosos, semelhantes aos das ações ordinárias. Argumentarei no Exercício 6 que pessoas com poder aquisitivo para comprar a própria casa devem fazer isso. Mostrarei também que é bem mais fácil hoje para indivíduos investir em imóveis. Acredito que os fundos de investimento imobiliário (FIIs) merecem uma posição em um portfólio de investimentos bem diversificado.

Perceba que minha tabela desdenha do ouro e omite obras de arte, capital de risco, fundos hedge, commodities e outras possibilidades de investimento mais exóticas. Muitas delas se saíram otimamente e podem desempenhar um papel útil em equilibrar um portfólio bem diversificado de ativos em papel. Em razão do seu risco substancial, e assim extrema volatilidade, é impossível prever suas taxas de retorno. O Exercício 8 analisa-as em mais detalhes.

É bem provável que seu ponto de sono seja muito influenciado por como uma perda afetaria a sua sobrevivência financeira. Por isso, a típica "viúva com saúde abalada" costuma ser vista como incapaz de assumir grande risco. A viúva não dispõe da expectativa de vida nem da capacidade de ganhar, fora de seu portfólio, a renda de que precisaria para recuperar as perdas. Qualquer perda de capital e renda afetará imediatamente seu padrão de vida. Na outra extremidade do espectro está a "mulher de negócios jovem e agressiva". Ela dispõe da expectativa de vida e da capacidade de gerar receita para preservar seu padrão de vida em face de qualquer perda financeira. Seu estágio no "ciclo de vida" é tão importante que dediquei o Capítulo 14 a esse determinante de quanto risco é apropriado para você.

Além disso, sua constituição psicológica influenciará o grau de risco que você deveria assumir. Um consultor de investimentos sugere que você leve em conta o tipo de jogador de Banco Imobiliário (Monopoly) que foi (ou ainda é). Você era impulsivo? Construía hotéis? É verdade que os outros jogadores raramente caíam na sua propriedade, mas, quando caíam, você conseguia vencer o jogo inteiro de uma só tacada. Ou você preferia a renda mais segura, mas moderada, das propriedades de cor laranja? As respostas a essas perguntas podem dar alguma ideia de sua constituição psicológica no tocante a investimentos. É crucial que você entenda a si próprio. Talvez a pergunta mais importante a se fazer é como você se sentia durante um período de mercados de ações em forte declínio. Se você ficava fisicamente doente e até vendia todas as suas ações em vez de persistir com um plano de investimentos diversificado, então uma exposição pesada às ações ordinárias não é para você.

Um segundo passo-chave é examinar quanto do retorno do seu investimento vai para impostos e de quanta receita corrente você necessita. Consulte sua declaração de rendimentos do ano passado e a renda tributável que você informou para o ano. Para aqueles em uma faixa de imposto marginal alta, existe uma substancial vantagem fiscal nos títulos de dívida municipais (isentos de impostos). Se você está numa faixa de imposto alta, com pouca necessidade de receita corrente, preferirá títulos de dívida que sejam isentos de impostos e ações com baixos rendimentos de dividendos mas prometendo ganhos de capital de longo prazo (sobre os quais os impostos só precisam ser pagos depois de realizados os ganhos – talvez nunca, se as ações fizerem parte de uma herança). Por outro lado, se você está numa faixa de imposto baixa e precisa de uma alta receita corrente, deveria preferir títulos de dívida tributáveis e ações ordinárias com altos dividendos, de modo a evitar as taxas de transações envolvidas em vender ações periodicamente para suprir as necessidades de renda.

Os dois passos neste exercício – achar seu nível de risco e identificar sua faixa de imposto e suas necessidades de renda – parecem óbvios. Mas é incrível o número de pessoas que se desencaminham por não compatibilizarem os tipos de título mobiliário que compram com sua tolerância ao risco, renda e necessidades tributárias.

Os investidores ficam com frequência dilacerados por uma confusão de prioridades. Você não pode buscar a segurança do principal e depois dar um mergulho investindo nas ações ordinárias mais arriscadas. Você não pode proteger sua renda de altas taxas marginais de imposto e depois assegurar retornos de 6% de títulos de dívida corporativos tributáveis de alto rendimento, por mais atraentes que sejam. No entanto, os registros dos consultores estão repletos de histórias de indivíduos cujos investimentos de segurança são incompatíveis com as próprias metas.

EXERCÍCIO 6: COMECE SEU PASSEIO POR SUA PRÓPRIA CASA – O ALUGUEL LEVA A MÚSCULOS DE INVESTIMENTO FLÁCIDOS

Você se lembra da Scarlett O'Hara? Ela estava arruinada ao final da Guerra Civil, mas ainda dispunha de sua querida fazenda, Tara. Uma boa casa num bom terreno conserva seu valor, não importa o que aconteça com o dinheiro. Enquanto a população do mundo continuar crescendo, a demanda por imóveis estará entre as proteções contra a inflação mais confiáveis.

Embora o cálculo seja complexo, os retornos de longo prazo sobre imóveis residenciais têm sido generosos. Houve uma bolha nos preços das casas unifamiliares durante 2007 e 2008. Mas, na segunda década do século XXI, os preços das casas nos Estados Unidos retornaram ao "normal", voltando então a ser seguro ingressar no mercado. No Brasil, o maior acesso a financiamentos imobiliários fez com que os preços se mantivessem em um "normal" mais alto que antes, à medida que mais pessoas passaram a adquirir residências.

O mercado imobiliário é menos eficiente que o mercado de ações. Centenas de investidores versados estudam o valor de cada ação ordinária. Apenas um punhado de compradores potenciais avalia o valor de determinada propriedade. Portanto, as propriedades individuais nem sempre têm preços adequados. Finalmente, os retornos dos imóveis parecem maiores do que os retornos das ações durante períodos em que a inflação está se acelerando, mas seu desempenho cai durante períodos de desinflação. Em suma, os imóveis mostraram-se um bom investimento, fornecendo retornos generosos e excelente proteção contra altas de preços.

O investimento natural em imóvel para a maioria das pessoas é a casa ou apartamento unifamiliar. Você precisa morar em algum lugar, e, a depender de alguns fatores como taxa de juros e custo do aluguel em relação ao preço do imóvel, a compra possui várias vantagens. Juros para compra de imóveis avaliados em até 1,5 milhão de reais são mais baixos quando o financiamento é suportado pelo Fundo de Garantia por Tempo de Serviço (FGTS). Quanto menor o valor do imóvel, mais baixos são os juros. Além disso, a posse de uma casa é um bom meio de se forçar a poupar e uma casa fornece uma satisfação emocional enorme.

Talvez você também queira pensar na propriedade de imóveis mediante fundos de investimento imobiliário (FIIs). Propriedades, desde prédios de apartamentos e escritórios até shoppings, têm sido reunidas em portfólios de FII e geridas por operadores imobiliários profissionais. Os próprios FIIs são como qualquer outra ação ordinária, ativamente transacionados nas principais bolsas de valores, fornecendo uma excelente oportunidade de acrescentar imóveis aos portfólios de investimentos das pessoas.

Esses fundos são uma maneira de investir no setor imobiliário pulverizando riscos e reduzindo o trabalho de lidar com locatários, por exemplo. Quando compra uma cota deles, você está geralmente investindo em diversos imóveis. Se houver inadimplência, ela é diluída. Outra vantagem é que é muito mais fácil vender a cota de um fundo do que um imóvel.

O retorno que o investidor obtém desses ativos vem de duas formas. A primeira é o dividendo pago regularmente pelo fundo, que equivale a um aluguel, mas é isento de impostos. A segunda é o potencial de valorização da cota do fundo caso os ativos dele se valorizem. Se o seu fundo investe em shoppings de uma região que passa a ser atendida pelo metrô, o shopping pode se valorizar e puxar para cima a sua cota do fundo.

Se você quiser levar seu portfólio para terra firme, sugiro fortemente que invista alguns de seus ativos em FIIs. Existem vários motivos para esses fundos desempenharem um papel em seu plano de investimentos. Primeiro, a posse de imóveis tem produzido taxas de retorno semelhantes às das ações ordinárias e bons dividendos. Igualmente importante, um imóvel é um excelente veículo para fornecer os benefícios da diversificação descritos no Capítulo 8. Os retornos dos imóveis com frequência têm exibido uma correlação apenas modesta com outros ativos, reduzindo assim o risco geral de um plano de investimentos. Além disso, os imóveis têm proporcionado uma proteção confiável contra a inflação.

Infelizmente, a tarefa de examinar centenas de FIIs existentes é intimidante e esse tipo de fundo não é coberto pelo Fundo Garantidor de Créditos (FGC). Além disso, um FII de patrimônio único dificilmente fornece a diversificação necessária de tipos de propriedade e região. As pessoas podem se dar mal ao comprarem o FII errado. Agora, porém, os investidores dispõem de um grupo em rápida expansão de fundos mútuos imobiliários que estão mais do que dispostos a fazer o serviço por eles. Os fundos examinam as ofertas disponíveis e reúnem um portfólio diversificado de FIIs, assegurando que uma ampla variedade de tipos de propriedade e região sejam representados. Ademais, os investidores têm o poder de liquidar suas participações no fundo sempre que desejarem, mas, ao venderem as cotas, há uma incidência de 20% de imposto sobre o ganho. Existem também fundos indexados de FII de baixo custo e acredito que estes continuarão produzindo os melhores retornos líquidos para os investidores.

EXERCÍCIO 7: COMO INVESTIGAR UM PASSEIO PELO PAÍS DOS TÍTULOS DE DÍVIDA

Convenhamos, da Segunda Guerra Mundial até o início da década de 1980, os títulos de dívida eram um péssimo local para colocar seu dinheiro. A inflação erodia o seu valor real violentamente. Por exemplo, poupadores que adquiriram títulos de poupança americanos por 18,75 dólares no início da década de 1970 e os resgataram cinco anos depois por 25 dólares constataram, para seu desânimo, que haviam na verdade perdido poder de compra real. O problema era que, embora os 18,75 dólares investidos em tal título cinco anos antes pudessem ter enchido um tanque de gasolina duas vezes, os 25 dólares obtidos no vencimento o enchiam pouco mais de uma vez. Na verdade, o retorno real do investidor foi negativo, já que a inflação corroeu o poder de compra mais rápido do que a capitalização dos rendimentos dos juros. Não admira que os investidores vissem o título de dívida como um palavrão indizível.

Os títulos de dívida foram um mau investimento até o início da década de 1980, porque suas taxas de juros não ofereciam proteção adequada contra a inflação. Mas os preços desses títulos se ajustaram para dar aos investidores retornos excelentes nos trinta anos seguintes. Além disso, os títulos de dívida mostraram-se excelentes diversificadores, com correlação baixa ou negativa com as ações ordinárias de 1980 até 2018. Existem quatro tipos de compra de títulos de dívida que talvez você queira examinar em detalhes: (1) títulos prefixados (de cupom zero, que permitem fixar os rendimentos por um período predeterminado); (2) fundos mútuos de títulos sem taxas de administração (que permitem comprar participações em portfólios de títulos de dívida); (3) títulos de dívida isentos de impostos; e (4) títulos do Tesouro protegidos contra a inflação (Tesouro IPCA). Mas sua atratividade para investimentos varia consideravelmente com as condições do mercado. E, com as baixas taxas de juros do fim da década de 2010, os investidores precisam abordar o mercado de títulos de dívida com grande cautela.

Títulos de dívida prefixados de cupom zero podem ser úteis para financiar obrigações futuras

Esses títulos mobiliários são chamados de cupom zero porque os proprietários ganham taxas prefixadas mas não recebem pagamentos periódicos de juros, como ocorre num título regular com pagamento de cupom de juros. Em vez disso, esses títulos mobiliários são comprados com descontos em relação ao valor nominal (por exemplo, 75 cents em relação a 1 dólar) e gradualmente sobem até seus valores nominais ao longo dos anos. Se mantidos até o vencimento, o proprietário recebe a quantia plena anunciada do título. Esses títulos mobiliários estão disponíveis com vencimentos variando de poucos meses a 10 anos. São veículos excelentes para reservar dinheiro para despesas necessárias em datas futuras específicas.

A atração principal dos títulos de cupom zero é que o comprador não enfrenta nenhum risco de reinvestimento. Um título do Tesouro de cupom zero garante ao investidor que seus recursos serão continuamente reinvestidos pela taxa de rendimento até o vencimento.

Cabe aqui um alerta: o resgate pelo valor nominal só é garantido se você conservar os títulos até o vencimento. Até lá, os preços podem variar fortemente com mudanças das taxas de juros.

Fundos sem taxas de administração podem ser veículos apropriados para investidores individuais

Fundos (mútuos) de títulos de dívida abertos embutem algumas das vantagens de longo prazo dos títulos de cupom zero, mas são bem mais fáceis e baratos de comprar ou vender. Embora sem garantia de que você possa reinvestir seus juros a taxas constantes, esses fundos oferecem estabilidade de receita no longo prazo e são particularmente adequados para investidores que planejam viver da renda dos juros.

Como os mercados de títulos de dívida tendem a ser ao menos tão eficientes quanto os mercados de ações, recomendo os fundos indexados de títulos de dívida de baixo custo. Os fundos indexados de títulos de dívida e os fundos negociados em bolsa (ETFs), que apenas compram e conservam uma ampla variedade de títulos de dívida, em geral superam o desempenho dos fundos de obrigações ativamente geridos. Você não deveria comprar de jeito nenhum um fundo com taxa de comissão. Não faz sentido pagar por algo que você consegue obter de graça.

Há diversos tipos de fundo: aqueles especializados em títulos de dívida corporativos, os que investem em títulos de dívida isentos de impostos (que discutirei na próxima seção), bem como alguns fundos de alto rendimento mais arriscados, apropriados para investidores dispostos a aceitar um risco extra em troca de retornos esperados maiores.

Títulos de dívida isentos de impostos podem ser úteis para investidores nas faixas mais altas

Se você está numa faixa de imposto elevada, os fundos tributáveis, cupom zero e fundos de obrigações tributáveis talvez só sejam adequados no seu plano de aposentadoria. Senão, você precisa dos títulos de dívida isentos de impostos emitidos por segmentos da economia que o governo quer incentivar. Os juros desses títulos não contam como renda tributável na sua declaração do imposto de renda.

Durante 2018, nos Estados Unidos, títulos de dívida corporativos de longo prazo e boa qualidade estavam rendendo cerca de 4,5% e emissões isentas de impostos de qualidade semelhante rendiam quase 4%. Suponha que a faixa de imposto de um americano seja de 35%, incluindo impostos federais e estaduais. A tabela seguinte mostra que a renda após os impostos é 107,50 dólares maior nos títulos mobiliários isentos de impostos. No caso desse exemplo, claramente é o melhor investimento para uma pessoa nessa faixa de imposto.

Você pode fazer essas simulações aplicando as alíquotas de imposto de renda do Brasil, que podem variar de acordo com o ativo e com o prazo do investimento.

TÍTULOS DE DÍVIDA ISENTOS DE IMPOSTOS *VERSUS* TRIBUTÁVEIS (VALOR NOMINAL DE 10 MIL DÓLARES)

Tipo de título de dívida	Juros pagos	Impostos aplicáveis (taxa de 35%)	Renda após os impostos
4% isento de impostos	$400,00	—	$400,00
4,5% tributável	$450,00	$157,50	$292,50

Se você compra títulos de dívida diretamente (e não indiretamente via fundos mútuos), sugiro que adquira novas emissões em vez de títulos mobiliários já em circulação. Os rendimentos das novas emissões costumam ser um pouco melhores que aqueles de títulos de dívida em circulação, e com novas emissões você evita pagar taxas de transações. Acredito que você deva manter seu risco dentro de limites razoáveis insistindo em emissões classificadas ao menos como A pelos serviços de avaliação da Moody's e da Standard & Poor's.

Existe um fator de risco nos títulos de dívida. Se as taxas de juros subirem, o preço de seus títulos cairá. Mas, se as taxas de juros caírem, o emissor pode muitas vezes "recolher" esses títulos de você (saldar a dívida mais cedo) e depois emitir títulos novos a taxas menores. Para se proteger, certifique-se de que seus títulos de dívida de longo prazo tenham uma cláusula de proteção de dez anos que impeça que o emissor reembolse os títulos a taxas menores.

Se você dispõe de recursos substanciais para investir em títulos isentos de impostos, vejo pouca razão para fazer suas compras por meio de um fundo e pagar as taxas de administração envolvidas. Se limita suas compras a títulos de dívida de alta qualidade, incluindo aqueles garantidos pelo seguro de títulos, há pouca necessidade de diversificar e você obterá mais juros. Mas, se você tem apenas uns poucos milhares de dólares para investir, um fundo fornecerá a liquidez e a diversificação convenientes.

Tesouro IPCA: Títulos de dívida protegidos contra a inflação

Sabemos que a inflação imprevista é devastadora para os detentores de títulos de dívida. Ela tende a aumentar as taxas de juros, e conforme estas sobem, os preços dos títulos caem. E tem outras más notícias: a inflação também reduz o valor real dos pagamentos de juros e o principal de um título de dívida. Um escudo de chumbo está disponível aos investidores no Brasil na forma dos títulos do Tesouro protegidos contra a inflação (Tesouro IPCA). Esses títulos mobiliários são imunes à erosão da inflação se conservados até o vencimento e garantem aos investidores que seus portfólios manterão o poder de compra. Títulos do Tesouro IPCA de longo prazo pagaram uma taxa de juros básica de cerca de 10% nos últimos anos. Mas, em contraste com outras letras do Tesouro, o pagamento de juros se baseia em uma quantia principal que aumenta com o Índice de Preços ao Consumidor Amplo (IPCA). Se o nível de preços subisse 3% no próximo ano, o valor nominal de mil reais do título de dívida aumentaria para 1.030 reais. Quando ele vence, o investidor recebe um pagamento do principal igual ao valor nominal ajustado pela inflação naquele momento. Assim, o Tesouro IPCA fornece uma taxa de retorno real garantida e um reembolso do principal numa quantia que preserva seu poder de compra real.

Nenhum outro instrumento financeiro disponível atualmente oferece aos investidores uma proteção tão confiável assim contra a inflação. O Tesouro IPCA também é um ótimo diversificador de portfólio. Quando a inflação acelera, ele oferece retornos nominais maiores, enquanto os preços das ações e dos títulos de dívida tendem a cair. Desse modo, o Tesouro IPCA tem baixas correlações com outros ativos e é um diversificador singularmente eficaz. Fornece uma apólice de seguro eficiente para a multidão assustada.

Você deveria aplicar em *junk bonds*?

O mercado de títulos de dívida estaria imune à máxima de que o risco e a recompensa dos investimentos estão relacionados? De jeito nenhum! Durante a maioria dos períodos, os chamados *junk bonds* (títulos de dívida de qualidade de crédito menor e rendimentos maiores) têm dado aos investidores uma taxa de retorno líquida até 2 pontos percentuais maior que a taxa que poderia ser obtida em títulos de "grau de investimento" com classificações de crédito de alta qualidade. Para efeito de comparação, em 2018, títulos de dívida com grau de investimento negociados nos Estados Unidos renderam cerca de 4,5%, enquanto os *junk bonds* com frequência renderam de 5,5% a

7%. Desse modo, ainda que 1% dos títulos de grau inferior deixasse de pagar seus juros e principal e produzisse perda total, um portfólio diversificado de títulos de baixa qualidade ainda assim produziria retornos líquidos semelhantes aos de um portfólio de títulos de dívida de alta qualidade. Muitos consultores de investimentos têm, portanto, recomendado portfólios bem diversificados de títulos de dívida de alto rendimento como investimentos sensatos. Um investidor brasileiro pode aplicar em *junk bonds* por meio de fundos internacionais que têm esses ativos nas carteiras.

Existe, porém, uma escola de pensamento nos Estados Unidos que aconselha os investidores a simplesmente dizerem não aos *junk bonds*. A maioria desses títulos foi emitida como resultado de uma maciça onda de fusões corporativas, aquisições e compras alavancadas (na maior parte, financiadas por dívidas). Os inimigos dos *junk bonds* observam que títulos de dívida de crédito mais baixo tendem a ser plenamente saldados apenas durante os períodos bons da economia americana. Logo, cuidado quando a economia tropeçar.

Então o que um investidor consciencioso deve fazer? A resposta depende de quão bem você dorme à noite quando assume riscos substanciais nos investimentos. Portfólios de *junk bonds* de alto rendimento não são para os insones. Mesmo com diversificação, existe risco substancial nesses investimentos. Com certeza não são para investidores que não diversificam de maneira adequada. Contudo, ao menos historicamente, o prêmio de rendimento bruto dos *junk bonds* tem mais do que compensado a experiência de inadimplência real.

Títulos de dívida estrangeiros

O Brasil é conhecido por ter um dos maiores rendimentos do mundo, mas existem países estrangeiros com rendimentos de títulos de dívida superiores, sobretudo em mercados emergentes.

O pensamento convencional geralmente não tem recomendado os títulos de dívida de mercados emergentes, citando seu alto risco e sua baixa qualidade. Mas muitas economias emergentes possuem relações dívida/PIB menores e maior equilíbrio fiscal do governo do que os encontrados no mundo desenvolvido. As economias emergentes também estão crescendo mais rápido. Portanto, um portfólio diversificado de títulos de dívida estrangeiros de alto rendimento, inclusive aqueles dos mercados emergentes, pode ser uma parte útil de um portfólio de renda fixa.

EXERCÍCIO 7A: SUBSTITUA PARTE DA CARTEIRA DE TÍTULOS DE DÍVIDA AGREGADA NAS ÉPOCAS DE REPRESSÃO FINANCEIRA

Baixas taxas de juros apresentam um desafio tremendo para investidores em títulos de dívida. Todos os países desenvolvidos do mundo, assim como o Brasil, estão sobrecarregados com quantias excessivas de dívida. Governos ao redor do mundo estão tendo grandes dificuldades em refrear os programas de benefícios sociais em face de populações cada vez mais idosas.

O caminho mais fácil para alguns governos é manter as taxas de juros artificialmente baixas, reduzindo o ônus real da dívida e reestruturando-a à custa dos detentores de títulos de dívida. Vimos esse filme antes. No fim da Segunda Guerra Mundial, os Estados Unidos deliberadamente mantiveram as taxas de juros em níveis bem baixos para ajudar o serviço da dívida acumulada durante a guerra. Com isso, o país reduziu sua relação dívida/PIB de 122%, em 1946, para 33% em 1980. Mas isso foi obtido à custa dos detentores de títulos de dívida. É isso que significa o termo "repressão financeira".

Uma técnica para lidar com o problema é usar uma estratégia de substituição por dividendos de ações para alguma parte do que, em tempos normais, teria sido um portfólio de títulos de dívida. Portfólios de ações de crescimento com dividendos relativamente estáveis rendem mais que os títulos de dívida das mesmas empresas, além de contar com a possibilidade de crescimento futuro. Um exemplo do tipo de empresa em tal portfólio é a AT&T. Seus títulos de dívida de 15 anos rendem cerca de 4,5%, suas ações ordinárias têm um rendimento de 6% em dividendos, e o dividendo vem crescendo com o tempo. Pessoas aposentadas que vivem de dividendos e juros serão mais recompensadas com ações da AT&T do que com títulos de dívida. E portfólios de ações de crescimento com dividendos podem não ser mais voláteis do que um portfólio equivalente de títulos de dívida das mesmas empresas. Durante períodos de repressão financeira, as recomendações-padrão sobre os títulos de dívida precisam ser ajustadas e talvez convenha realizar uma substituição parcial de títulos de dívida por ações naquela parte do portfólio que visa reduzir o risco.

EXERCÍCIO 8: ANDE NA PONTA DOS PÉS PELOS CAMPOS DE OURO, OBJETOS COLECIONÁVEIS E OUTROS INVESTIMENTOS

Nas edições anteriores deste livro, adotei diferentes posições sobre se o ouro se enquadra em um portfólio bem diversificado. No início da década de 1980, quando o preço da onça de ouro havia subido para mais de 800 dólares, adotei uma visão bem negativa dele. Vinte anos depois, no início do novo milênio, com o ouro vendido a 200 dólares, fiquei mais favorável. Atualmente, com a onça do ouro vendida a 1.200 dólares, acho difícil me entusiasmar. Mas poderia haver um papel modesto para o ouro no seu portfólio. Seus retornos tendem a ter pouca correlação com os retornos de ativos em papel. Assim, mesmo participações modestas (digamos, 5% do portfólio) podem ajudar um investidor a reduzir a variabilidade do portfólio total. E, se a inflação ressurgisse, o ouro provavelmente produziria retornos aceitáveis. Mas a prudência sugere – na melhor das hipóteses – um papel limitado para o ouro como um veículo para obter uma diversificação maior.

E os diamantes, com frequência descritos como os melhores amigos de todos? Eles representam enormes riscos e desvantagens para investidores individuais. Deve-se lembrar que comprar diamantes envolve grandes custos de comissões. Também é dificílimo para um indivíduo julgar sua qualidade, e posso assegurar que o número de telefonemas de pessoas querendo vender diamantes excede de longe o de telefonemas daqueles que querem comprá-los.

Outra estratégia atual popular é investir em objetos colecionáveis. Milhares de vendedores estão apregoando de tudo, de quadros de Renoir a tapetes, de lâmpadas Tiffany a selos raros, de art déco a sacos para enjoo de aviões. E o eBay tornou a compra e a venda de itens colecionáveis bem mais eficientes. Não vejo nada de errado em comprar coisas que você adora – e Deus sabe quão estranhos são os gostos das pessoas –, mas meu conselho é comprar essas coisas porque você as adora, não por esperar que se valorizem. Não esqueça que falsários e falsificações são comuns. Um portfólio de objetos colecionáveis também costuma requerer prêmios de seguro elevados e despesas de manutenção incessantes – de modo que você está fazendo pagamentos em vez de receber dividendos e juros. Para ganhar dinheiro colecionando, você precisa de grande originalidade e bom gosto. Na minha visão, a maioria das pessoas que acham que estão colecionando lucros na verdade está colecionando problemas.

Mesmo que você seja sortudo o bastante em comprar uma obra de arte que se revele uma grande obra-prima, ainda assim não terá feito um investimento inteligente. Em novembro de 2017, a pintura *Salvator Mundi*, atribuída a Leonardo da Vinci, foi vendida num leilão da Christie's por mais de 450 milhões de dólares. Jason Zweig, um colunista financeiro do *The Wall Street Journal*, estimou que a pintura foi vendida pelo equivalente a meio milhão de dólares no início do século XVI. A capacidade de dizer hoje "Possuo um Da Vinci" pode não ter preço. Mas, como investimento, retornou apenas 1,33% de 1519 a 2018.

Outro instrumento popular hoje em dia é o contrato de futuros em commodities. Você pode comprar não apenas ouro, mas também contratos para a entrega de uma variedade de commodities, de cereais a metais, bem como moedas do seu país e estrangeiras. Trata-se de um mercado rápido no qual os profissionais podem se beneficiar muito, mas indivíduos que não sabem o que estão fazendo podem facilmente ser fustigados. Meu conselho para o investidor não profissional: não nade contra a corrente.

Eu também me afastaria de fundos hedge, participações privadas e fundos de capital de risco. Podem render muito dinheiro para os gestores dos fundos, que embolsam polpudas taxas de administração e 20% dos lucros, mas investidores individuais dificilmente se beneficiam. O desempenho médio desses fundos é bem decepcionante. É verdade que os melhores fundos têm se saído bem, mas, a não ser que você seja um investidor institucional que conquistou uma posição preferencial clara, suas chances de investir nos melhores são praticamente nulas. Ignore esses instrumentos exóticos – não são para você.

Caso se sinta tentado pela atração dos fundos hedge, lembre-se da famosa aposta de Warren Buffett. Ao final de 2007, Buffett ofereceu a quem quisesse a seguinte aposta de 1 milhão de dólares: "Aposto que você não consegue selecionar cinco lotes de fundos hedge que superem o S&P 500 nos próximos dez anos." O vencedor da aposta poderia escolher sua organização de caridade favorita para receber o prêmio. A Protégé Partners aceitou o desafio e selecionou cinco fundos que investiam em um portfólio de fundos hedge. Quando a aposta se encerrou no último dia de 2017, o Fundo Indexado S&P 500 havia retornado 7,1% ao ano. A cesta de fundos hedge retornou 2,2% anualmente.

A ganhadora real foi a organização de caridade Girls, Inc. de Buffett, que proporciona cuidados pós-escola e programas de verão para meninas entre 5 e 18 anos. Os perdedores foram aqueles que investiram em portfólios de fundos hedge de alto custo.

EXERCÍCIO 9: LEMBRE-SE DE QUE OS CUSTOS DOS INVESTIMENTOS NÃO SÃO ALEATÓRIOS – ALGUNS SÃO MAIS BAIXOS DO QUE OUTROS

Muitas corretoras atualmente executam suas ordens de compra e venda de ações com fortes descontos em relação às taxas de comissão padrão. A corretora de descontos pode realizar as transações com taxas de comissão bem inferiores às da empresa de pleno serviço padrão, em especial se você estiver disposto a transacionar on-line. Transacionar ações on-line é fácil e barato. Mas ouça meu aviso: poucos investidores que tentam comprar e vender ações diariamente chegam a lucrar. Não deixe que taxas de comissão baixas seduzam você a fazer parte da legião dos ex-operadores de *day trade* fracassados.

Já que estamos falando de custos de comissões, você deveria se informar sobre a inovação de Wall Street chamada *wrap account*. Por uma taxa única, sua corretora obtém os serviços de um administrador de investimentos profissional, que então seleciona para você um portfólio de ações, títulos de dívida e talvez imóveis. As comissões de corretagem e taxas de consultoria são incorporadas à taxa geral. Os custos envolvidos nessas contas são altíssimos. As taxas podem ser de 3% ao ano e podem existir taxas de execução e despesas de fundos adicionais se o gestor utiliza fundos mútuos ou fundos de investimento imobiliário. Com esses tipos de despesa, será praticamente impossível superar o mercado. Meu conselho aqui é: evite essas contas.

Lembre-se também de que os custos importam ao comprar fundos mútuos ou fundos negociados em bolsa. Os fundos que cobram as menores taxas do investidor têm forte tendência de produzir os melhores retornos líquidos. No setor dos fundos você realmente obtém aquilo pelo qual não paga. Claro que os fundos de baixo custo típicos são fundos indexados, que tendem a ter baixa tributação também.

Existe muita coisa nos investimentos que você não consegue controlar. Você não pode fazer nada sobre as altas e baixas dos mercados de ações e títulos de dívida. Mas pode controlar os custos dos seus investimentos. E pode organizar seus investimentos para minimizar os impostos. Controlar o que está a seu alcance deveria ter um papel central no desenvolvimento de uma estratégia de investimentos sensata.

EXERCÍCIO 10: EVITE SUMIDOUROS E OBSTÁCULOS – DIVERSIFIQUE SEUS PASSOS DE INVESTIMENTO

Nestes exercícios de aquecimento discutimos uma série de instrumentos de investimento. A parte mais importante de seu passeio por Wall Street nos levará à esquina da Broad Street, onde fica a Bolsa de Valores de Nova York, e a uma consideração de estratégias de investimento sensatas no tocante às ações ordinárias. Um guia para essa parte do passeio está contido nos três capítulos finais, porque acredito que as ações ordinárias deveriam formar a base da maioria dos portfólios. Mesmo assim, em nosso exercício de aquecimento final lembramos a importante lição da teoria moderna do portfólio – as vantagens da diversificação.

Um provérbio bíblico diz que "na multidão de conselheiros há segurança". O mesmo se pode dizer dos investimentos. A diversificação reduz o risco e torna bem mais provável que você alcance o tipo de bom retorno médio de longo prazo que satisfaça seu objetivo de investimento. Portanto, dentro de cada categoria de investimento, você deveria conservar uma variedade de emissões individuais, e, embora as ações ordinárias devessem ser uma parte preponderante de seu portfólio, não deveriam ser o único instrumento de investimento. Lembre-se dos ex-funcionários da Enron cujos planos de aposentadoria só continham ações daquela empresa. Quando a Enron soçobrou, perderam não só seus empregos, mas toda a sua poupança para a aposentadoria também. Sejam quais forem os objetivos do investimento, o investidor inteligente diversifica.

Lembre-se também dos sumidouros e obstáculos abordados no Capítulo 10, que enumera as lições para investidores das finanças comportamentais. Somos com frequência nosso pior inimigo quando se trata de investir. Uma compreensão de quão vulneráveis somos à nossa psicologia talvez ajude a evitar as armadilhas comuns que podem nos fazer tropeçar no nosso passeio pelo mercado financeiro.

UM CHECK-UP FINAL

Agora que você completou seus exercícios de aquecimento, vamos dedicar um momento ao check-up final. As teorias da avaliação elaboradas por economistas e o desempenho registrado pelos profissionais levam a uma só conclusão: não existe um caminho seguro e fácil para a riqueza. Altos retornos só podem ser alcançados correndo mais risco (e talvez aceitando uma liquidez menor).

O grau de risco que você consegue tolerar é em parte determinado por seu ponto de sono. O próximo capítulo discute os riscos e as recompensas de investir em ações e títulos de dívida e ajudará você a avaliar os tipos de retorno que deveria esperar de diferentes instrumentos financeiros. Mas o risco que você consegue assumir é também fortemente influenciado por sua idade e pelas fontes e a confiabilidade de sua renda fora dos investimentos. O Capítulo 14 – "Um guia de investimento de ciclo de vida" – dará uma ideia mais clara de como decidir quais partes do seu capital deveriam ser aplicadas em ações ordinárias, títulos de dívida, imóveis e investimentos de curto prazo. O capítulo final apresenta estratégias de mercado de ações específicas que permitirão a investidores amadores atingir retornos tão bons ou melhores do que aqueles da maioria dos profissionais sofisticados.

13

LEVAR VANTAGEM NA CORRIDA FINANCEIRA: UM COMPÊNDIO PARA COMPREENSÃO E PROJEÇÃO DE RETORNOS DE AÇÕES E TÍTULOS DE DÍVIDA

Nenhum homem que esteja corretamente informado sobre o passado estará disposto a adotar uma visão ressentida ou desalentada do presente.

— THOMAS B. MACAULAY, *History of England*

ESTE É O CAPÍTULO em que você aprende a se tornar um apostador financeiro. Lendo-o, você ainda continuará incapaz de prever o rumo do mercado no próximo mês ou ano – ninguém consegue isso –, mas terá mais chances de construir um portfólio vitorioso. Embora os níveis de preços de ações e títulos de dívida – os dois determinantes mais importantes do valor líquido – flutuem sem dúvida além do seu controle, minha metodologia geral servirá para você projetar de forma realista os retornos de longo prazo e adaptar seu programa de investimentos às suas necessidades financeiras.

O QUE DETERMINA OS RETORNOS DE AÇÕES E TÍTULOS DE DÍVIDA?

Os retornos de longuíssimo prazo das ações ordinárias são determinados por dois fatores críticos: o rendimento dos dividendos (*dividend yield*) na época da compra e a taxa de crescimento futura dos lucros e dividendos. Em princípio, para o comprador que conserva suas ações para sempre, uma ação ordinária vale o valor "presente" ou "descontado" de seu fluxo de dividendos futuros. Lembre-se de que esse "desconto" reflete o fato de 1 dólar recebido amanhã valer menos que 1 dólar na mão hoje. Um comprador de ações adquire uma participação acionária em uma empresa e espera receber um fluxo crescente de dividendos. Mesmo que uma empresa pague dividendos bem pequenos hoje e conserve a maior parte do seu lucro (ou mesmo todo) para reinvestir no negócio, o investidor implicitamente presume que tal reinvestimento levará a um crescimento mais rápido do fluxo de dividendos no futuro ou, alternativamente, a maiores lucros que podem ser usados pela empresa para recomprar suas ações.

Pode-se mostrar que o valor descontado desse fluxo de dividendos (ou recursos devolvidos aos acionistas via recompras de ações) produz uma fórmula bem simples para o retorno total de longo prazo de uma ação individual ou do mercado como um todo:

Retorno do patrimônio de longo prazo =
rendimento inicial dos dividendos + taxa de crescimento

De 1926 até 2018, por exemplo, as ações ordinárias forneceram uma taxa de retorno anual média de cerca de 10%. O rendimento dos dividendos para o mercado como um todo em 1º de janeiro de 1926 era de cerca de 5%. A taxa de crescimento de lucros e dividendos no longo prazo também era de cerca de 5%. Assim, somar o rendimento inicial dos dividendos à taxa de crescimento dá uma boa aproximação da taxa de retorno real.

Em períodos mais curtos, como um ano ou mesmo vários anos, um terceiro fator é crucial para determinar os retornos. Esse fator é a mudança nas relações de avaliação – especificamente, a mudança nos índices preço/dividendo ou preço/lucro. (Aumentos ou reduções no índice preço/dividendo tendem a tomar a mesma direção do mais popularmente usado índice preço/lucro.)

Os índices preço/dividendo e preço/lucro variam muito de ano para ano. Por exemplo, em épocas de grande otimismo, como no início de março de 2000, as ações eram vendidas a índices preço/lucro bem acima de 30. O índice preço/dividendo estava acima de 80. Em períodos de grande pessimismo, como 1982, as ações eram vendidas por apenas 8 vezes os lucros e 17 vezes os dividendos. Esses índices são também influenciados pelas taxas de juros. Quando estas estão baixas, as ações, que competem com os títulos de dívida pelas poupanças dos investidores, tendem a ser vendidas com baixos rendimentos dos dividendos e índices preço/lucro altos. Quando as taxas de juros estão altas, os rendimentos das ações sobem para serem mais competitivos e as ações tendem a ser vendidas por baixos índices preço/lucro. Os retornos das ações ordinárias estavam bem abaixo da média de 1968 a 1982, quando eram de apenas cerca de 5,5% ao ano. As ações eram vendidas a um rendimento dos dividendos de 3% no início do período, e o crescimento dos lucros e dividendos era de 6% ao ano, um pouco acima da média de longo prazo. Se os índices preço/lucro (e os rendimentos dos dividendos) tivessem permanecido constantes, as ações teriam produzido um retorno anual de 9%, com o crescimento de 6% dos dividendos traduzido numa valorização do capital de 6% por ano. Mas um grande aumento nos rendimentos dos dividendos (uma grande queda nos índices preço/lucro) reduziu o retorno anual médio em cerca de 3,5 pontos percentuais por ano.

Um período perfeitamente terrível para investidores no mercado de ações foi a primeira década do século XXI. A Era do Milênio acabou se revelando a Era do Desencanto. No início de abril de 2000, no auge da bolha da internet, o rendimento dos dividendos do S&P 500 havia caído para 1,2%. (Os índices preço/lucro estavam acima de 30.) O crescimento dos dividendos foi realmente bem forte durante o período, em média de 5,8% ao ano. Se não tivesse ocorrido uma mudança nas relações de avaliação, as ações teriam produzido uma taxa de retorno de 7% (rendimento dos dividendos de 1,2% mais crescimento de 5,8%). Mas os índices preço/lucro despencaram e os rendimentos dos dividendos subiram no decorrer da década. A mudança nas relações de avaliação removeu 13,5 pontos percentuais do retorno. Desse modo, as ações não retornaram 7% – perderam uma média de 6,5% ao ano, levando muitos analistas a se referirem àqueles anos como "a década perdida".

Muitos analistas questionam se os dividendos são agora tão relevantes quanto foram no passado. Argumentam que as empresas cada vez mais preferem distribuir os lucros crescentes aos acionistas mediante recompras de ações em vez de aumentos dos dividendos. Dois motivos são oferecidos para tal comportamento – um atende aos acionistas e o outro, à administração. O benefício ao acionista foi criado pelas leis fiscais. A alíquota do imposto sobre ganhos de capital de longo prazo realizados tem com frequência sido apenas uma fração da alíquota de imposto de renda máxima sobre dividendos. Empresas que compram de volta ações tendem a reduzir o número de papéis em circulação e, portanto, aumentam o lucro por ação e assim os seus preços. Desse modo, as recompras de ações tendem a criar ganhos de capital. Mesmo quando os dividendos e ganhos de capital são tributados à mesma alíquota, os impostos sobre ganhos de capital podem ser diferidos até as ações serem vendidas, ou mesmo evitados por completo se as ações são mais tarde legadas. Assim, gestores agindo de acordo com o interesse dos acionistas preferirão se envolver em recompras em vez de aumentar os dividendos.

O outro lado das recompras de ações é mais egoísta. Uma parte significativa da remuneração da administração deriva de opções de ações, que se tornam valiosas somente se os lucros e o preço da ação sobem. Recompras de ações constituem um meio fácil de fazer isso acontecer. Valorizações maiores beneficiam os gestores ao aumentarem o valor de suas opções de ações, enquanto dividendos maiores vão para os bolsos dos acionistas atuais. Da década de 1940 até a de 1970, os lucros e os dividendos cresciam mais ou menos à mesma taxa. Mas, durante as últimas décadas do século XX, os lucros cresceram mais rápido do que os dividendos. No longuíssimo prazo, os lucros e dividendos tendem a crescer a taxas mais ou menos semelhantes e, para facilitar a leitura, optei por fazer a análise a seguir em termos do crescimento dos lucros.

Os retornos de longo prazo dos títulos de dívida são mais fáceis de calcular do que os das ações. No longo prazo, o rendimento que um investidor em títulos de dívida recebe aproxima-se do rendimento até o vencimento do título na época de sua compra. Para um título de cupom zero (um título de dívida que não faz pagamentos periódicos de juros, mas simplesmente devolve uma quantia fixa no vencimento), o rendimento pelo qual é comprado é precisamente aquele que o investidor receberá, supondo que não haja calote e que seja mantido até o vencimento. Para um título pagador de cupom (um título de dívida que faz pagamentos periódicos de juros), poderia haver uma ligeira variação no rendimento auferido no vencimento do título, dependendo de se os juros do cupom são reinvestidos e a que taxas. Não obstante, o rendimento inicial do título de dívida fornece uma estimativa bem útil do rendimento que será obtido por um investidor que conserva o título até o vencimento.

Estimar os retornos dos títulos de dívida torna-se complicado quando estes não são conservados até o vencimento. Mudanças nas taxas de juros (rendimentos dos títulos de dívida) passam a ser então um fator importante no cálculo do retorno líquido recebido durante o período em que o título é conservado. Quando as taxas de juros sobem, os preços dos títulos caem para tornar os existentes competitivos com aqueles que estão agora sendo emitidos com taxas de juros maiores. Quando as taxas caem, os preços dos títulos aumentam. O princípio a ser mantido em mente é que os investidores que não conservam os títulos de dívida até o vencimento sofrerão na medida em que as taxas de juros aumentam e ganharão na medida em que essas taxas caem.

A inflação é o azarão quando se quer levar vantagem nos retornos financeiros. No mercado de títulos de dívida, um aumento da taxa de inflação é inequivocamente ruim. Para ver isso, suponha que não houvesse inflação e que os títulos de dívida fossem vendidos com rendimento de 5%, fornecendo aos investidores um retorno real (ou seja, após a inflação) de 5%. Agora suponha que a taxa de inflação aumente de zero para 5% ao ano. Se os investidores ainda requerem uma taxa de retorno real de 5%, então a taxa de juros do título precisa aumentar para 10,25%. Somente então os investidores receberão um retorno após a inflação de 5%. Mas isso significará uma queda nos preços dos títulos, e aqueles que antes compraram títulos de dívida de longo prazo de 5% sofrerão uma grande perda de capital. A inflação é o inimigo mortal do investidor em títulos de dívida, excetuando-se, claro, os títulos protegidos da inflação recomendados no Capítulo 12.

Em princípio, as ações ordinárias deveriam ser uma proteção contra a inflação, e supõe-se que ações não são prejudicadas pela alta dos preços. Ao menos em teoria, se a taxa de inflação aumenta em 1 ponto percentual, todos os preços deveriam aumentar em 1 ponto percentual, incluindo os valores de fábricas, equipamentos e estoques. Consequentemente, a taxa de crescimento dos lucros e dividendos deveria aumentar com a inflação. Desse modo, embora todos os retornos requeridos aumentem com a inflação, nenhuma mudança nos rendimentos dos dividendos (ou índices P/L) será requerida. A razão é que as taxas de crescimento esperadas deveriam se elevar junto com os aumentos na inflação esperada. Examinaremos a seguir se isso acontece na prática.

QUATRO ERAS HISTÓRICAS DOS RETORNOS DO MERCADO FINANCEIRO

Antes de tentarmos projetar os retornos futuros de ações e títulos de dívida, vamos examinar quatro períodos da história dos mercados de ações e títulos e ver se conseguimos entender como os investidores se saíram em termos dos determinantes do retorno anteriormente discutidos. As quatro eras coincidem com as quatro grandes oscilações nos retornos do mercado de ações de 1947 a 2009. A tabela a seguir indica as quatro eras e os retornos anuais médios obtidos por investidores em ações e títulos de dívida.

UMA VISÃO POR ERAS DOS RETORNOS DE AÇÕES E TÍTULOS DE DÍVIDA AMERICANOS

| Classe de ativo | Era I
Jan. 1947-
dez. 1968
A Era do
Conforto | Era II
Jan. 1969-
dez. 1981
A Era da
Angústia | Era III
Jan. 1982-
mar. 2000
A Era da
Exuberância | Era IV
Abril 2000-
mar. 2009
A Era do
Desencanto |
|---|---|---|---|---|
| Ações ordinárias (S&P 500) | 14,0% | 5,6% | 18,3% | -6,5% |
| Títulos de dívida (corporativos de alta qualidade e longo prazo) | 1,8% | 3,8% | 13,6% | 6,4% |
| Taxa de inflação anual média | 2,3% | 7,8% | 3,3% | 2,4% |

A Era I, que chamo de Era do Conforto, abrange os anos de crescimento após a Segunda Guerra Mundial. Os acionistas saíram-se extremamente bem em relação à inflação, enquanto os escassos retornos obtidos pelos detentores de títulos de dívida estiveram aquém da taxa de inflação média. Chamo a Era II de Era da Angústia. A rebelião generalizada dos milhões de adolescentes nascidos durante o *baby boom*, a instabilidade econômica e política criada pela Guerra do Vietnã e os vários choques inflacionários do petróleo e dos alimentos combinaram-se para criar um clima inóspito aos investidores. Nada estava isento: nem ações, nem títulos de dívida tiveram bom desempenho. Durante nossa terceira era, a Era da Exuberância, os *baby boomers* amadureceram, a paz reinou e a prosperidade não inflacionária se instaurou. Foi uma era dourada para detentores de ações e títulos de dívida, que nunca antes auferiram retornos tão generosos. A Era IV foi a Era do Desencanto, em que a grande promessa do novo milênio não se refletiu nos retornos das ações ordinárias.

Com esses amplos períodos definidos, vamos examinar como os determinantes do retorno se desenvolveram durante essas eras e olhar especialmente o que pode ter sido responsável pelas mudanças nas relações de avaliação e taxas de juros. Lembre-se de que os retornos das ações são determinados por (1) o rendimento inicial dos dividendos pelo qual as ações foram compradas, (2) a taxa de crescimento dos lucros e (3) mudanças na avaliação em termos do índice preço/lucro (ou preço/dividendo). E os retornos dos títulos de dívida são determinados (1) pelo rendimento inicial até o vencimento pelo qual os títulos foram comprados e (2) pelas mudanças nas taxas de juros (rendimentos) e, portanto, nos preços dos títulos para investidores que não os conservam até o vencimento.

Era I: A Era do Conforto

Os consumidores celebraram o fim da Segunda Guerra Mundial com uma farra de gastos. Eles tinham vivido sem carros, geladeiras e um sem-número de outros bens durante a guerra e gastaram suas poupanças sem dó nem piedade, criando um pequeno surto de crescimento com certa inflação. Mas foi difícil esquecer a Grande Depressão dos anos 1930. Os economistas (esses cientistas deprimentes) ficaram preocupados quando a demanda começou a diminuir e se convenceram de que uma profunda recessão, ou talvez uma depressão, era iminente. O presidente Harry Truman foi responsável por uma definição amplamente usada da diferença entre as duas: "Uma recessão é quando você está desempregado. Uma depressão é quando eu estou desempregado." Os investidores no mercado de ações observaram o pessimismo dos economistas e ficaram claramente preocupados. Os rendimentos dos dividendos no início de 1947 estavam extraordinariamente altos, a 5%, e os índices preço/lucro, que pairavam em torno de 12, estavam bem abaixo da média de longo prazo.

Acabou que a economia não afundou na depressão que muitos haviam temido. Embora houvesse períodos de recessão leve, a economia cresceu a uma taxa razoável nas décadas de 1950 e 1960. O presidente Kennedy havia proposto um grande corte de impostos no início da década de 1960, que foi aplicado em 1964, após sua morte. Com o estímulo do corte de impostos e do aumento nos gastos governamentais para a Guerra do Vietnã, a economia estava robusta, com altos níveis de emprego. A inflação só viria a ser um problema bem no fim do período. Os investidores ficaram cada vez mais confiantes. Em 1968, os índices P/L estavam acima de 18 e o rendimento do Índice de Ações S&P 500 havia caído para 3%. Com isso, criaram-se condições realmente confortáveis para os investidores em ações ordinárias: seus dividendos iniciais eram altos; tanto os lucros como os dividendos cresciam a taxas razoavelmente robustas de 6,5% a 7%; e as avaliações melhoraram, aumentando ainda mais os ganhos de capital. A tabela a seguir mostra os diferentes componentes dos retornos de ações e títulos de dívida no período 1947-1968.

O DESENVOLVIMENTO DOS RETORNOS DE AÇÕES E TÍTULOS DE DÍVIDA (JANEIRO DE 1947 A DEZEMBRO DE 1968)

Ações	Rendimento dos dividendos inicial	5,0%
	Crescimento dos rendimentos	6,6%
	Mudança na avaliação (aumento do índice P/L)	2,4%
	Retorno anual médio	14,0%
Títulos	Rendimento inicial	2,7%
	Efeito do aumento nas taxas de juros	-0,9%
	Retorno anual médio	1,8%

Infelizmente, os investidores em títulos de dívida não se saíram igualmente bem. Para começar, os rendimentos iniciais dos títulos estavam baixos em 1947. Desse modo, os retornos dos títulos estavam destinados a ser baixos mesmo para os investidores que os mantivessem até o vencimento. Durante a Segunda Guerra Mundial, os Estados Unidos estabilizaram as taxas de juros de títulos governamentais de longo prazo em não mais do que 2,5%. A política foi implementada para permitir ao governo financiar a guerra de forma barata com empréstimos a juros baixos e continuou após a guerra, até 1951, quando se permitiu que as taxas subissem moderadamente. Portanto, os investidores em títulos de dívida sofreram um duplo revés durante o período. Não apenas as taxas de juros estavam artificialmente baixas no início do período como os detentores de títulos sofreram perdas de capital quando se permitiu que as taxas de juros subissem. Como resultado, os detentores de títulos receberam taxas de retorno nominais abaixo de 2% durante o período e retornos reais (após a inflação) negativos.

Era II: A Era da Angústia

Do fim da década de 1960 até o início da de 1980, a inflação acelerada fez uma aparição inesperada e se tornou a principal influência nos mercados de títulos mobiliários. Em meados da década de 1960, a inflação passava essencialmente despercebida – a uma taxa de pouco mais de 1%. Quando o envolvimento americano no Vietnã aumentou no fim dessa década, porém, o país sofreu a clássica e antiquada inflação de "pressão da demanda" – dinheiro demais atrás de poucos produtos – e a taxa de inflação avançou até 4% ou 4,5%.

Então a economia foi assolada pelos choques do petróleo e dos alimentos de 1973-1974. Um caso clássico da Lei de Murphy em ação – o que podia dar errado deu. A Organização dos Países Exportadores de Petróleo (OPEP) conseguiu produzir uma escassez artificial de petróleo e a Mãe Natureza produziu uma escassez real de alimentos decorrente de colheitas de cereais fracas na América do Norte e desastrosas na União Soviética e na África Subsaariana. Quando até o suprimento de anchovas peruanas desapareceu misteriosamente (as anchovas são uma grande fonte de proteínas), parece que o comentário de O'Toole entrou em jogo. (Lembre-se de que O'Toole afirmou que "Murphy era um otimista".) De novo, a taxa da inflação subiu para 6,5%. Então, em 1978 e 1979, uma combinação de erros políticos – levando a uma demanda excessiva em certos setores – e outro aumento de 125% no preço do petróleo voltaram a pressionar a inflação, levando consigo os custos dos salários. No início da década de 1980, a taxa de inflação estava em torno de 10% e era grande o temor de que a economia estivesse fora de controle.

Finalmente, o Federal Reserve, sob a liderança de seu presidente da época, Paul Volcker, tomou uma ação decisiva. O Fed iniciou uma política monetária extremamente rígida visando refrear a economia e matar o vírus inflacionário. A inflação começou a ceder com o tempo, mas a economia quase morreu junto. O país sofreu o maior declínio econômico desde a década de 1930 e o desemprego disparou. No fim de 1981, a economia americana sofria não apenas de uma inflação de dois dígitos, mas de uma taxa de desemprego de dois dígitos também.

A tabela seguinte mostra as consequências da inflação e da instabilidade econômica sobre os mercados financeiros. Embora os retornos nominais para detentores de ações e títulos de dívida fossem escassos, os retornos reais, descontada a taxa de inflação de 7,8%, foram na verdade negativos. Por outro lado, ativos tangíveis como ouro, objetos colecionáveis e imóveis forneceram retornos de dois dígitos generosos.

O DESENVOLVIMENTO DOS RETORNOS DE AÇÕES E TÍTULOS DE DÍVIDA (JANEIRO DE 1969 A DEZEMBRO DE 1981)

Ações	Rendimento dos dividendos inicial	3,1%
	Crescimento dos rendimentos	8,0%
	Mudança na avaliação (aumento do índice P/L)	-5,5%
	Retorno anual médio	5,6%
Títulos	Rendimento inicial	5,9%
	Efeito do aumento nas taxas de juros	-2,1%
	Retorno anual médio	3,8%

Como a inflação foi imprevista e não foi incorporada aos rendimentos, os investidores em títulos sofreram retornos desastrosos. Em 1968, por exemplo, títulos de dívida de longo prazo de trinta anos ofereciam um rendimento até o vencimento de cerca de 6%, fornecendo uma proteção contra a taxa de inflação vigente de cerca de 3% e uma taxa de retorno real após a inflação prevista de 3%. Infelizmente, a taxa de inflação real no período 1969-1981 foi de quase 8%, eliminando qualquer taxa de retorno real positiva. Essa é a "boa notícia" dessa história terrível. A má notícia foi que houve perdas de capital. Quem iria querer comprar um título rendendo 6% no fim da década de 1970 quando a taxa de inflação estava nos dois dígitos? Ninguém! Se você tivesse de vender seus títulos, vendia com prejuízo para que o novo comprador pudesse obter um rendimento compatível com a taxa de inflação maior. Os rendimentos subiram ainda mais conforme o prêmio de risco dos títulos de dívida aumentava para levar em conta a volatilidade maior. Para piorar ainda mais as coisas, o sistema fiscal aplicou o pior dos golpes nos investidores em títulos de dívida. Ainda que estes realmente obtivessem taxas de retorno negativas antes do imposto, os cupons dos títulos eram tributados às alíquotas de imposto de renda normais.

A incapacidade dos títulos de dívida de proteger os investidores contra um episódio inflacionário imprevisto não surpreende muito. O fracasso das ações ordinárias foi algo diferente. Como as ações representam participações em ativos reais que supostamente aumentam de valor com o nível de preços, os preços das ações – de acordo com essa linha de lógica – deveriam ter subido também. É como a história do menininho em sua primeira visita a um museu. Quando informado de que uma pintura abstrata devia ser um cavalo, o menino indagou sabiamente: "Bem, se devia ser um cavalo, por que não é um cavalo?" Se as ações ordinárias deveriam ser uma proteção contra a inflação, por que não foram?

Muitas explicações diferentes envolvendo dividendos instáveis e crescimento dos lucros foram oferecidas, mas simplesmente não se sustentaram sob uma análise cuidadosa. Uma explicação comum foi que a inflação fez os lucros corporativos encolherem fortemente, em especial quando as cifras informadas foram ajustadas à inflação. A inflação foi retratada como um tipo de bomba de nêutrons financeira, deixando a estrutura da sociedade anônima intacta, mas destruindo o sangue vital dos lucros. Muitos viram o motor do capitalismo fugindo do controle, de modo que um passeio por Wall Street – aleatório ou não – podia se mostrar bem perigoso.

Mas a verdade é que não havia indícios de que os lucros estivessem "despencando por um poste untado de uma inflação cruel e inexorável", como alguns na comunidade financeira acreditavam no início da década de 1980. Como mostra a tabela anterior, o crescimento dos lucros acelerou-se no período de 1969-1981 e aumentou para uma taxa de 8%, confortavelmente à frente da inflação. Mesmo os dividendos mantiveram a posição, subindo mais ou menos à mesma taxa da inflação.

Os fãs de cinema deveriam recordar a maravilhosa cena final de *Casablanca*. Humphrey Bogart ergue-se sobre o corpo de um major da Luftwaffe, um revólver fumegante na sua mão. Claude Rains, um capitão da polícia colonial francesa, volta seu olhar de Bogart para o revólver fumegante, depois para o major morto e finalmente para seu auxiliar, e diz: "O major Strasser foi alvejado. Reúnam os suspeitos usuais." Nós também reunimos os suspeitos usuais, mas ainda temos de focar em quem alvejou o mercado de ações.

A principal razão para os fracos retornos das ações durante a década de 1970 foi que a avaliação dos dividendos e lucros pelos investidores – o número de dólares que estavam dispostos a pagar por 1 dólar de dividendos e lucros – caiu fortemente. As ações deixaram de proteger os investidores contra a inflação não porque os lucros e dividendos não cresceram com a inflação, e sim porque os índices preço/lucro literalmente colapsaram no período.

O índice preço/lucro do Índice S&P reduziu-se em quase dois terços durante o período de 1969-1981. Foi esse declínio nos índices que produziu retornos tão ruins para os investidores na década de 1970 e impediu que os preços das ações refletissem o progresso subjacente real da maioria das empresas no crescimento dos lucros e dividendos. Alguns economistas financeiros concluíram que o mercado foi simplesmente irracional durante a década de 1970 e o início da de 1980 – que os índices P/L haviam caído demais.

Claro que é possível que os investidores em ações se tornassem irracionalmente pessimistas no início da década de 1980, assim como foram possivelmente de um otimismo irracional em meados da década de 1960. Mas embora eu não acredite que o mercado seja sempre perfeitamente racional, se forçado a optar entre o mercado de ações e a profissão de economista, eu poria meu dinheiro no mercado de ações sempre. Suspeito que os investidores em ações não foram irracionais quando causaram uma forte queda nos índices preço/dividendo e preço/lucro – só estavam assustados. Em meados da década de 1960, a inflação era tão modesta que quase não se percebia e os investidores estavam convencidos de que os economistas haviam achado a cura para as recessões graves – mesmo pequenos declínios podiam ser eliminados por meio de "ajustes finos". Ninguém teria imaginado, nos anos 1960, que a economia experimentaria um desemprego e uma inflação de dois dígitos, menos ainda que ambas as coisas poderiam ocorrer ao mesmo tempo. Claramente, aprendemos que as condições econômicas eram bem menos estáveis do que o imaginado. As ações de empresas eram, portanto, consideradas mais arriscadas e merecedoras de uma remuneração maior pelo risco.*

O mercado fornece maiores prêmios de risco mediante uma queda dos preços em relação aos lucros e dividendos, o que produz retornos maiores no futuro compatíveis com o novo ambiente mais arriscado. Paradoxalmente, porém, os mesmos ajustes que produziram retornos bem fracos no fim da década de 1960 e durante a de 1970 criaram alguns níveis de preços bem atraentes no início da década de 1980, como argumentei em edições anteriores deste livro. Mas a experiência deixa claro que, se quisermos explicar a geração de retornos por uma década, uma mudança nas relações de avaliação desempenha um papel crucial. A taxa de crescimento dos lucros compensou a inflação durante 1969-1981, mas a queda nos índices preço/dividendo e preço/lucro, que acredito refletissem um maior risco percebido, foi o que aniquilou o mercado de ações.

Era III: A Era da Exuberância

Vamos nos voltar agora à terceira era – a era dourada dos retornos dos ativos financeiros, de 1982 até o início da década de 2000. No início do período, tanto os títulos de dívida como as ações haviam se ajustado plenamente – talvez até demais – ao ambiente econômico modificado. Os preços das ações e dos títulos não apenas forneciam proteção adequada contra a inflação provável, mas também ofereciam taxas de retorno reais excepcionalmente generosas.

---

* Os economistas costumam exprimir essa afirmação em termos do prêmio de risco – ou seja, o retorno extra que você pode esperar de um investimento além do retorno de investimentos de curto prazo perfeitamente previsíveis. De acordo com essa visão, os prêmios de risco no início da década de 1960 estavam muito baixos, talvez 1 ou 2 pontos percentuais. Durante o início da década de 1980, os prêmios de risco exigidos pelos investidores para conservarem ações e títulos de dívida expandiram-se para uma faixa de provavelmente 4 a 6 pontos percentuais. *(N. do A.)*

De fato, no fim de 1981 o mercado de títulos de dívida estava desacreditado. O *Bawl Street Journal*, em sua edição cômica anual de 1981, escreveu: "Um título de dívida é um instrumento de taxa fixa visando cair de preço." Na época, o rendimento de títulos corporativos de alta qualidade estava em torno de 13%. A taxa de inflação subjacente (medida pelo crescimento dos custos unitários de trabalho) estava então em torno de 8%. Desse modo, os títulos corporativos forneciam uma taxa de retorno real esperada de cerca de 5%, anormalmente generosa pelos padrões históricos do passado (a taxa de retorno real de longo prazo dos títulos corporativos tem sido de apenas 2%). Sem dúvida, os preços dos títulos de dívida haviam se tornado voláteis, sendo portanto razoável presumir que os títulos deveriam oferecer um prêmio de risco um tanto maior do que antes. Mas os investidores institucionais, deprimidos pelo pânico, provavelmente descontaram demais os riscos dos investimentos em títulos de dívida. Eles relutavam em mexer com títulos de dívida, por causa da experiência tão desastrosa dos últimos quinze anos. Desse modo, as condições iniciais permitiram que os investidores em títulos de dívida esperassem retornos bem generosos nos anos à frente.

E as ações? Como já mencionei, é possível calcular a taxa de retorno de longo prazo prevista das ações somando o rendimento dos dividendos dos índices de ações ao crescimento previsto do lucro por ação. Os cálculos que realizei em 1981 indicavam uma taxa de retorno esperada total das ações ordinárias de mais de 13% – bem acima da taxa básica de inflação e bem generosa pelos padrões históricos.

As ações ordinárias também estavam sendo vendidas a índices anormalmente baixos de lucros ciclicamente deprimidos, a índices preço/dividendo abaixo da média e a preços que não passavam de uma fração do valor de substituição dos ativos que representavam. Não admira que vimos tantas incorporações de empresas durante a década de 1980. Sempre que ativos podem ser comprados no mercado de ações abaixo do custo de aquisição direta, as empresas tenderão a comprar as ações de outras empresas, além de comprar de volta as próprias ações. Assim, argumentei que, no início da década de 1980, fomos apresentados a uma situação do mercado em que os ativos em papel haviam se ajustado, talvez até demais, à inflação e à maior incerteza associada a ela. A tabela seguinte mostra como os retornos se desenvolveram durante o período 1982-2000.

O DESENVOLVIMENTO DOS RETORNOS DE AÇÕES E TÍTULOS DE DÍVIDA (JANEIRO DE 1982 A MARÇO DE 2000)

Ações	Rendimento dos dividendos inicial	5,8%
	Crescimento dos rendimentos	6,8%
	Mudança na avaliação (aumento do índice P/L)	5,7%
	Retorno anual médio	18,3%
Títulos	Rendimento inicial	13,0%
	Efeito da redução nas taxas de juros	0,6%
	Retorno anual médio	13,6%

Aquela foi realmente uma época de exuberância para os investidores, com ações e títulos de dívida produzindo taxas de retorno extraordinariamente generosas. Embora o crescimento nominal dos lucros e dividendos nesse período não fosse maior do que no período insatisfatório da década de 1970, dois fatores contribuíram para produzir retornos espetaculares no mercado de ações. Primeiro, os rendimentos iniciais dos dividendos de quase 6% eram incomumente generosos. Segundo, o sentimento do mercado foi do desespero à euforia. Os índices preço/lucro no mercado quase quadruplicaram, de 8 para 30, e os rendimentos dos dividendos caíram para pouco mais de 1%. Foi a mudança na avaliação que elevou os retornos das ações de excepcionalmente bons para absolutamente extraordinários.

Similarmente, o rendimento inicial de 15% do mercado de títulos de dívida garantiu que os detentores de longo prazo obteriam retornos de dois dígitos. Como já disse, o rendimento que os detentores de longo prazo veem é o que eles obtêm. Além disso, as taxas de juros caíram, aumentando os retornos ainda mais. E, como a taxa de inflação se moderou ao nível de 3%, os retornos reais (após deduzida a inflação) ficaram bem acima de sua média de longo prazo. O período de 1982 ao início da década de 2000 ofereceu uma oportunidade única de investir em ativos financeiros. Enquanto isso, ativos tangíveis como ouro e petróleo produziram taxas de retorno negativas.

Era IV: A Era do Desencanto

À Era da Exuberância seguiu-se uma das piores décadas já registradas pelo mercado de ações. O período foi amplamente considerado "a década perdida" ou "os anos nocivos". Uma década que a maioria dos investidores preferiria esquecer. A bolha da internet foi seguida por uma baixa esmagadora do mercado. Ainda na mesma década, outra bolha e outro colapso abalaram os mercados de ações mundiais, quando os preços em queda livre do setor imobiliário destruíram o valor dos títulos complexos garantidos por hipotecas, que dependiam do aumento dos preços dos imóveis. Os investidores foram de novo lembrados de que o mundo era um lugar bem arriscado. As relações de avaliação mudaram de forma compatível.

Os índices preço/lucro caíram e os rendimentos dos dividendos subiram. Mas o investidor que diversificou seu portfólio com títulos de dívida conseguiu mitigar o sofrimento, já que os títulos de dívida produziam retornos positivos durante a década. A tabela a seguir mostra o desenvolvimento dos retornos durante a Era do Desencanto.

O DESENVOLVIMENTO DOS RETORNOS DE AÇÕES E TÍTULOS DE DÍVIDA (ABRIL DE 2000 A MARÇO DE 2009)

Ações	Rendimento dos dividendos inicial	1,2%
	Crescimento dos rendimentos	5,8%
	Mudança na avaliação (aumento do índice P/L)	-13,5%
	Retorno anual médio	**-6,5%**
Títulos	Rendimento inicial	7,0%
	Efeito do aumento nas taxas de juros	-0,6%
	Retorno anual médio	**6,4%**

OS MERCADOS DE 2009 A 2018

No ponto mais baixo do mercado, em 2009, o índice P/L do S&P 500 havia caído para menos de 15 vezes os lucros deprimidos, depois de eliminadas distorções por grandes oscilações. O rendimento dos dividendos havia aumentado para quase 3%. Essas mudanças nas relações de avaliação criaram as condições para retornos positivos do mercado de ações na década seguinte. Conforme os lucros cresciam a índices de dois dígitos, os preços subiam ainda mais, ajudados pela queda dos rendimentos dos dividendos e o aumento dos índices P/L. Em abril de 2018, as ações produziram um retorno anual médio de 17,5%. A taxa de inflação média durante o mesmo período foi inferior a 2%. Assim, as ações produziram uma taxa de retorno real tão grande quanto na Era III, que chamei de Era da Exuberância. Os títulos de dívida também se saíram razoavelmente bem. Os rendimentos dos títulos do Tesouro americano oscilaram entre 3% e 4% em 2009. Em abril de 2018, as obrigações do Tesouro de dez anos renderam cerca de 3%. Desse modo, os títulos de dívida ofereceram certa valorização do capital, conforme seus rendimentos caíam ligeiramente, e produziram uma taxa de retorno anual de 3,8%, cerca de 2% acima da inflação.

LEVAR VANTAGEM NOS RETORNOS FUTUROS

Então o que vem à frente? Como julgar os retornos de ativos financeiros nos próximos anos? Embora eu permaneça convicto de que ninguém consegue prever os movimentos de curto prazo em mercados de títulos mobiliários, acredito que seja possível estimar a faixa provável das taxas de retorno de longo prazo que os investidores podem esperar dos ativos financeiros. E seria irreal prever que os retornos generosos obtidos pelos investidores no mercado de ações durante o período 2009-2018 pudessem se repetir nos anos à frente.

Quais são, então, as expectativas de longo prazo razoáveis para os retornos? Em 2019, apliquei os mesmos métodos que usei no passado. Ilustrarei aqui as projeções de retorno de longo prazo com base em 2018. O leitor pode realizar cálculos semelhantes usando dados apropriados à época ou à realidade em que a projeção for feita.

Olhando primeiro o mercado de títulos de dívida em meados de 2018, pude ter uma ótima ideia dos retornos que serão obtidos pelos investidores de longo prazo. Os detentores de títulos corporativos de boa qualidade obterão aproximadamente 4,5% se conservarem os títulos até o vencimento. Quem conservar obrigações do Tesouro de dez anos até o vencimento auferirá cerca de 3%. Supondo que a taxa de inflação não exceda 2% ao ano, tanto os títulos governamentais como os corporativos fornecerão aos investidores uma taxa de retorno positiva, mas minguada. Esses rendimentos, porém, são bem menores do que têm sido desde o fim da década de 1960. Além disso, se a inflação se acelerar e as taxas de juros aumentarem, os preços dos títulos de dívida cairão e seus retornos serão ainda menores. É difícil imaginar que os investidores em títulos serão generosamente recompensados com os mesmos rendimentos disponíveis em 2018.

Com base em 2018, pude fazer estimativas razoáveis ao menos dos dois primeiros determinantes dos retornos das ações. Sabemos que o rendimento dos dividendos em 2018 para o Índice S&P 500 foi inferior a 1,9%. Suponha que os lucros possam crescer cerca de 5% no longo prazo, uma taxa compatível com as taxas históricas durante períodos de inflação contida e similar às estimativas das corretoras de valores de Wall Street no final de 2018. Somando o rendimento inicial e a taxa de crescimento, obtemos um retorno total projetado para o S&P 500 de pouco menos de 7% ao ano – superior aos rendimentos dos títulos de dívida, mas um pouco abaixo da média de longo prazo desde 1926, que tem estado próxima de 10%.

Claro que os maiores determinantes dos retornos das ações em curtos períodos serão mudanças em como as ações são avaliadas pelo mercado, ou seja, mudanças nos índices preço/lucro. Os investidores deveriam se perguntar se os níveis de avaliação no mercado de fato se sustentarão. Os índices preço/lucro em 2018 se aproximavam de 20, acima da média histórica de longo prazo. E os rendimentos dos dividendos abaixo de 1,9% estavam bem aquém de sua média histórica de 4,5%.

Sem dúvida, as taxas de juros e a inflação estavam relativamente baixas durante 2018. Quando as taxas de juros (e a inflação) são baixas, índices preço/lucro um pouco maiores e rendimentos dos dividendos menores se justificam. No entanto, não podemos simplesmente presumir que as taxas sempre estarão baixas assim e que a inflação será sempre benigna. O inesperado com frequência acontece.

Existe um padrão previsível no mercado de ações que também vaticina retornos no máximo modestos num prazo mais longo. Dependendo do horizonte de previsão envolvido, até 40% da variabilidade dos retornos futuros do mercado podem ser previstos com base no índice P/L inicial do mercado como um todo.

Uma forma interessante de apresentar os resultados é mostrada no diagrama desta página. Ele foi produzido medindo o índice P/L do mercado de ações americano amplo em cada trimestre desde 1926 e depois calculando o retorno total do mercado nos dez anos subsequentes até 2018. As observações foram então divididas em decis, dependendo do nível do índice P/L inicial. Em geral, a figura mostra que os investidores obtiveram taxas de retorno totais maiores do mercado de ações quando o índice P/L inicial do portfólio do mercado estava relativamente baixo, e taxas de retorno futuras relativamente baixas quando as ações eram compradas a índices P/L altos.

RETORNO DECENAL COMPOSTO MEDIANO EM DECIS DE P/L, 1926 ATÉ HOJE

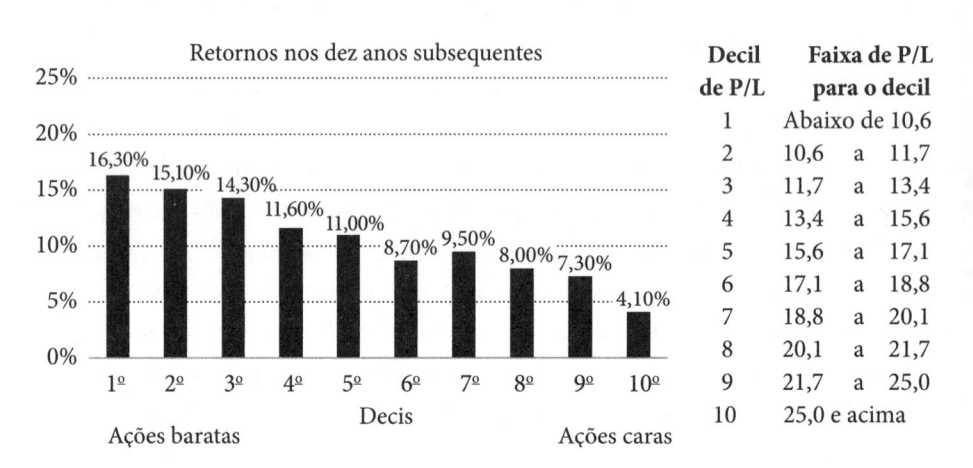

Retornos nos dez anos subsequentes:
- 1º: 16,30%
- 2º: 15,10%
- 3º: 14,30%
- 4º: 11,60%
- 5º: 11,00%
- 6º: 8,70%
- 7º: 9,50%
- 8º: 8,00%
- 9º: 7,30%
- 10º: 4,10%

(1º = Ações baratas; 10º = Ações caras)

Decil de P/L	Faixa de P/L para o decil
1	Abaixo de 10,6
2	10,6 a 11,7
3	11,7 a 13,4
4	13,4 a 15,6
5	15,6 a 17,1
6	17,1 a 18,8
7	18,8 a 20,1
8	20,1 a 21,7
9	21,7 a 25,0
10	25,0 e acima

Fonte: The Leuthold Group.

Ao medir o índice P/L para o mercado, esses cálculos não usam lucros por ação reais, e sim lucros ciclicamente ajustados. Desse modo, os índices P/L medidos costumam ser chamados de CAPEs – acrônimo inglês de "índices P/L ciclicamente ajustados". Os CAPEs estão disponíveis no site de Robert Shiller e os lucros foram calculados como lucros médios nos últimos dez anos. (Cálculos semelhantes podem ser obtidos tirando a média dos cinco últimos anos dos lucros.) A média do CAPE em 2018 foi de cerca de 30. Os CAPEs fazem um bom serviço em prever os retornos uma década à frente e confirmam a expectativa apresentada aqui de retornos modestos de um dígito nos próximos anos, que poderiam ser inferiores à estimativa de 7%

apresentada anteriormente. Claro que, se o período do seu investimento for inferior a uma década, ninguém consegue prever com algum grau de precisão os retornos que você receberá.

Como um caminhante aleatório em Wall Street, sou cético quanto à possibilidade de alguém prever o desenrolar dos movimentos dos preços das ações no curto prazo, e talvez estejamos melhor por isso. Lembro-me de um dos meus episódios favoritos da maravilhosa série antiga de rádio *I Love a Mystery*. Aquele mistério foi sobre um investidor ganancioso no mercado de ações que desejou que, uma única vez, pudesse ver o jornal com as mudanças nos preços das ações com 24 horas de antecedência. Por alguma guinada oculta seu desejo foi concedido e no início da noite ele recebeu a edição vespertina do jornal do dia seguinte. Passou a noite planejando febrilmente as compras do início da manhã e as vendas do fim da tarde que garantiriam uma bolada no mercado. Depois, antes que sua empolgação tivesse diminuído, continuou lendo o resto do jornal e se deparou com o próprio obituário. Seu empregado o encontrou morto na manhã seguinte.

Como felizmente não tenho acesso a jornais futuros, não consigo prever como os preços de ações e títulos de dívida se comportarão em qualquer período particular à frente. Mesmo assim, estou convencido de que as estimativas de longo prazo moderadas dos retornos de títulos de dívida e ações apresentadas aqui são as mais razoáveis que se podem fazer para o planejamento de investimentos para as próximas décadas do século XXI. O objetivo não é investir com um espelho retrovisor projetando retornos de dois dígitos do passado para o futuro. É provável que estejamos num ambiente de baixos retornos por algum tempo à frente.

14

UM GUIA DE INVESTIMENTO DE CICLO DE VIDA

Existem dois momentos na vida de um homem em que ele não deveria especular: quando tem dinheiro para tal e quando não tem.

– MARK TWAIN, *Following the Equator*

A ESTRATÉGIA DE INVESTIMENTOS precisa estar alinhada ao ciclo de vida. As poupanças para aposentadoria de pessoas com 34 e 68 anos deveriam usar instrumentos financeiros diferentes para alcançar suas metas. A pessoa com 34 – adentrando os anos de pico dos rendimentos salariais – pode usar os salários para cobrir quaisquer perdas decorrentes do maior risco. A pessoa com 68 anos – provavelmente dependente da renda de investimentos para suplementar ou substituir a renda salarial – não pode correr o risco de prejuízos. Até o mesmo instrumento financeiro pode ter significados diferentes para diferentes pessoas, dependendo de sua capacidade de risco. Embora a pessoa com 34 anos e aquela com 68 possam ambas investir num certificado de depósito, a mais jovem pode fazer isso graças a uma aversão ao risco e a mais velha graças a uma capacidade reduzida de aceitar riscos. No primeiro caso, a pessoa tem mais escolha no grau de risco que assumirá; no segundo, não.

A decisão de investimento mais importante que você provavelmente chegará a fazer envolve o equilíbrio das categorias de ativos (ações, títulos de dívida, imóveis, títulos do mercado monetário e assim por diante) em diferentes estágios da vida. De acordo com Roger Ibbotson, que passou a vida medindo os retornos de portfólios alternativos, mais de 90% do retorno total de um investidor são determinados pelas categorias de ativos selecionadas e por sua representação proporcional geral. Menos de 10% do sucesso nos investimentos são determinados pelas ações ou pelos fundos mútuos específicos que o indivíduo escolhe. Neste capítulo mostrarei que, quaisquer que sejam sua aversão ao risco – sua posição na escala comer bem/dormir bem –, sua idade, sua renda do trabalho e suas responsabilidades específicas na vida, elas contribuem muito para definir o mix de ativos no seu portfólio.

CINCO PRINCÍPIOS DE ALOCAÇÃO DE ATIVOS

Antes de definirmos uma base racional para tomar decisões de alocação de ativos, certos princípios precisam ser mantidos em mente. Abordamos alguns implicitamente em capítulos anteriores, mas tratá-los de maneira mais explícita aqui deve se mostrar útil. Os princípios-chave são:

1. A história mostra que risco e retorno estão relacionados.
2. O risco de investir em ações ordinárias e títulos de dívida depende do período em que se mantêm os investimentos. Quanto maior o período de manutenção do investidor, menor a variação provável no retorno do ativo.
3. A média dos custos na moeda local pode ser uma técnica útil, embora controversa, de reduzir o risco do investimento em ações e títulos de dívida.
4. O reequilíbrio pode reduzir o risco e, em certas circunstâncias, aumentar os retornos do investimento.
5. Você precisa distinguir entre sua atitude em relação ao risco e sua capacidade de correr riscos. Os riscos que você pode se dar ao luxo de correr dependem de sua situação financeira total, incluindo os tipos e as fontes de sua renda, além da receita dos investimentos.

1. Risco e retorno estão relacionados

Embora você possa estar cansado de ouvir que só se podem aumentar as recompensas dos investimentos assumindo maiores riscos, nenhuma lição é mais importante que essa na gestão de investimentos. Essa lei fundamental das finanças é respaldada por séculos de dados históricos. A tabela a seguir, sintetizando os dados de Ibbotson já apresentados, ilustra o fato:

RETORNOS ANUAIS TOTAIS PARA CLASSES DE ATIVOS BÁSICOS 1926-2017

	Retorno anual médio	Índice de risco (volatilidade dos retornos de ano a ano)
Ações ordinárias de pequenas empresas	12,1%	31,7%
Ações ordinárias de grandes empresas	10,2%	19,8%
Títulos governamentais de longo prazo	5,5%	9,9%
Letras do Tesouro americano	3,4%	3,1%

Fonte: Ibbotson Associates.

As ações ordinárias forneceram claramente taxas de retorno de longo prazo bem generosas. Estimou-se que, se George Washington tivesse posto de lado 1 dólar do seu salário presidencial e investido em ações ordinárias, seus herdeiros seriam mais de dez vezes milionários em 2018. Roger Ibbotson estima que as ações forneceram uma taxa de retorno composta de mais de 8% ao ano desde 1790. (Como mostra a tabela acima, os retornos foram ainda mais generosos desde 1926, quando as ações ordinárias das grandes empresas obtiveram cerca de 10%.) Mas esse retorno só foi possível com um risco substancial dos investidores. Os retornos totais foram negativos em cerca de três anos de cada dez. Assim, ao buscar aumentar seus retornos, nunca esqueça o ditado: "Não existe almoço grátis." Um risco maior é o preço que se paga por retornos mais generosos.

2. Seu risco real no investimento em ações e títulos de dívida depende do período em que você mantém seu investimento

Seu "poder de permanência", o período em que você persiste em seu investimento, desempenha um papel crucial no risco real assumido em qualquer decisão de investimento. Assim, seu estágio no ciclo de vida é um elemento crítico em determinar a alocação de seus ativos. Vejamos por que a duração de seu período de permanência é tão importante em determinar sua capacidade de risco.

Vimos na tabela anterior que títulos governamentais de longo prazo forneceram uma taxa de retorno anual média de 5,5% em um período de noventa anos. O índice de risco, porém, mostrou que, em qualquer ano isolado, essa taxa poderia se afastar da média anual. De fato, em muitos anos individualmente, foi de fato negativa. No início da primeira década do século XXI você poderia ter investido numa obrigação do Tesouro americano de 5,5% em vinte anos e, se a conservasse por esse período, obteria exatamente 5,5%. O problema é que, se você precisasse vendê-la um ano depois, sua taxa de retorno poderia ser de 20%, 0% ou mesmo uma perda substancial se as taxas de juros subissem fortemente, com os preços das obrigações existentes caindo para se ajustar às novas taxas de juros mais altas. Acho que dá para entender por que sua idade e as chances de persistir em seu programa de investimentos podem determinar o grau de risco envolvido em qualquer programa de investimentos específico.

E os investimentos em ações ordinárias? Será que o risco de investir em ações também decresce com o período em que são conservadas? A resposta é um retumbante sim. Uma quantidade substancial do risco do investimento em ações ordinárias (mas não todo) pode ser eliminada adotando-se um programa de propriedade de longo prazo e atendo-se a ele nos bons e maus momentos (a estratégia de comprar e conservar discutida em capítulos anteriores).

O gráfico na página seguinte vale por mil palavras, portanto posso ser breve na minha explicação. Observe que, se você conservasse um portfólio de ações diversificado (como o Índice de Ações S&P 500) durante o período de 1950 a 2017, teria obtido, na média, um retorno bem generoso de cerca de 10%. Mas a faixa de retornos é ampla demais para um investidor que tem dificuldade em dormir à noite. Em certo ano, a taxa de retorno de um portfólio de ações típico superou 52%, enquanto em outro ano foi de 37% negativos. Claramente, não há segurança de ganhar uma taxa de retorno adequada em qualquer ano específico. Um título do Tesouro americano de um ano ou um certificado de depósito garantido pelo governo de um ano são o investimento para quem precisa do dinheiro no ano seguinte.

Mas note como o quadro muda se você persiste em seus investimentos em ações ordinárias por 25 anos. Embora haja certa variabilidade no re-

FAIXAS DE TAXAS DE RETORNO ANUAIS DAS AÇÕES ORDINÁRIAS EM DIFERENTES PERÍODOS, 1950-2017

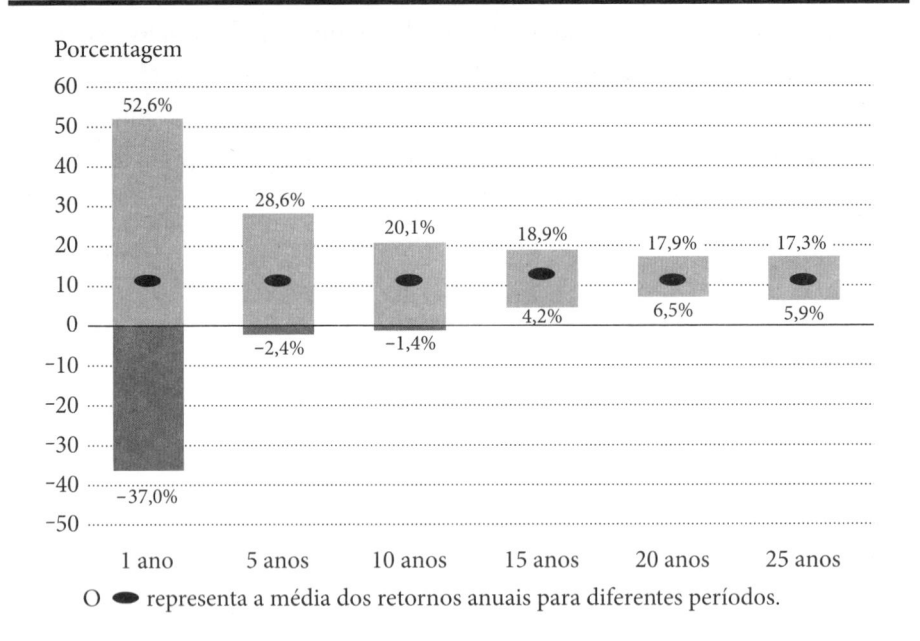

Porcentagem

Período	Máximo	Média	Mínimo
1 ano	52,6%	—	-37,0%
5 anos	28,6%	—	-2,4%
10 anos	20,1%	—	-1,4%
15 anos	18,9%	—	4,2%
20 anos	17,9%	—	6,5%
25 anos	17,3%	—	5,9%

O ● representa a média dos retornos anuais para diferentes períodos.

torno obtido, dependendo do período de 25 anos exato em questão, essa variabilidade não é grande. Em média, os investimentos em todos os períodos de 25 anos cobertos por essa figura produziram uma taxa de retorno ligeiramente superior a 10%. Essa taxa de retorno de longo prazo esperada reduziu-se em apenas cerca de 4 pontos percentuais se por acaso você investiu durante o pior período de 25 anos desde 1950. É esta verdade fundamental que torna tão importante uma visão de ciclo de vida do investimento: *Quanto maior o período em que você pode persistir nos seus investimentos, maior deve ser a parcela de ações ordinárias em seu portfólio.* Em geral, você só tem uma certeza razoável de obter as taxas de retorno generosas oferecidas pelas ações ordinárias se conseguir conservá-las por períodos relativamente longos.*

---

* Tecnicamente, a descoberta de que o risco é reduzido por períodos de manutenção mais longos depende do fenômeno da reversão à média descrito no Capítulo 11. O leitor interessado deve ler o artigo de Paul Samuelson "The Judgement of Economic Science on Rational Portfolio Management" no *Journal of Portfolio Management* (outono de 1989). (*N. do A.*)

Em períodos de investimento de vinte ou trinta anos, as ações geralmente têm sido as claras vencedoras, como mostra a tabela a seguir. Estes dados reforçam ainda mais o conselho de que pessoas mais jovens deveriam ter uma proporção maior de seus ativos em ações do que as pessoas mais velhas.

PROBABILIDADE DE QUE AS AÇÕES SUPEREM OS TÍTULOS DE DÍVIDA (PORCENTAGEM DOS PERÍODOS DESDE 1802, QUANDO OS RETORNOS DAS AÇÕES EXCEDERAM OS RETORNOS DOS TÍTULOS)

Período de investimento	Porcentagem de períodos quando as ações superaram os títulos de dívida
1 ano	60,2
2 anos	64,7
5 anos	69,5
10 anos	79,7
20 anos	91,3
30 anos	99,4

Não estou querendo argumentar que as ações não sejam arriscadas em períodos de manutenção longos. Certamente a variabilidade do valor final de seu portfólio aumenta quanto mais você conserva suas ações. E sabemos de investidores que passaram décadas durante as quais as ações ordinárias produziram retornos gerais perto de zero. Mas para os investidores cujos períodos de manutenção podem ser medidos em 25 anos ou mais, sobretudo aqueles que reinvestem seus dividendos e até aumentam seus investimentos pela média dos custos na moeda local, as ações ordinárias tendem a fornecer retornos maiores do que os títulos de dívida seguros ou mesmo as contas de poupança garantidas pelo governo ainda mais seguras.

Finalmente, talvez a razão mais importante para os investidores se tornarem mais conservadores com a idade é terem menos anos de trabalho remunerado à frente. Desse modo, não podem contar com a renda do salário para sustentá-los se o mercado de ações tiver um período de retornos negativos. Reveses no mercado de ações poderiam então afetar diretamente o padrão de vida de um indivíduo, então os retornos mais constantes – ainda que menores – dos títulos de dívida representam a posição de investimento mais prudente. Assim, as ações deveriam constituir uma proporção menor de seus ativos.

3. A média dos custos na moeda local pode reduzir os riscos de investir em ações e títulos de dívida

Se, como a maioria das pessoas, você for aumentando seu portfólio de investimentos aos poucos, no decorrer do tempo, com a acumulação de poupanças anuais, estará se aproveitando da média dos custos na moeda local. Essa técnica é controversa, mas ajuda a evitar o risco de pôr todo o seu dinheiro no mercado de ações ou títulos de dívida na época errada.

A média dos custos na moeda local simplesmente significa investir a mesma quantia fixa de dinheiro, por exemplo, nas ações de algum fundo mútuo indexado, em intervalos regulares – digamos, a cada mês ou trimestre – por um longo período. Investimentos periódicos de quantias iguais em ações ordinárias podem reduzir (mas não evitar) os riscos, assegurando que o portfólio inteiro de ações não será adquirido a preços temporariamente inflados.

A tabela na página seguinte supõe que mil dólares são investidos a cada ano. No primeiro cenário, o mercado cai imediatamente após o início do programa de investimentos, depois sobe acentuadamente e enfim volta a cair, terminando, no quinto ano, exatamente onde começou. No segundo cenário, o mercado sobe continuamente e acaba 40% mais alto. Embora exatamente 5 mil dólares sejam investidos em ambos os casos, o investidor no mercado volátil acaba com 6.048 dólares – um bom retorno de 1.048 dólares –, embora o mercado termine exatamente onde começou. No cenário em que o mercado subiu a cada ano e acabou 40% acima de onde começou, a participação final do investidor é de apenas 5.915 dólares.

Warren Buffett apresenta uma justificativa lúcida para esse princípio de investimento. Em um dos seus ensaios publicados, ele diz:

> Um pequeno teste: se você planeja comer hambúrgueres pelo resto da vida e não é produtor de gado, desejaria preços maiores ou menores para a carne? De forma semelhante, se você vai comprar um carro de tempos em tempos mas não é uma montadora, preferiria preços de carros mais altos ou mais baixos? Claro que essas perguntas têm respostas óbvias.
>
> Mas eis o exame final: se você espera ser um poupador líquido durante os próximos cinco anos, esperaria um mercado de ações mais alto ou mais baixo durante esse período? Muitos investidores erram aqui. Embora venham a ser compradores líquidos de ações por muitos anos à frente, ficam

MÉDIA DOS CUSTOS EM DÓLARES

Ano	Mercado estagnado volátil			Mercado ascendente		
	Quantia investida	*Preço do fundo indexado*	*Número de ações compradas*	*Quantia investida*	*Preço do fundo indexado*	*Número de ações compradas*
1	$1.000	$100	10	$1.000	$100	10
2	$1.000	$60	16,67	$1.000	$110	9,09
3	$1.000	$60	16,67	$1.000	$120	8,33
4	$1.000	$140	7,14	$1.000	$130	7,69
5	$1.000	$100	10	$1.000	$140	7,14
Quantia investida	$5.000			$5.000		
Total de ações compradas			60,48			42,25
Custo médio das ações compradas		$82,67 ($5.000 ÷ 60,48)			$118,34 ($5.000 ÷ 42,25)	
Valor ao final		$6.048 (60,48 × $100)			$5.915 (42,25 × $140)	

eufóricos quando os preços das ações sobem e deprimidos quando caem. Na verdade, alegram-se porque os preços subiram para os "hambúrgueres" que logo estarão comprando. Essa reação não faz sentido. Somente aqueles que vão vender ações no futuro próximo deveriam estar contentes ao ver as ações subirem. Os compradores potenciais deveriam preferir os preços em queda.

A média dos custos não é uma panaceia que elimina o risco de investir em ações ordinárias. Ela não salvará seus investimentos em previdência de uma queda de valor devastadora durante um ano como 2008, porque nenhum plano consegue protegê-lo de um mercado em baixa, punitivo. E você precisa de dinheiro e confiança para continuar fazendo os investimentos periódicos mesmo quando o céu está encoberto. Por mais assustadoras que sejam as notícias financeiras, por mais difícil que seja ver quaisquer sinais de otimismo, você não deve interromper a natureza de piloto automático do programa.

Porque, se fizer isso, perderá o benefício de comprar ao menos algumas de suas ações após um forte declínio do mercado, quando estão à venda a preços baixos. A média dos custos lhe dará esta barganha: seu preço médio por ação será menor do que o preço médio pelo qual você comprou ações. Por quê? Porque você comprará mais ações a preços baixos e menos a preços altos.

Alguns consultores de investimentos não são fãs da média dos custos porque a estratégia não é ideal se o mercado subir direto. (Você se daria melhor aplicando todos os 5 mil dólares no mercado no início do período.) Mas ela fornece uma apólice de seguro razoável contra futuros mercados de ações fracos. E minimiza o arrependimento que inevitavelmente viria se você desse o azar de aplicar todo o seu dinheiro no mercado de ações durante um período de pico, como março de 2000 ou outubro de 2007. Para ilustrar ainda mais os benefícios da média dos custos na moeda local, passemos de um exemplo hipotético para outro real. A tabela a seguir mostra os retornos (ignorando os impostos) de um investimento inicial de 500 dólares realizado em 1º de janeiro de 1978 e depois de 100 dólares mensais, nas ações do fundo mútuo indexado Vanguard 500. Menos de 49 mil dólares foram aplicados no programa. O valor final superou 760 mil dólares.

ILUSTRAÇÃO DA MÉDIA DOS CUSTOS EM DÓLARES COM O FUNDO INDEXADO VANGUARD 500

Ano encerrado em 31 de dezembro	Custo total dos investimentos cumulativos	Valor total das ações adquiridas
1978	$1.600	$1.669
1979	$2.800	$3.274
1980	$4.000	$5.755
1981	$5.200	$6.630
1982	$6.400	$9.487
1983	$7.600	$12.783
1984	$8.800	$14.864
1985	$10.000	$20.905
1986	$11.200	$25.935
1987	$12.400	$28.221
1988	$13.600	$34.079

(continua)

(continuação)

Ano encerrado em 31 de dezembro	Custo total dos investimentos cumulativos	Valor total das ações adquiridas
1989	$14.800	$46.126
1990	$16.000	$45.803
1991	$17.200	$61.010
1992	$18.400	$66.817
1993	$19.600	$74.687
1994	$20.800	$76.779
1995	$22.000	$106.944
1996	$23.200	$132.768
1997	$24.400	$178.217
1998	$25.600	$230.619
1999	$26.800	$280.565
2000	$28.000	$256.271
2001	$29.200	$226.622
2002	$30.400	$177.503
2003	$31.600	$229.524
2004	$32.800	$255.479
2005	$34.000	$268.933
2006	$35.200	$312.318
2007	$36.400	$330.350
2008	$37.600	$208.941
2009	$38.800	$265.756
2010	$40.000	$306.756
2011	$41.200	$313.981
2012	$42.400	$364.932
2013	$43.600	$483.743
2014	$44.800	$550.388
2015	$46.000	$558.467
2016	$47.200	$625.764
2017	$48.400	$762.690

Fonte: Vanguard.

Claro que ninguém pode ter certeza de que os próximos quarenta anos fornecerão os mesmos retornos de períodos passados. Mas a tabela ilustra os tremendos ganhos potenciais possíveis quando se segue sistematicamente um programa de média dos custos em dólares. Mas lembre-se: como existe uma tendência ascendente de longo prazo dos preços das ações ordinárias, essa técnica não é necessariamente apropriada se você precisa investir uma soma total, como uma herança.

Se possível, mantenha uma pequena reserva (num fundo em dinheiro) para tirar proveito de declínios do mercado e comprar algumas ações extras caso o mercado caia abruptamente. Não estou sugerindo nem por um minuto que você tente prever o mercado. Porém, depois que o mercado despencou, costuma ser um bom momento para comprar. Assim como esperança e ganância podem às vezes se alimentar de si mesmas para produzir bolhas especulativas, o pessimismo e o desespero reagem para produzir pânicos no mercado. Os maiores desses pânicos são tão infundados quanto as explosões especulativas mais patológicas. Para o mercado de ações como um todo (não para ações individuais), a lei de Newton sempre funcionou ao inverso: o que cai volta a subir.

4. O reequilíbrio pode reduzir o risco do investimento e possivelmente aumentar os retornos

Uma técnica bem simples de investimento chamada reequilíbrio pode reduzir o risco do investimento e, em algumas circunstâncias, até aumentar seus retornos. A técnica simplesmente envolve trazer as diferentes classes de ativos (por exemplo, ações e títulos de dívida) de volta às proporções adequadas para sua idade, atitude diante do risco e capacidade de risco. Suponha que você decidiu que seu portfólio deveria consistir de 60% de ações e 40% de títulos de dívida e, no início de seu programa de investimentos, dividiu seus recursos nessas proporções entre essas duas classes de ativos. Mas após um ano você constatou que suas ações subiram fortemente, enquanto os títulos caíram de preço, e assim o portfólio agora tinha 70% de ações e 30% de títulos. Um mix 70/30 pareceria então uma alocação mais arriscada do que aquela mais adequada à sua tolerância ao risco. A técnica de reequilíbrio requer que você venda algumas ações (ou fundos mútuos de ações) e compre títulos de dívida para trazer a alocação de volta a 60/40.

A tabela a seguir mostra os retornos de uma estratégia de reequilíbrio nos vinte anos encerrados em dezembro de 2017. Cada ano (não mais que uma vez por ano) o mix de ativos foi trazido de volta para a alocação inicial 60/40. Os investimentos foram feitos em fundos indexados de baixo custo. A tabela mostra que a volatilidade do valor de mercado do portfólio foi marcadamente reduzida pela estratégia de reequilíbrio. Além disso, o reequilíbrio melhorou o retorno anual médio do portfólio. Sem reequilíbrio, o portfólio retornou 7,71% anuais no período. O reequilíbrio melhorou a taxa de retorno anual para 7,83%, com menos volatilidade.

A IMPORTÂNCIA DO REEQUILÍBRIO, JANEIRO DE 1996 A DEZEMBRO DE 2017
Durante esse período, um portfólio anualmente reequilibrado forneceu menor volatilidade e retorno maior

	Retorno anual médio	*Risco* (Volatilidade)*
60% Russell 3000 / 40% Barclays Aggregate Bond: Anualmente reequilibrados†	7,83	10,40
60% Russell 3000 / 40% Barclays Aggregate Bond: Nunca reequilibrados†	7,71	11,63

* Desvio-padrão do retorno.

† Ações representadas por um Fundo do Mercado de Ações Total Russell 3000. Títulos de dívida representados por um Fundo do Mercado de Títulos de Dívida Total Agregado Barclays (impostos não considerados).

Qual tipo de alquimia permitiu ao investidor que seguiu uma estratégia de reequilíbrio no fim de cada ano aumentar sua taxa de retorno? Pense no que vinha ocorrendo com o mercado de ações durante o período. No fim de 1999, o mercado de ações havia passado por uma bolha sem precedentes e os valores das ações dispararam. O investidor que reequilibrou não tinha ideia de que o auge do mercado estava próximo, mas viu que a parte de ações do portfólio havia disparado bem além de sua meta de 60%. Portanto, vendeu ações suficientes (e comprou títulos de dívida suficientes) para restaurar a composição original. Depois, no fim de 2002, quase no fundo do poço do mercado de ações (e após um forte mercado positivo para títulos de dívida), descobriu que a parte de ações estava bem abaixo dos 60% e a parte de títulos estava bem acima dos 40%, e reequilibrou com ações. De novo, no fim de 2008, quando as ações haviam despencado e os títulos de dívida haviam subido, vendeu estes últimos e comprou ações. Todos gostaríamos de dispor de um pequeno gênio que pudesse nos avisar com segurança para "comprar barato e vender caro". O reequilíbrio sistemático é o que mais se aproxima desse gênio.

5. Distinguir entre sua atitude em relação ao risco e sua capacidade de correr riscos

Como mencionei no início deste capítulo, os tipos de investimento que são apropriados para você dependem significativamente de suas fontes de renda fora dos investimentos. Essas fontes, e portanto sua capacidade de risco, costumam estar relacionadas à sua idade. Três exemplos ajudarão a entender esse conceito.

Mildred G. é uma recém-viúva de 64 anos. Ela foi forçada a abandonar seu emprego de enfermeira por causa da artrite cada vez mais forte. Sua modesta casa em Homewood, Illinois, ainda está hipotecada. Embora a hipoteca tenha sido contraída a uma taxa relativamente baixa, envolve pagamentos mensais substanciais. Além dos cheques mensais da Previdência Social, tudo de que Mildred dispõe para sobreviver são os rendimentos de uma apólice de seguro de 250 mil dólares da qual ela é beneficiária e um portfólio de 50 mil dólares de ações de baixo crescimento acumuladas por seu falecido marido.

Está claro que a capacidade de Mildred de correr riscos está fortemente limitada por sua situação financeira. Ela não dispõe da expectativa de vida nem da capacidade física para obter renda fora de seu portfólio. Além disso, possui gastos fixos substanciais de sua hipoteca. Ela não teria nenhuma capacidade de recuperar um prejuízo em seu portfólio. Precisa de um portfólio de investimentos seguros capaz de gerar renda substancial. Os títulos de dívida e as ações pagadoras de altos dividendos, como de um fundo indexado de investimentos imobiliários, são os tipos de investimento adequados. Ações arriscadas (muitas vezes sem pagar dividendos) de empresas de baixo crescimento – por mais atraentes que sejam seus preços – não se enquadram no portfólio de Mildred.

Tiffany B. é uma moça ambiciosa e solteira de 26 anos que recentemente completou o MBA da Graduate School of Business de Stanford e ingressou num programa de treinamento no Bank of America. Ela acaba de receber uma herança de 50 mil dólares do patrimônio de sua avó. Sua meta é construir um portfólio considerável que nos anos vindouros possa financiar a compra de uma casa e estar disponível como um fundo de reserva para a aposentadoria.

Para Tiffany, podemos seguramente recomendar um portfólio agressivo. Ela possui expectativa de vida e poder aquisitivo para manter seu padrão de vida diante de qualquer perda financeira. Embora sua personalidade determine a quantidade exata de exposição ao risco que está disposta a assumir, está claro que o portfólio de Tiffany pertence ao extremo do espectro risco/recompensa. O portfólio de Mildred de ações de baixo crescimento seria bem mais apropriado para Tiffany do que para uma viúva de 64 anos incapaz de trabalhar.

Na nona edição deste livro apresentei o caso de Carl P., um supervisor de 43 anos na fábrica da General Motors em Pontiac, Michigan, que ganhava mais de 70 mil dólares por ano. Sua esposa, Joan, tinha uma renda anual de 12.500 dólares da venda de produtos Avon. O casal tinha quatro filhos, entre 6 e 15 anos. Carl e Joan queriam que todos os filhos cursassem a faculdade. Perceberam que faculdades particulares estavam provavelmente além de suas posses, mas esperavam que uma educação no excelente sistema de universidade pública de Michigan fosse viável. Felizmente, Carl vinha guardando dinheiro com regularidade através do plano de poupança de folha de pagamento da GM, mas optara pela compra de ações da empresa sob o plano. Ele havia acumulado 219 mil dólares em ações da empresa. Não tinha outros ativos, mas dispunha de um patrimônio substancial representado por uma casa modesta, com apenas uma pequena hipoteca restando para ser saldada.

Observei que Carl e Joan tinham um portfólio bem problemático. Tanto sua renda como seus investimentos estavam amarrados à GM. Acontecimentos negativos que causassem um forte prejuízo nas ações ordinárias da empresa poderiam arruinar o valor do portfólio e a fonte de subsistência de Carl. De fato, a história terminou mal. A General Motors declarou falência em 2009. Carl perdeu o emprego, bem como seu portfólio de investimentos. E esse não é um exemplo isolado. Lembre-se da triste lição aprendida por muitos funcionários da Enron que perderam não só seus empregos, mas todas as suas poupanças em ações da empresa quando ela afundou. Nunca corra no seu portfólio os mesmos riscos associados à sua fonte principal de renda.

TRÊS DIRETRIZES PARA ADAPTAR UM PLANO DE INVESTIMENTO DE CICLO DE VIDA

Agora que armei o cenário, as próximas seções apresentam um guia de investimento de ciclo de vida. Olharemos aqui algumas regras gerais que serão úteis para a maioria dos indivíduos em diferentes estágios da vida. Na próxima seção, sintetizo-as num guia de investimento. Claro que nenhum guia servirá para cada caso específico. Qualquer plano estratégico requererá certas alterações para se enquadrar nas circunstâncias individuais. Esta seção analisa três amplas diretrizes que ajudarão você a adaptar um plano de investimento às suas circunstâncias particulares.

1. Necessidades específicas requerem ativos específicos dedicados

Sempre mantenha em mente: uma necessidade específica precisa ser financiada com ativos específicos dedicados àquela necessidade. Vamos supor que seja um jovem casal na faixa dos 20 anos tentando formar um fundo de reserva para a aposentadoria. O conselho no guia de investimento de ciclo de vida a seguir é certamente apropriado a esses objetivos de longo prazo. Mas suponha que o casal espera ter de pagar uma entrada de 30 mil dólares para comprar uma casa no próximo ano. Esse montante para atender a uma necessidade específica deveria ser investido em um título mobiliário seguro, que vença quando o dinheiro for preciso, como um certificado de depósito (CD) de um ano. Igualmente, se anuidades da faculdade terão de ser pagas dentro de três, quatro, cinco e seis anos, os recursos poderiam ser investidos em títulos de dívida de cupom zero com vencimentos apropriados ou em diferentes CDs.

2. Reconheça sua tolerância ao risco

De longe, o maior ajuste individual às diretrizes gerais sugeridas diz respeito à sua atitude em relação ao risco. Por esse motivo, o planejamento financeiro bem-sucedido é mais uma arte do que uma ciência. Diretrizes gerais podem ser bem úteis para determinar quais proporções dos recursos de uma pessoa deveriam ser distribuídas entre diferentes categorias de ativos. Mas a chave para saber se alguma alocação de ativos recomendada funciona para você é se você é capaz de dormir de noite. A tolerância ao risco é um aspecto essencial de qualquer plano financeiro e somente você pode avaliar sua atitude em relação ao risco. Você pode se confortar com o fato de que o risco envolvido em investir em ações ordinárias e títulos de dívida de longo prazo se reduz conforme aumenta o período em que você acumula e conserva seus investimentos. Mas você precisa ter o temperamento para aceitar fortes flutuações de curto prazo no valor de seu portfólio. Como se sentiu quando o mercado caiu quase 50% em 2008? Se entrou em pânico e ficou fisicamente doente porque uma grande proporção de seus ativos estava investida em ações ordinárias, então claramente você deveria reduzir a porção de ações de seu portfólio. Desse modo, considerações subjetivas também desempenham um papel importante nas alocações de recursos que consegue aceitar e você pode legitimamente se afastar daquelas recomendadas aqui, dependendo de sua aversão ao risco.

3. A poupança persistente em quantias regulares, por menores que sejam, compensa

Uma última preliminar antes de apresentarmos o guia de alocação de ativos. O que você faz se neste momento não dispõe de ativos para alocar? Muitas pessoas com recursos limitados acreditam ser impossível construir um bom fundo de reserva. Acumular quantias significativas de poupanças para a aposentadoria muitas vezes parece fora do alcance. Não se desespere. O fato é que um programa de poupança regular semanal – seguido persistentemente, por exemplo, por meio de um plano de poupança de folha de pagamento ou plano de previdência – pode com o tempo produzir somas substanciais de dinheiro. Você consegue guardar uma pequena quantia por semana? Caso consiga, a possibilidade de acabar acumulando um grande fundo de aposentadoria é facilmente realizável se você tiver muitos anos de trabalho à frente.

A tabela a seguir mostra os resultados de um programa de poupança de 100 dólares mensais. Uma taxa de juros de 7% é pressuposta como taxa de investimento. A última coluna da tabela mostra os valores totais que serão acumulados ao longo de diferentes períodos.* Fica claro que investimentos regulares, ainda que de quantias moderadas, tornam a obtenção de boas somas de dinheiro inteiramente possível, mesmo para aqueles que começam sem nenhum fundo de reserva. Se você consegue aplicar uns poucos milhares em investimentos desde o início, a soma final aumentará significativamente.

COMO FUNDOS DE APOSENTADORIA PODEM CRESCER: O QUE ACONTECE COM UM INVESTIMENTO DE 100 DÓLARES MENSAIS COM RETORNO DE 7% AO ANO CAPITALIZADO MENSALMENTE

Ano	Investimento cumulativo	Renda anual	Renda cumulativa	Valor total
1	$1.200	$46	$46	$1.246
2	$2.400	$137	$183	$2.583
3	$3.600	$233	$416	$4.016
4	$4.800	$337	$753	$5.553
5	$6.000	$448	$1.201	$7.201
10	$12.000	$1.136	$5.409	$17.409
20	$24.000	$3.495	$28.397	$52.397
30	$36.000	$8.235	$86.709	$122.709

Escolha fundos mútuos sem custos administrativos para acumular seu fundo de reserva, porque investimentos diretos de pequenas somas de dinheiro podem ser proibitivamente caros. Além disso, fundos mútuos permitem o reinvestimento automático dos juros ou dividendos e ganhos de capital, como presume a tabela. Finalmente, não deixe de verificar se seu empregador dispõe de um plano de previdência com contrapartida. Obviamente, se ao poupar em um plano de aposentadoria patrocinado pela empresa você consegue receber como contrapartida contribuições da empresa, bem como deduções fiscais, seu fundo de reserva crescerá bem mais rápido.

---

* Presumo que as poupanças possam ser feitas em um veículo com vantagem fiscal, de modo que os impostos sobre as receitas de juros sejam ignorados. *(N. do A.)*

O GUIA DE INVESTIMENTO DE CICLO DE VIDA

Os gráficos nas páginas 336 e 337 apresentam um resumo do guia de investimento de ciclo de vida. No Talmude, o rabino Isaac ensinou que deveríamos sempre dividir nossa riqueza em três partes: um terço em terras, um terço em mercadorias (negócios) e um terço prontamente à mão (de forma líquida). Tal alocação de ativos é bem razoável, mas podemos aperfeiçoar esse conselho antigo porque dispomos de instrumentos mais refinados e uma compreensão maior dos fatores que tornam diferentes alocações de ativos apropriadas para diferentes pessoas. As ideias gerais por trás das recomendações já foram explicitadas em detalhes. Para aqueles na faixa dos 20 anos, um portfólio de investimentos bem agressivo é recomendado. Nessa idade, existe tempo de sobra para cavalgar os picos e vales dos ciclos dos investimentos, e você dispõe de uma vida de receitas do emprego pela frente. O portfólio não apenas é forte em ações ordinárias, mas também contém uma proporção substancial de ações internacionais, incluindo os mercados emergentes de maior risco. Como mencionado no Capítulo 8, uma vantagem importante da diversificação é a redução do risco. Além disso, a diversificação internacional permite a um investidor obter exposição a outras áreas de crescimento no mundo, mesmo com os mercados mundiais se tornando mais fortemente correlacionados.

À medida que envelhecem, os investidores deveriam começar a reduzir os investimentos mais arriscados e a aumentar a proporção do portfólio dedicada aos títulos de dívida e seus substitutos, como ações de crescimento com dividendos. A alocação também aumenta nos fundos de investimento imobiliário que pagam dividendos generosos. Aos 55 anos, os investidores deveriam começar a pensar na transição para a aposentadoria e direcionar o portfólio para a produção de renda. A proporção de títulos de dívida e seus substitutos aumenta, e o portfólio de ações torna-se mais conservador e produtor de renda e menos orientado ao crescimento. Na aposentadoria, um portfólio fortemente ponderado em uma variedade de títulos de dívida e seus substitutos é recomendado. Uma regra prática geral costumava ser que a proporção de títulos de dívida no portfólio da pessoa deveria equivaler à sua idade. Não obstante, mesmo quase aos 70 anos, sugiro que 40% do portfólio seja reservado às ações ordinárias comuns e 15% a fundos de investimento imobiliário, para dar certo crescimento da renda a fim de enfrentar a inflação.

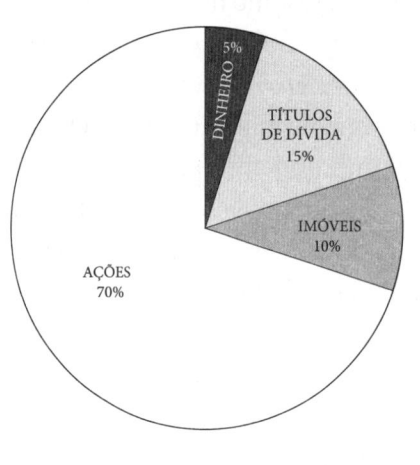

Idade: Meados da casa dos 20

Estilo de vida: dinâmico, agressivo. Com um fluxo contínuo de receitas, a capacidade de risco é razoavelmente alta. Precisa da disciplina da poupança em folha de pagamento para acumular um fundo de reserva.

▪ DINHEIRO (5%): fundo do mercado monetário ou fundo de títulos de dívida de curto prazo (vencimento médio em 1 a 1,5 ano).

▫ TÍTULOS DE DÍVIDA E SEUS SUBSTITUTOS* (15%): fundo de títulos de dívida corporativos de grande segurança e sem gastos administrativos, alguns títulos do Tesouro protegidos contra a inflação, títulos de dívida estrangeiros, ações de crescimento com dividendos.

▫ AÇÕES (70%): metade em ações com boa representação de empresas de crescimento menores, metade em ações internacionais, incluindo as de mercados emergentes.

▫ IMÓVEIS (10%): portfólio de FIIs.

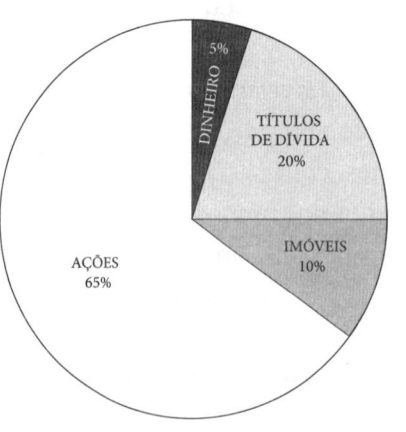

Gráfico de pizza:
- AÇÕES 70%
- DINHEIRO 5%
- TÍTULOS DE DÍVIDA 15%
- IMÓVEIS 10%

Idade: Fim da casa dos 30 e início da casa dos 40

Estilo de vida: crise da meia-idade. Para casais sem filhos e com carreiras profissionais, capacidade de risco ainda bem alta. Opções de risco desaparecendo para aqueles com mensalidades iminentes das faculdades dos filhos.

▪ DINHEIRO (5%): fundo do mercado monetário ou fundo de títulos de dívida de curto prazo (vencimento médio em 1 a 1,5 ano).

▫ TÍTULOS DE DÍVIDA E SEUS SUBSTITUTOS* (20%): fundo de títulos de dívida corporativos de grande segurança e sem custos administrativos, alguns títulos do Tesouro protegidos contra a inflação, títulos de dívida estrangeiros, ações de crescimento com dividendos.

▫ AÇÕES (65%): metade em ações com boa representação de empresas de crescimento menores, metade em ações internacionais, incluindo as de mercados emergentes.

▫ IMÓVEIS (10%): portfólio de FIIs.

Gráfico de pizza:
- AÇÕES 65%
- DINHEIRO 5%
- TÍTULOS DE DÍVIDA 20%
- IMÓVEIS 10%

* Se os títulos de dívida são mantidos fora dos planos de aposentadoria com vantagem fiscal, deveriam ser usados títulos isentos de impostos.

Idade: Meados da casa dos 50

Estilo de vida: muitos ainda atordoados pelas mensalidades das faculdades dos filhos. Não importa o estilo de vida, este grupo etário precisa começar a pensar na aposentadoria e na necessidade de proteção da renda.

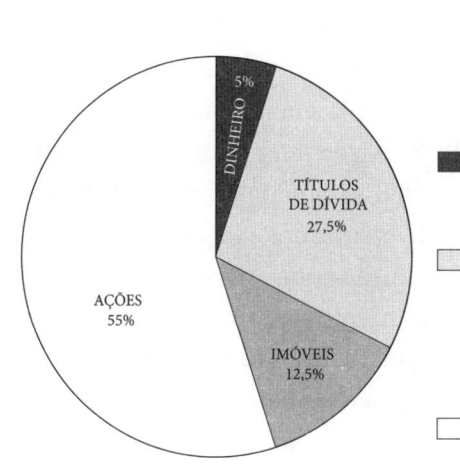

■ DINHEIRO (5%): fundo do mercado monetário ou fundo de títulos de dívida de curto prazo (vencimento médio em 1 a 1,5 ano).

☐ TÍTULOS DE DÍVIDA E SEUS SUBSTITUTOS* (27,5%): fundo de títulos de dívida corporativos de grande segurança e sem custos administrativos, alguns títulos do Tesouro protegidos contra a inflação, títulos de dívida estrangeiros, ações de crescimento com dividendos.

☐ AÇÕES (55%): metade em ações com boa representação de empresas de crescimento menores, metade em ações internacionais, incluindo as de mercados emergentes.

▒ IMÓVEIS (12,5%): portfólio de FIIs.

Idade: Final da casa dos 60 e além

Estilo de vida: curtindo atividades de lazer, mas também se prevenindo contra grandes custos de saúde. Pouca ou nenhuma capacidade de risco.

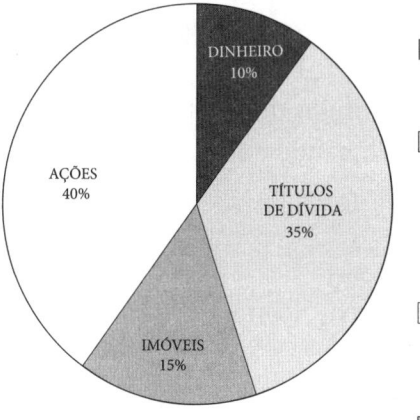

■ DINHEIRO (10%): fundo do mercado monetário ou fundo de títulos de dívida de curto prazo (vencimento médio em 1 a 1,5 ano).

☐ TÍTULOS DE DÍVIDA E SEUS SUBSTITUTOS* (35%): fundo de títulos de dívida corporativos de grande segurança e sem custos administrativos, alguns títulos do Tesouro protegidos contra a inflação, títulos de dívida estrangeiros, ações de crescimento com dividendos.

☐ AÇÕES (40%): metade em ações com boa representação de empresas de crescimento menores, metade em ações internacionais, incluindo as de mercados emergentes.

▒ IMÓVEIS (15%): portfólio de FIIs.

* Se os títulos de dívida são mantidos fora dos planos de aposentadoria com vantagens fiscais, títulos isentos de impostos.

De fato, como a expectativa de vida aumentou muito desde que apresentei pela primeira vez as alocações de ativos durante a década de 1980, aumentei a proporção de ações de forma compatível.

Para a maioria das pessoas, recomendo começar com um fundo indexado do mercado de ações total de base ampla em vez de ações individuais para a formação do portfólio. Faço-o por dois motivos. Primeiro, a maioria das pessoas não dispõe de capital suficiente para comprar por si mesmas portfólios apropriadamente diversificados. Segundo, reconheço que a maioria das pessoas jovens não disporá de ativos substanciais e estará acumulando portfólios com investimentos mensais. Com isso, os fundos mútuos tornam-se quase uma necessidade. Conforme seus ativos crescem, um fundo do mercado de ações americano deveria ser acrescido de um fundo (indexado) de ações internacional total que inclua ações de mercados emergentes em rápido crescimento. Você não precisa usar os fundos indexados que sugiro, mas garanta que quaisquer fundos mútuos que compre sejam realmente "sem gastos administrativos" e de baixo custo. Você também verá que incluí imóveis explicitamente em minhas recomendações. Eu disse antes que todos deveriam tentar possuir casa própria. Acredito que todos deveriam ter investimentos substanciais em imóveis, e alguma parte das participações de capital deveria ser em fundos de investimento imobiliário, descritos no Capítulo 12. No tocante à sua posição em títulos de dívida, o guia recomenda títulos tributáveis. Se, porém, você estiver na faixa de imposto mais alta e seus títulos de dívida são conservados fora de seu plano de aposentadoria, recomendo que use fundos monetários isentos de imposto.

FUNDOS DE CICLO DE VIDA

Você quer evitar a importunação de ajustar seu portfólio à medida que envelhece e reequilibrá-lo anualmente conforme as proporções de seus ativos dedicadas a diferentes classes variam com os altos e baixos do mercado? Um novo tipo de produto foi desenvolvido durante a década de 2000 para os investidores que querem definir um programa e depois esquecê-lo. Chama-se "fundo de ciclo de vida" e faz automaticamente o reequilíbrio e as mudanças para uma alocação de ativos mais segura conforme você envelhece. Os fundos de ciclo de vida são utilíssimos para fundos de pensão e outros planos de previdência.

Você seleciona o fundo de ciclo de vida específico apropriado escolhendo uma data em que espera se aposentar. Por exemplo, suponha que você tenha 40 anos em 2022 e planeje se aposentar aos 70. Você deveria então adquirir um fundo de ciclo de vida com um "vencimento-alvo em 2052". Contribuições subsequentes podem ser direcionadas ao mesmo fundo. O fundo será reequilibrado anualmente e a composição de ações se tornará mais conservadora com o tempo. Detalhes dos diferentes vencimentos e alocações de ativos oferecidos podem ser achados nos sites das diversas empresas que ofertam esse tipo de investimento. Quando os rendimentos dos títulos de dívida estão extremamente baixos, tendo a favorecer os fundos de ciclo de vida que sejam mais agressivos – ou seja, que começam com uma alocação maior de ações. Para aqueles em busca da forma mais fácil de gerir seu dinheiro para a aposentadoria, o aspecto de piloto automático dos fundos de ciclo de vida é conveniente e sem complicações. Mas, antes de aderir, confira o sistema de taxas. Taxas baixas significam mais dinheiro no seu bolso para curtir uma aposentadoria mais confortável.

GESTÃO DE INVESTIMENTOS APÓS A APOSENTADORIA

Nos Estados Unidos, mais de dez mil *baby boomers* estão chegando aos 65 anos, padrão que prosseguirá até 2030. De acordo com o Escritório do Censo americano, mais de um milhão de *baby boomers* viverão além dos 100 anos. Já a expectativa de vida média de um americano típico é 85 anos (no Brasil, é de 77 anos). E metade de todos os aposentados americanos viverá mais do que sua expectativa de vida média.

No entanto, os *baby boomers* não têm dado ouvidos aos conselhos deste livro e não têm poupado adequadamente para a aposentadoria. Os Estados Unidos e o Brasil, mesmo levando em conta suas diferenças econômicas e sociais, têm sido nações de consumidores em vez de poupadores. Ante a situação de longo prazo dos orçamentos federais, ficará cada vez mais arriscado para americanos e brasileiros contar com seus governos para socorrê-los.

Preparação inadequada para a aposentadoria

De acordo com uma pesquisa de finanças do consumidor realizada pelo Conselho de Diretores do Federal Reserve, a família americana típica possui pouco dinheiro no banco e uma dívida considerável no cartão de crédito. Apenas metade de toda a população possui qualquer tipo de conta de aposentadoria e somente 11% no quartil de riqueza inferior possuem um plano de poupança/aposentadoria. Embora os americanos mais velhos (entre 55 e 64 anos) possuam, em média, 308 mil dólares em poupanças para a aposentadoria, essa quantia não seria suficiente para substituir mais de 15% de sua renda domiciliar na aposentadoria. Um quadro nada agradável. Para muitos americanos, os anos dourados tenderão a ser extremamente austeros.

No Brasil não é muito diferente. O último Raio X do Investidor Brasileiro, produzido pela Associação Brasileira do Mercado de Capitais (Anbima) em 2021, mostrou que apenas 40% dos brasileiros têm algum tipo de investimento; desses, 53% alocam seus recursos em investimentos financeiros. Assustadores 7% ainda guardam o dinheiro de suas aposentadorias e fundos de emergência embaixo do colchão. A boa notícia é que os mais jovens parecem ter aprendido a lição: o relatório mostrou que os investidores estão, em sua maioria, na faixa de 16 a 24 anos.

Aos *baby boomers* próximos da aposentadoria que desejam evitar uma vida de privações só restam duas opções realistas: começar a poupar para valer ou, então, morrer cedo. Como o comediante Henny Youngman costumava dizer: "Tenho todo o dinheiro de que preciso se eu morrer às quatro da tarde."

Para os leitores que se encontram na situação que descrevi, não tenho soluções fáceis. Você não tem saída senão trabalhar durante seus anos de aposentadoria, controlar suas despesas e poupar o máximo possível. Mas existe um lado positivo mesmo para você. Existem muitos trabalhos em horário parcial que podem ser realizados em casa graças à internet. E existem benefícios psicológicos e de saúde em trabalhar na aposentadoria. Aqueles que efetuam algum trabalho têm uma sensação melhor de autoestima e conexão, e também são mais saudáveis. De fato, eu recomendaria que todos adiassem a aposentadoria o máximo possível e protelassem a Previdência Social até a idade de plena aposentadoria para maximizar os benefícios anuais. Apenas aos com péssima saúde e uma expectativa de vida curta eu recomendaria solicitar os benefícios na idade mínima permissível.

INVESTIR NUM FUNDO DE RESERVA PARA A APOSENTADORIA

Se você foi suficientemente presciente e está poupando para sua aposentadoria, quais estratégias de investimentos ajudarão a garantir que seu dinheiro dure tanto quanto você? Existem duas alternativas básicas. Primeiro, o aposentado pode transformar em renda vitalícia todo ou parte de seu fundo de reserva para a aposentadoria. Segundo, ele pode continuar conservando seu portfólio de investimentos e definir uma taxa de retirada que propicie uma aposentadoria confortável, minimizando o risco de viver por mais tempo que o dinheiro. Como decidir entre as duas alternativas?

Rendas vitalícias

A Lei de Sturgeon, cunhada pelo escritor de ficção científica Theodore Sturgeon, declara: "Noventa e cinco por cento de tudo que você ouve ou lê é lixo." Com certeza uma verdade no mundo dos investimentos, mas eu sinceramente acredito que o que você lê aqui se enquadra na categoria dos outros 5%. No tocante aos conselhos sobre rendas vitalícias (conhecidas como *annuities* nos Estados Unidos), suspeito que a porcentagem de desinformação se aproxima dos 99%. Seu vendedor amistoso de rendas vitalícias dirá que são a única solução razoável para o problema do investimento para a aposentadoria. Mas muitos consultores financeiros costumam dizer: "Não compre uma renda vitalícia. Você perderá todo o seu dinheiro." O que um investidor deve fazer diante de conselhos tão diametralmente opostos?

Primeiro vamos esclarecer o que são as rendas vitalícias e descrever seus dois tipos básicos. Uma renda vitalícia costuma ser chamada de "seguro de longa vida". As rendas vitalícias são contratos com seguradoras em que o investidor paga um montante para garantir uma série de pagamentos periódicos que durarão enquanto o beneficiário viver. Por exemplo, em meados de 2018, um prêmio de 1 milhão de dólares por uma renda vitalícia fixa compraria um fluxo de renda anual médio de cerca de 67 mil dólares para um homem de 65 anos. Se um casal de 65 anos se aposentasse e desejasse uma opção conjunta e de sobrevivente (que fornecesse pagamentos enquanto um dos membros do casal estivesse vivo), o milhão de dólares forneceria pagamentos anuais fixos de cerca de 56.500 dólares.

Claro que, com qualquer inflação, o poder de compra desses pagamentos tenderia a diminuir com o tempo. Por esse motivo, muitas pessoas preferem comprar "rendas vitalícias variáveis", que fornecem a possibilidade de aumentar os pagamentos com o tempo, dependendo do tipo de ativos do investimento (tipicamente fundos mútuos) escolhidos pelos beneficiários. Se o beneficiário opta por ações ordinárias, os pagamentos aumentarão com o tempo se o desempenho do mercado de ações for bom, mas cairão se o mercado de ações ceder. As rendas vitalícias também podem ser compradas com um período de pagamentos garantido. Um período garantido de vinte anos significa que, mesmo que você morra imediatamente após comprar a renda vitalícia, seus herdeiros receberão vinte anos de pagamentos. Claro que o beneficiário pagará por essa garantia aceitando uma redução substancial no montante dos pagamentos anuais. A redução para um homem de 70 anos costuma superar 20%. Assim, se você se preocupa com a possibilidade de morrer cedo e não deixar nada para os herdeiros, talvez seja melhor reduzir a proporção de seu fundo de reserva para a aposentadoria usada na compra de uma renda vitalícia.

Rendas vitalícias variáveis fornecem uma abordagem para enfrentar o risco de inflação. Outra possibilidade é uma renda vitalícia com um fator explícito de ajuste da inflação. Por exemplo, o Vanguard Group oferece uma renda vitalícia com um aumento garantido de 3% ao ano. Tal garantia naturalmente reduzirá de modo substancial o pagamento inicial. Um casal de 65 anos desejando uma opção conjunta e de sobrevivente constataria que 1 milhão de dólares forneceriam um pagamento anual inicial de apenas 39 mil dólares.

As rendas vitalícias têm uma vantagem substancial em relação à estratégia de investir por si mesmo sua poupança para a aposentadoria. Elas garantem que o dinheiro não acabará antes de sua morte. Se você for abençoado com uma boa saúde e viver mais de 90 anos, é a seguradora que corre o risco de ter que lhe pagar bem mais do que seu capital original mais as receitas do investimento. Investidores avessos ao risco deveriam com certeza cogitar aplicar parte ou mesmo toda a sua poupança acumulada num contrato de renda vitalícia ao se aposentarem.

Quais são então as desvantagens das rendas vitalícias? Existem quatro desvantagens possíveis. A transformação em renda vitalícia é incompatível com o desejo de deixar uma herança, fornece ao beneficiário uma rota de consumo rígida, pode envolver altos custos de transações e pode ser fiscalmente ineficiente.

1. **Desejo de deixar uma herança.** Suponha que um aposentado tenha poupado um fundo de reserva substancial e possa viver confortavelmente dos dividendos e juros dos investimentos. Embora um montante ainda maior de renda anual pudesse ser fornecido pela transformação em renda vitalícia, não sobraria dinheiro para herança quando o beneficiário morresse. Muitas pessoas sentem um forte desejo de deixar alguns recursos para seus filhos, parentes ou instituições de caridade. A plena transformação em renda vitalícia é incompatível com os desejos de deixar uma herança.

2. **Rigidez de consumo.** Suponha que um casal se aposente com boa saúde aos 65 anos e adquira uma renda vitalícia que pague uma soma fixa anual enquanto ambos os parceiros estiverem vivos. Tal renda vitalícia de "vida conjunta" é uma forma comum de os casais estruturarem sua aposentadoria. Mas, logo após assinar o contrato com a seguradora, tanto o marido como a esposa ficam sabendo que sofrem de doenças incuráveis, com altas chances de reduzir o período de sobrevivência a uns poucos anos preciosos. O casal pode razoavelmente querer fazer a viagem de volta ao mundo com que sempre sonhou. A transformação em renda vitalícia não dá flexibilidade para alterar sua rota de consumo caso as circunstâncias mudem.

3. **As rendas vitalícias podem ser caras.** Muitas rendas vitalícias, em especial aquelas vendidas por seguradoras, podem ser bem caras. O beneficiário paga não apenas as taxas e despesas da seguradora, mas também uma comissão para o vendedor. Algumas rendas vitalícias podem ser, portanto, péssimos investimentos.

4. **As rendas vitalícias podem ser fiscalmente ineficientes.** Embora as rendas vitalícias fixas tenham certas vantagens em relação aos títulos de dívida em termos do diferimento de impostos, as rendas vitalícias variáveis

transformam ganhos de capital preferencialmente tributados em renda comum sujeita a níveis de imposto maiores. Além disso, a transformação parcial de ativos de contas de aposentadoria em renda vitalícia não compensa as distribuições mínimas exigidas que você precisa retirar. Se você transforma em renda vitalícia 50% do seu plano de previdência, ainda precisa retirar distribuições da outra metade. Isso não é problema se você estiver gastando ao menos essa quantia total, mas é fiscalmente ineficiente caso não esteja.

Então o que os investidores inteligentes devem fazer? Aqui estão minhas regras. A transformação ao menos parcial em renda vitalícia geralmente faz sentido. É a única forma sem risco de garantir que você não vai viver por mais tempo que sua renda. Empresas respeitáveis oferecem rendas vitalícias com baixos custos e nenhuma comissão de venda.

O MÉTODO "FAÇA VOCÊ MESMO"

Muitos aposentados preferirão manter o controle sobre ao menos parte dos ativos que pouparam para o fundo de reserva da aposentadoria. Suponhamos que os ativos sejam investidos de acordo com o gráfico de pizza inferior da página 337, ou seja, pouco mais de metade em ações e o restante em investimentos produtores de renda. Agora que você vai dispor do fundo de reserva para as despesas com manutenção na aposentadoria, quanto pode gastar se quiser assegurar que seu dinheiro durará tanto quanto você? Sugeri nas edições anteriores que você usasse "a solução dos 4%".

Sob a "solução dos 4%", você deveria gastar no máximo esse percentual do valor total de seu fundo de reserva anualmente. A essa taxa, são altas as chances de que você não ficará sem dinheiro ainda que viva até os 100 anos. É altamente provável, também, que você consiga deixar aos seus herdeiros uma soma de dinheiro com o mesmo poder de compra do total de seu fundo de reserva para a aposentadoria. Sob a regra dos 4%, a pessoa precisaria de uma poupança de 450 mil dólares para produzir uma renda na aposentadoria de 1.500 dólares mensais, ou 18 mil dólares anuais.

Por que somente 4%? É altamente provável que um portfólio diversificado de ações e títulos de dívida retorne mais de 4% nos anos à frente. Mas existem duas razões para limitar a taxa de retirada. Primeira, você precisa deixar que seus pagamentos mensais cresçam com o tempo pela taxa de inflação. Segunda, você precisa assegurar que consegue enfrentar vários anos das inevitáveis quedas que o mercado de ações pode sofrer durante certos períodos.

Vejamos primeiro de onde sai a cifra dos 4%. Sugerimos na página 315 que podemos esperar uma taxa de retorno das ações no longo prazo de quase 7% ao ano. Um portfólio de títulos de dívida diversificado, incluindo substitutos dos títulos, tende a produzir um retorno em torno de 4%. Portanto, podemos projetar que um portfólio equilibrado, com metade ações e metade títulos de dívida, deveria produzir um retorno anual de aproximadamente 5,5%. Agora suponha que, no longo prazo, a taxa de inflação seja de 1,5%. Isso significa que a carteira do fundo de investimento terá de subir 1,5% ao ano para preservar seu poder de compra. Assim, num ano típico, o investidor gastará 4% do fundo e o fundo de reserva crescerá 1,5%. Os gastos no ano seguinte podem também subir 1,5%, fazendo com que o aposentado ainda seja capaz de comprar a mesma cesta de produtos. Ao gastar menos que o retorno total do portfólio, o aposentado consegue preservar o poder de compra tanto do fundo de investimento quanto de sua renda anual. A regra geral é: primeiro estime o retorno do fundo de investimento e depois deduza a taxa de inflação para calcular o nível de gastos sustentável. Se a inflação tende a ser de 2% ao ano, então uma taxa de gastos de 3,5% seria mais apropriada.

Existe uma segunda razão para fixar a taxa de gastos abaixo da taxa de retorno estimada para o fundo inteiro. Os retornos reais de ações e títulos de dívida variam consideravelmente de um ano para outro. A média dos retornos das ações pode atingir 7%, mas em alguns anos o retorno será maior, enquanto em outros poderia ser negativo. Suponha que você se aposentou aos 65 anos e depois se deparou com um mercado em baixa tão forte como em 2008 e 2009, quando as ações baixaram cerca de 50%. Se você retirasse 7% anualmente, suas poupanças poderiam ter se exaurido em menos de dez anos. Mas, se tivesse retirado apenas 3,5% ou 4%, dificilmente o dinheiro acabaria mesmo que vivesse até os 100 anos. Uma taxa de gastos conservadora maximiza suas chances de nunca ficar sem dinheiro. Assim, se você não está aposentado, pense bem sobre pôr de lado o máximo possível para mais tarde poder viver confortavelmente mesmo com uma taxa de retirada conservadora.

Três notas de rodapé precisam ser acrescentadas às nossas regras de aposentadoria. Primeira, para nivelar suas retiradas com o tempo, não gaste 3,5%

ou 4% do valor que seu fundo de investimento atinge no início de cada ano. Como os mercados flutuam, seu gasto será desigual e duvidoso demais de um ano para outro. Meu conselho é começar gastando 3,5% ou 4% de seu fundo de aposentadoria e depois deixar a quantia que você retira crescer 1,5% ou 2% ao ano. Assim você nivelará o volume de renda que terá na aposentadoria.

Segunda, você constatará que a renda de juros de seus títulos de dívida e os dividendos de suas ações tendem a ser inferiores aos 3,5% ou 4% que quer retirar de seu fundo. Assim, você terá de decidir a quais dos seus ativos recorrer primeiro. Você deveria vender da parte do seu portfólio que ficou sobrecarregada em relação à meta de mix de ativos. Suponha que o mercado de ações subiu tanto que um portfólio inicial 50/50 ficou desequilibrado, com 60% de ações e 40% de títulos de dívida. Embora você possa estar empolgado porque as ações subiram, deve se preocupar com o fato de o portfólio ter ficado mais arriscado. Retire qualquer dinheiro extra de que precisar da parte de ações do portfólio, ajustando sua alocação dos ativos, ao mesmo tempo que produz a renda necessária. Ainda que você não precise recorrer ao portfólio para cobrir seus gastos, eu recomendaria reequilibrá-lo anualmente para manter o nível de risco do portfólio compatível com sua tolerância ao risco.

Terceira, desenvolva uma estratégia de recorrer aos ativos de modo a diferir o pagamento do imposto de renda o máximo possível. Quando você é obrigado a retirar distribuições mínimas dependendo das características de cada investimento, precisará usá-las antes de recorrer às outras contas. Nos investimentos tributáveis, você já está pagando imposto de renda sobre os dividendos, juros e ganhos de capital realizados que seu investimento produz. Assim, você com certeza deveria gastar esse dinheiro e, em seguida, gaste os ativos com impostos diferidos adicionais.

Ninguém pode garantir que as regras que sugeri impedirão que você viva mais tempo que seu dinheiro. E, dependendo de sua saúde e outras rendas e ativos, você pode querer alterar minhas regras em uma direção ou outra. Se você está com 80 anos e retirando 4% ao ano com um portfólio crescente, ou tem uma fé profunda na descoberta pela ciência médica da Fonte da Juventude, ou deve cogitar afrouxar os cordões da bolsa.

15

TRÊS PASSOS GIGANTES POR WALL STREET

Renda anual: 20 libras; gasto anual: 19; resultado: felicidade.
Renda anual: 20 libras; gasto anual: 20,50 libras; resultado: miséria.

– Charles Dickens, *David Copperfield*

ESTE CAPÍTULO OFERECE REGRAS para comprar ações e recomendações específicas para os instrumentos que você pode usar para seguir as diretrizes de alocação de ativos apresentadas no Capítulo 14. A esta altura, você tomou decisões sensatas sobre impostos, moradia, seguro e o maior retorno possível de suas reservas monetárias. Você analisou seus objetivos, seu estágio no ciclo de vida e sua atitude em relação ao risco, e decidiu quanto dos seus ativos aplicar no mercado de ações. Agora está na hora de uma rápida oração e depois alguns passos ousados à frente, tomando muito cuidado para evitar o cemitério. Minhas regras podem ajudá-lo a evitar erros dispendiosos e taxas de vendas desnecessárias, bem como a aumentar um pouco seu rendimento sem risco indevido. Não posso oferecer nada de espetacular, mas sei que com frequência um aumento de 1% ou 2% no rendimento de seus ativos pode significar a diferença entre a miséria e a felicidade.

Como você faz para comprar ações? Basicamente, existem três maneiras. Chamo-as de Passo Óbvio, Passo "Faça você mesmo" e Passo do Protagonista Substituto.

No primeiro caso, você simplesmente compra participações em vários fundos indexados de base ampla ou fundos indexados negociáveis em bolsa, visando controlar as diferentes classes de ações que compõem seu portfólio. Esse método também tem a virtude de ser absolutamente simples. Mesmo que você não seja nenhum gênio, consegue dominá-lo. O mercado, na verdade, leva você junto. Para a maioria dos investidores, em especial aqueles que preferem uma solução fácil, de risco menor, para investir, recomendo submeter-se à sabedoria do mercado e usar fundos indexados domésticos e internacionais para o portfólio de investimentos inteiro. Para todos os investidores, porém, sugiro que o núcleo do portfólio de investimentos – especialmente a parte para a aposentadoria – seja investido em fundos indexados ou fundos negociados em bolsa.

Sob o segundo sistema, você caminha pelo mercado financeiro escolhendo suas ações e talvez privilegiando alguns setores ou países. Recomendo que seu dinheiro reservado para fornecer uma aposentadoria confortável seja investido em um portfólio diversificado de fundos indexados. Mas, se você gosta de arriscar algum dinheiro extra e curte o jogo de selecionar ações, forneci uma série de regras para ajudar a inclinar as chances de sucesso um pouco mais a seu favor.

Terceiro, você pode se sentar num meio-fio e escolher um gestor de investimentos profissional para caminhar por você pelo mercado financeiro. Consultores profissionais podem escolher o mix de investimentos mais adequado a sua capacidade e sua disposição de aceitar riscos e garantir que você colha os benefícios da ampla diversificação. Infelizmente, a maioria dos consultores de investimentos são caros e com frequência têm conflitos de interesses. Felizmente, uma nova estirpe de profissionais de baixo custo está agora disponível. Esses consultores com frequência usam tecnologias automatizadas para gerir portfólios diversificados de fundos indexados e cobram taxas mínimas. Descreverei esses consultores adiante neste capítulo.

Edições anteriores deste livro descreveram uma estratégia que chamei de Passo de Malkiel: comprar ações de sociedades de investimento de capital fixo com desconto em relação ao valor das ações mantidas pelo fundo. Quando a primeira edição deste livro foi publicada, os descontos sobre ações americanas chegavam a 40%. Eles são bem menores agora, porque esses fundos têm preços mais eficientes. Mas descontos atraentes podem surgir, especialmente em fundos internacionais ou fundos de títulos de dívida municipais, e investidores espertos podem às vezes tirar proveito.

O PASSO ÓBVIO: INVESTIR EM FUNDOS INDEXADOS

O Índice de Ações Standard & Poor's 500, que representa cerca de três quartos do valor de todas as ações ordinárias negociadas nos Estados Unidos, supera a maioria dos especialistas no longo prazo. Comprar um portfólio de todas as empresas desse índice seria um meio fácil de possuir ações. Argumentei já em 1973 (na primeira edição deste livro) que o meio de adotar essa abordagem era uma necessidade premente para o pequeno investidor:

> Precisamos de um fundo mútuo sem gastos administrativos, com uma taxa de administração mínima, que simplesmente compre as centenas de ações que constituem os índices amplos do mercado e não fique mudando de um título mobiliário para outro na tentativa de captar os vencedores. Sempre que se observa um desempenho insatisfatório em qualquer fundo mútuo, seus porta-vozes são rápidos em observar: "Não dá para comprar os índices." Está na hora de o público poder comprar.

Pouco depois de meu livro ter sido publicado, a ideia de "fundo indexado" pegou. Uma das grandes virtudes do capitalismo é que, quando existe a necessidade de um produto, alguém geralmente se motiva a produzi-lo. Em 1976, foi criado um fundo mútuo que permitiu a adesão do público. O Vanguard 500 Index Trust comprou as quinhentas ações do S&P 500 nas mesmas proporções de seus pesos no índice. Cada investidor compartilhava proporcionalmente os dividendos e ganhos ou perdas de capital do portfólio do fundo. Hoje, os fundos indexados ao S&P 500 estão disponíveis em diversos complexos de fundos mútuos com taxas de despesas abaixo de 1/20 de 1% dos ativos ou menos, bem inferiores às despesas contraídas por fundos ativamente geridos. Alguns fundos indexados estão disponíveis a taxa zero. Você pode agora comprar o mercado de forma conveniente e barata.

A lógica por trás dessa estratégia é a lógica da hipótese do mercado eficiente. Mas, mesmo que os mercados não fossem eficientes, a indexação continuaria sendo uma estratégia de investimento bem útil. Já que todas as ações do mercado precisam ter um proprietário, segue-se que todos os investidores no mercado ganharão, em média, o retorno do mercado. O fundo indexado obtém o retorno do mercado com um mínimo de despesas. O fundo ativamente gerido cobra uma taxa de despesas de cerca de 1% ao ano. Desse modo, o fundo ativamente gerido médio deve ficar aquém do mercado como um todo pelo montante das despesas que são deduzidas do retorno bruto obtido. Isso seria válido ainda que o mercado não fosse eficiente.

O desempenho de longo prazo acima da média do S&P 500 comparado com o dos fundos mútuos e grandes investidores institucionais tem sido confirmado por numerosos estudos descritos em capítulos anteriores deste livro. Sim, existem exceções. Mas você pode contar nos dedos da mão o número de fundos mútuos que superaram os fundos indexados por alguma margem significativa.

A solução do fundo indexado: Um resumo

Vamos agora sintetizar as vantagens de usar fundos indexados como seu veículo de investimentos básico. Eles têm regularmente produzido taxas de retorno superiores às dos gestores ativos. Existem duas razões fundamentais para esse desempenho excedente: taxas de administração e custos das transações. Os fundos indexados públicos e os fundos negociáveis em bolsa são administrados a taxas de 1/20 de 1% ou ainda menos. Os fundos mútuos públicos ativamente geridos cobram despesas administrativas anuais médias de 1% ao ano. Além disso, os fundos indexados transacionam apenas quando necessário, enquanto os fundos ativos costumam ter uma taxa de rotatividade próxima de 100%. Usando estimativas bem modestas dos custos de transações, tal rotatividade é sem dúvida um empecilho adicional ao desempenho. Ainda que os mercados de ações não fossem perfeitamente eficientes, a gestão ativa como um todo não conseguiria obter retornos brutos acima do mercado. Portanto, os gestores ativos precisam, na média, ficar aquém dos índices pelo montante dessas desvantagens das despesas e dos custos das transações. Infelizmente, os gestores ativos como um grupo não podem ser iguais à cidade natal fictícia de Lake Wobegon, da personalidade de rádio Garrison Keillor, onde "todas as crianças estão acima da média".

Os fundos indexados são também fiscalmente vantajosos. Eles permitem aos investidores diferir a realização de ganhos de capital ou evitá-los por completo se as ações forem mais tarde deixadas como herança. À medida que a tendência ascendente de longo prazo dos preços das ações continuar, mudar de um título mobiliário para outro envolve realizar ganhos de capital sujeitos a tributação. Os impostos são um fator financeiro de importância crucial, porque a realização mais cedo de ganhos de capital reduzirá substancialmente os retornos líquidos. Os fundos indexados não ficam transacionando de um título mobiliário para outro, tendendo assim a evitar os impostos sobre ganhos de capital.

Os fundos indexados são também relativamente previsíveis. Ao comprar um fundo ativamente gerido, você nunca tem certeza de como se sairá em relação a outros fundos. Ao adquirir um fundo de investimento, você pode ter relativa certeza de que ele acompanhará seu índice e que tenderá a superar facilmente o gestor médio. Além disso, o fundo indexado é sempre plenamente investido. Você nunca deve acreditar no gestor ativo que afirma que seu fundo realizará lucros nos momentos certos. Vimos que o timing do mercado não funciona. Finalmente, os fundos indexados são mais fáceis de avaliar. Existem agora mais de 5 mil fundos mútuos de ações por aí, e não há um meio confiável de predizer quais terão um desempenho excepcional no futuro. Com os fundos indexados, você sabe exatamente o que está obtendo e o processo de investimento torna-se de uma simplicidade incrível.

"Saltar do alto de arranha-céu é legal,
mas você consegue superar o Índice S&P 500?"

© 2002 por Thomas Cheney: Reproduzido com permissão.

Apesar de todos os indícios contrários, suponha que um investidor ainda acreditasse que realmente existe uma gestão superior de investimentos. Duas questões permanecem: primeira, está claro que tal habilidade é raríssima; e segunda, parece que não existe um meio eficaz de descobrir tal habilidade antes de ter sido demonstrada. Como indiquei no Capítulo 7, os fundos de melhor desempenho num período não repetem tal desempenho no período seguinte. Os melhores fundos da década de 1990 ofereceram retornos terríveis na primeira década do século XXI. Paul Samuelson sintetizou a dificuldade na parábola seguinte. Suponha que foi demonstrado que um dentre cada vinte alcoólatras poderia aprender a se tornar um bebedor social. O clínico experiente responderia: "Ainda que seja verdade, aja como se fosse falso, pois você nunca conseguirá identificar aquele dentre os vinte e, na tentativa, cinco deles se arruinarão." Samuelson concluiu que os investidores devem desistir de procurar agulhas tão miúdas em palheiros tão grandes.

As transações de ações entre investidores institucionais são como um exercício isométrico? Muita energia é despendida, mas entre um gestor de investimentos e outro tudo se nivela e os custos das transações que os gestores contraem reduzem o desempenho. Como galgos na pista de corrida, os administradores de investimentos profissionais parecem destinados a perder a corrida para o coelho mecânico. Não admira que muitos investidores institucionais, incluindo a Intel, a Exxon e a Ford, destinaram porções substanciais de seus ativos a fundos indexados. Em 2018, mais de 40% dos fundos de investimento eram "indexados".

E você, como fica? Quando compra um fundo indexado, você abre mão de se vangloriar no clube de golfe dos ganhos fantásticos que conseguiu ao escolher as ações vitoriosas. A ampla diversificação exclui perdas extraordinárias em relação ao mercado inteiro. Também, por definição, exclui ganhos extraordinários. Assim, muitos críticos de Wall Street referem-se ao investimento em fundos indexados como "mediocridade garantida". Mas a experiência mostra de modo conclusivo que os compradores de fundos indexados costumam obter retornos superiores aos do gestor de fundo típico, cujas altas taxas de consultoria e rotatividade substancial do portfólio costumam reduzir os rendimentos do investimento. Muitas pessoas acharão bem atraente a garantia de jogar no mercado de ações acompanhando o índice em todas as rodadas. Claro que essa estratégia não elimina o risco: se o mercado cair, seu portfólio com certeza cairá junto.

O método indexado de investimento tem outros atrativos para o pequeno investidor. Permite que você obtenha uma diversificação bem ampla com apenas um pequeno investimento. Permite também reduzir as taxas de corretagem. O fundo indexado faz todo o trabalho de coletar os dividendos de todas as ações que você possui e enviar a cada trimestre o valor de todos os seus rendimentos (que, por sinal, podem ser reinvestidos no fundo de sua preferência). Em suma, o fundo indexado é um método sensato e útil de obter a taxa de retorno do mercado com absolutamente nenhum esforço e uma despesa mínima.

Uma definição mais ampla de indexação

Tenho recomendado a estratégia de indexação desde a primeira edição em 1973 – antes até que os fundos indexados existissem. Tratava-se claramente de uma ideia cujo momento havia chegado. De longe o índice mais popular usado é o Índice de Ações Standard & Poor's 500, que representa bem as maiores empresas no mercado americano. Mas agora, embora eu recomende a indexação, ou o chamado investimento passivo, existem críticas válidas a uma definição limitada demais da indexação. Muitas pessoas associam incorretamente a indexação a uma estratégia de simplesmente comprar o Índice S&P 500. Essa não é mais a única alternativa. O S&P 500 omite os milhares de pequenas empresas que estão entre as mais dinâmicas da economia. Assim sendo, acredito que, se um investidor for comprar um só fundo indexado americano, o melhor índice geral a ser seguido é um daqueles mais amplos, como o Russell 3000, o Wilshire Total Market Index, o CRSP Index ou o MSCI U.S. Broad Market Index – não o S&P 500. No Brasil, o Índice Brasil Amplo (IBrA) tem a cotação média de todas as ações negociadas no mercado brasileiro pronto (à vista).

Oitenta anos de história do mercado confirmam que, no conjunto, ações menores têm tendido a superar as maiores. Por exemplo, de 1926 a 2018, um portfólio de ações menores produziu uma taxa de retorno de cerca de 12% anualmente, enquanto os retornos de ações maiores (como aquelas do S&P 500) foram de cerca de 10%. Embora as ações menores fossem mais arriscadas do que as *blue chips* maiores, o fato é que um portfólio bem diversificado de empresas pequenas tende a produzir retornos maiores. Por esse motivo, sou a favor de investir em um índice contendo uma representação bem mais ampla das empresas americanas, incluindo grande número de empresas dinâmicas pequenas que costumam estar nos estágios iniciais de seus ciclos de crescimento.

Lembre que o S&P 500 representa 75% a 80% do valor de mercado de todas as ações ordinárias americanas em circulação. Literalmente milhares de empresas representam o restante do valor de mercado americano total. Existem em muitos casos as empresas de crescimento de países emergentes, que oferecem maiores recompensas ao investidor (bem como maiores riscos). O índice Wilshire contém todas as ações ordinárias americanas negociadas em bolsa. Os índices Russell 3000 e MSCI contêm todas as ações no mercado, exceto as menores (e menos líquidas). Uma série de fundos se baseia agora nesses índices mais amplos, sob o nome de "Portfólio do Mercado de Ações Total". Esses fundos indexados têm sistematicamente fornecido retornos maiores que o gestor de fundo mútuo de ações médio.

Além disso, ao contrário da caridade, a indexação não precisa começar (e terminar) em casa. Como argumentei no Capítulo 8, os investidores podem reduzir o risco diversificando internacionalmente, incluindo classes de ativos como imóveis no seu portfólio e aplicando certa porção dele em títulos de dívida e títulos mobiliários semelhantes, inclusive títulos do Tesouro protegidos contra a inflação. A diversificação internacional também oferece proteção contra variação cambial em seu país (se sua moeda se deprecia, ter algum portfólio denominado em outra moeda mais forte, como dólar ou euro, ajuda você também na preservação da carteira). Assim, os investidores não deveriam adquirir um fundo indexado ao mercado de ações do seu país e excluir qualquer outro título mobiliário. Mas esse não é um argumento contra a indexação, porque existem atualmente fundos indexados que imitam o desempenho de diferentes índices internacionais, como o índice Morgan Stanley Capital International (MSCI) de títulos mobiliários europeus, australianos e do Extremo Oriente, e o índice MSCI dos mercados emergentes. Além disso, existem fundos indexados contendo fundos de investimento imobiliário (FIIs), bem como títulos de dívida corporativos e governamentais.

Um dos maiores erros que os investidores cometem é não obter diversificação internacional suficiente. Os Estados Unidos representam somente cerca de um terço da economia do mundo. Sem dúvida, um fundo do mercado de ações americano total fornece certa diversificação global porque muitas das empresas multinacionais do país realizam grande parte de seus negócios no exterior. Mas os mercados emergentes do mundo (tais como China e Índia) vêm crescendo bem mais rápido do que as economias desenvolvidas, tendência que deve continuar nos próximos anos. Portanto, nas recomendações a seguir sugiro que uma parte substancial de cada portfólio seja investida em mercados emergentes.

Os mercados emergentes têm populações mais jovens do que o mundo desenvolvido. Economias com populações mais novas tendem a crescer mais rápido. Além disso, em 2018 tiveram avaliações mais atraentes do que os Estados Unidos. Temos observado que índices P/L ciclicamente ajustados (CAPEs) costumam ter o poder de prever os retornos das ações no longo prazo em mercados desenvolvidos. A relação se mantém nos mercados emergentes. Os CAPEs dos mercados emergentes estiveram abaixo de 12 em 2018, menos da metade do nível nos Estados Unidos. Os retornos futuros de longo prazo em geral foram generosos quando as ações podiam ser comparadas a essas avaliações.

A indexação também é uma estratégia extremamente eficaz nos mercados emergentes. Ainda que estes tendam a ser menos eficientes do que os mercados desenvolvidos, são caros de acessar e transacionar. As taxas de despesas dos fundos ativos são bem maiores do que nos mercados desenvolvidos. Além disso, a liquidez é menor e os custos das transações são maiores. Portanto, depois de descontadas todas as despesas, a indexação revela-se uma excelente estratégia de investimento. A Standard and Poor's informou em 2018 que 95% de todos os fundos de ações de mercados emergentes ativamente geridos foram superados pelo Índice S&P/IFCI EM no período de 15 anos precedente.

Um portfólio de fundo indexado específico

A tabela da página seguinte apresenta seleções de fundos indexados específicos que os investidores podem usar para formar seus portfólios. Ela mostra as porcentagens recomendadas para aqueles em torno dos 55 anos de idade. Outras pessoas podem usar exatamente as mesmas seleções e simplesmente

UM PORTFÓLIO ESPECÍFICO DE FUNDOS INDEXADOS PARA INVESTIDORES EM TORNO DE 55 ANOS*

Dinheiro (5%)[1]

Fidelity Money Market Fund (FXLXX) ou Vanguard Prime Money Market Fund (VMMXX)

Títulos de dívida e seus substitutos (27,5 %)[2]

7,5% U.S. Vanguard Long-term Corporate Bond Fund ETF (VCLT) ou iShares Corporate Bond ETF (LQD)

7,5% Vanguard Emerging Markets Government Bond Fund (VGAVX)

12,5% Wisdom Tree Dividend Growth Fund (DGRW) ou Vanguard Dividend Growth Fund (VDIGX)[2]

Fundos de investimento imobiliário (12,5%)

Vanguard REIT Index Fund (VGSIX) ou Fidelity Spartan REIT Index Fund (FRXIX)

Ações (55%)

27% Ações americanas

Schwab Total Stock Market Index Fund (SWTSX) ou Vanguard Total Stock Market Index Fund (VTSMX)

14% Mercados internacionais desenvolvidos

Schwab International Index Fund (SWISX) ou Vanguard International Index Fund (VTMGX)

14% Mercados internacionais emergentes

Vanguard Emerging Markets Index Fund (VEIEX) ou Fidelity Spartan Emerging Markets Index Fund (FFMAX)

---

[1] Um fundo de títulos de dívida de curto prazo pode substituir um dos fundos do mercado monetário listados.

[2] Embora não se encaixe na rubrica de um portfólio de fundos indexados, os investidores poderiam cogitar aplicar parte do portfólio de títulos de dívida em títulos do Tesouro protegidos contra a inflação. Os fundos de crescimento de dividendos e de títulos de dívida corporativos também são exceções, pois não constituem fundos indexados padrão.

---

* O autor criou um modelo de carteira que serve de exemplo para qualquer investidor. Por ser americano, ele cita investimentos do seu país. Com a abertura cada vez maior para brasileiros investirem no exterior, é possível replicar essa alocação. Também é possível comparar esses fundos a outros disponíveis no Brasil para construir uma carteira semelhante. *(N. do E.)*

mudar para os pesos apropriados ao seu grupo etário específico. Talvez você queira mudar um pouco as porcentagens dependendo de sua capacidade de correr riscos e sua atitude em relação ao risco. Aqueles dispostos a aceitar um risco um pouco maior na esperança de maior recompensa poderiam aumentar a proporção de ações. Aqueles que precisam de uma renda estável para as despesas de manutenção poderiam aumentar suas posses de fundos de investimento imobiliário e ações de crescimento com dividendos, porque fornecem uma renda corrente um tanto maior.

Vale lembrar que parto do pressuposto de que você mantém a maioria de seus títulos mobiliários, se não a totalidade, em planos de aposentadoria com vantagens tributárias. Certamente todos os títulos de dívida deveriam ser mantidos nessas contas. Se forem mantidos fora de contas de aposentadoria, talvez você prefira títulos de dívida isentos de impostos em vez dos títulos mobiliários tributáveis. Além disso, se suas ações ordinárias forem mantidas em contas tributáveis, você poderia cogitar a "colheita de perda de impostos", abordada a seguir. Finalmente, note que dei a você opções de fundos indexados de diferentes complexos de fundos mútuos. Graças à minha longa associação com o Vanguard Group, quis também sugerir uma série de fundos que não são da Vanguard. Todos os fundos listados têm taxas de despesas moderadas e nenhum gasto administrativo. Podem ser usados fundos negociáveis em bolsa em vez de fundos mútuos.

Fundos negociáveis em bolsa e impostos

Uma das vantagens, como acabamos de observar, da gestão de portfólio passiva (ou seja, apenas comprar e conservar um fundo indexado) é que tal estratégia minimiza os custos de transações, bem como os impostos. Estes são um fator financeiro de crucial importância, como mostraram Joel Dickson e John Shoven, economistas da Universidade Stanford. Utilizando uma amostra de 63 fundos mútuos com históricos de longo prazo, eles constataram que, antes dos impostos, 1 dólar investido em 1962 teria crescido para 21,98 dólares em 1992. Após pagar imposto de renda sobre as distribuições de dividendos e ganhos de capital, porém, esse mesmo 1 dólar investido em fundos mútuos por um investidor de alta renda teria crescido para apenas 9,87 dólares.

Num alto grau, os fundos mútuos indexados ajudam a solucionar o problema do imposto. Como não transacionam de um título mobiliário para outro, tendem a evitar impostos sobre ganhos de capital. Não obstante, mesmo fundos indexados podem realizar alguns ganhos de capital que sejam tributáveis para os detentores. Esses ganhos em geral surgem involuntariamente, seja por causa da incorporação de uma das empresas do índice ou porque o fundo mútuo se vê forçado a vender. Este último caso ocorre quando muitos acionistas de fundos mútuos decidem resgatar suas participações e o fundo precisa vender títulos mobiliários para arrecadar dinheiro. Assim, mesmo fundos de investimento comuns não são uma solução perfeita para o problema de minimizar o imposto devido.

Fundos indexados negociados em bolsa (ETFs) como *spiders* (um Fundo S&P 500) e *vipers* (um fundo do mercado de ações total) podem ser tributariamente mais eficientes do que os fundos indexados comuns, por serem capazes de fazer resgates "em espécie". Esses resgates ocorrem fornecendo ações de baixo custo contra pedidos de resgate. Essa não é uma transação tributável para o fundo, não havendo portanto realização de lucro que precise ser distribuído. Além disso, o acionista que resgata seu ETF paga impostos com base no seu custo original das ações – não a base do fundo na cesta de ações entregue. Os ETFs também têm despesas muito baixas. Uma ampla variedade desses fundos está disponível não apenas para ações americanas, mas para as internacionais também. Esse mercado vem se desenvolvendo no Brasil, ainda que esteja em um nível mais incipiente do que nos maiores mercados financeiros do mundo. Os ETFs são um excelente veículo para o investimento de montantes fixos que devem ser alocados a fundos indexados.

No entanto, os fundos negociados em bolsa envolvem custos de transações, incluindo taxas de corretagem e *spreads* de compra e venda (algumas corretoras de desconto até oferecem transações de ETFs sem comissão). Fundos mútuos indexados sem gastos administrativos servirão melhor aos investidores, que estarão acumulando ações indexadas ao longo do tempo em pequenas quantias. Evite a tentação de comprar ou vender ETFs a qualquer hora do dia. Concordo com John Bogle, fundador do Vanguard Group: "Os investidores cortam a própria garganta quando transacionam ETFs." Caso se sinta tentado, saia correndo.

Na tabela abaixo listo os fundos negociados em bolsa que podem ser usados para construir seu portfólio. Observe que, para investidores que queiram facilitar ao máximo sua compra de ações, existem fundos indexados do mundo total e ETFs que fornecem diversificação internacional total em uma só compra.

FUNDOS NEGOCIADOS EM BOLSA (ETFs)

	Código	Taxa de despesas de 2018
Mercado de ações americano total		
Vanguard Total Stock Market	VTI	0,04%
SPDR Total Stock Market	SPTM	0,03%
Mercados desenvolvidos (EAFE)		
Vanguard Europe Pacific	VEA	0,07%
iShares Core MSCI Intl Developed Markets	IDEV	0,07%
SPDR Developed World ex-US	SPDW	0,04%
Mercados emergentes		
Vanguard Emerging Markets	VWO	0,14%
SPDR Emerging Markets	SPEM	0,11%
iShares Core MSCI Emerging Markets	IEMG	0,14%
Mundo total, exceto EUA		
Vanguard FTSE All World ex-US	VEU	0,11%
SPDR MSCI ACWI ex-US	CWI	0,30%
iShares Core MSCI Total International Stock	IXUS	0,11%
Mundo total, incluindo EUA		
Vanguard Total World	VT	0,10%
iShares MSCI ACWI	ACWI	0,32%
Mercado de títulos de dívida americano		
Vanguard Total Corporate Bond Fund	VTC	0,07%
iShares Investment Grade Corporate Bond	LQD	0,15%
Schwab US Aggregate Bond	SCHZ	0,04%

Se quiser um método fácil e comprovado de alcançar retornos superiores nos investimentos, pode parar sua leitura por aqui. Os fundos mútuos indexados ou ETFs que listei fornecerão ampla diversificação, baixa tributação e despesas baixas. Mesmo que você queira comprar ações individuais, faça o que os investidores institucionais estão cada vez mais fazendo: indexe o núcleo de seu portfólio nos moldes sugeridos e depois aposte ativamente com recursos extras. Com um núcleo forte de fundos indexados, você pode apostar com bem menos risco do que se o portfólio inteiro fosse ativamente gerido. E, ainda que você cometa alguns erros, estes não se mostrarão fatais.

O PASSO "FAÇA VOCÊ MESMO": REGRAS POTENCIALMENTE ÚTEIS DE ESCOLHA DE AÇÕES

A indexação é a estratégia que recomendo aos indivíduos e instituições para seu dinheiro de investimento sério, como planos de aposentadoria. Mas reconheço que indexar o portfólio inteiro pode ser considerado por muitos uma estratégia sem graça. E, se você dispõe de dinheiro extra que possa se dar ao luxo de pôr em risco, talvez queira dar os próprios passos (e usar sua sagacidade) para escolher ações vitoriosas. Para aqueles que insistem em jogar o jogo por conta própria, o Passo "Faça você mesmo" pode ser atraente.

Tendo sido acometido da ânsia pela aposta desde a infância, posso entender por que muitos investidores têm uma compulsão a tentar escolher os grandes vitoriosos por si mesmos e uma total falta de interesse em um sistema que promete retornos meramente equivalentes aos do mercado como um todo. O problema é que fazer tudo sozinho requer um montão de trabalho e vitoriosos constantes são bem raros. Mas, para aqueles que veem o investimento como um jogo, eis uma estratégia sensata que, pelo menos, minimiza seu risco.

Antes de pôr minha estratégia em prática, você precisa conhecer as fontes de informações sobre investimentos. A maioria dessas fontes pode ser consultada em bibliotecas públicas. Você deveria ser um leitor ávido das páginas financeiras dos jornais diários. Publicações semanais como *Barron's* também deveriam estar na sua lista de "leituras obrigatórias". Revistas de negócios também são valiosas para ganhar exposição às ideias de investimentos. Os grandes serviços de consultoria de investimentos também são bons. Você deveria, por exemplo, tentar ter acesso ao Outlook, da Standard & Poor's, ao Investment Survey, da Value Line, e ao Morningstar. Finalmente, um tesouro de informações, incluindo recomendações de analistas de títulos mobiliários, está disponível na internet.

Na primeira edição de *Um passeio aleatório por Wall Street*, publicada mais de 45 anos atrás, propus quatro regras para uma seleção de ações bem-sucedida. Acho que continuam úteis hoje em dia. De forma resumida, as regras, algumas das quais mencionadas em capítulos anteriores, são as seguintes:

Regra 1: Restrinja as compras de ações a empresas que pareçam capazes de sustentar um crescimento dos lucros acima da média por ao menos cinco anos. Por mais difícil que seja a tarefa, escolher ações cujos lucros cresçam é o grande objetivo. O crescimento constante, além de aumentar os lucros e dividendos da empresa, aumenta o índice que o mercado está disposto a pagar por esses lucros. Desse modo, o comprador de uma ação cujos lucros começam a crescer rapidamente usufrui um duplo benefício potencial: tanto os lucros como o índice P/L podem aumentar.

Regra 2: Nunca pague mais por uma ação do que possa ser razoavelmente justificado por um firme fundamento de valor. Embora eu esteja convencido de que nunca se pode julgar o valor intrínseco exato de uma ação, sinto que você pode avaliar aproximadamente quando uma ação parece ter um preço razoável. O índice preço/lucro do mercado é um bom ponto de partida: compre ações cujos índices estejam alinhados com o do mercado ou não muito acima. Procure situações de crescimento que o mercado ainda não reconheceu, apostando no índice da ação visando um prêmio elevado. Se o crescimento realmente ocorrer, você obterá um duplo bônus: tanto os lucros quanto o índice preço/lucro podem crescer. Cuidado com ações com índices P/L altos demais e muitos anos de crescimento já descontados dos seus preços. Se os lucros caírem em vez de subirem, você pode se dar mal duplamente: o índice P/L cairá junto com os lucros. Seguir essa regra provavelmente evitou os fortes prejuízos sofridos por investidores em ações de crescimento de alta tecnologia, vendidas por índices preço/lucro astronômicos no início da década de 2000.

Note que, apesar da semelhança, esse não é simplesmente outro endosso da estratégia de "comprar ações com índices P/L baixos". Sob minha regra, é perfeitamente admissível comprar uma ação com um índice preço/lucro ligeiramente acima da média do mercado – desde que as perspectivas de crescimento da empresa estejam substancialmente acima da média. Você poderia chamar isso de uma estratégia de índice preço/lucro baixo ajustado. Algumas pessoas chamam de estratégia de crescimento a um preço razoável (Growth at a Reasonable Price, ou GARP). Compre ações cujos índices P/L sejam baixos em relação às suas perspectivas de crescimento. Se você conseguir ser razoavelmente preciso na escolha de empresas que tenham de fato crescimento acima da média, será recompensado com retornos acima da média.

Regra 3: É bom comprar ações com os tipos de história de crescimento previsto que permitam aos investidores construir castelos no ar. Enfatizei no Capítulo 2 a importância dos elementos psicológicos na determinação dos preços das ações. Investidores individuais e institucionais não são computadores que calculam índices preço/lucro garantidos e depois imprimem decisões de compra e venda. São seres humanos emocionais – movidos por ganância, instinto do jogo, esperança e medo nas decisões sobre o mercado de ações. Por isso o investimento bem-sucedido demanda acuidade intelectual e psicológica. Claro que o mercado tampouco é totalmente subjetivo. Se um índice de crescimento positivo parece se consolidar, a ação quase certamente adquirirá algum tipo de adepto. Mas ações são como pessoas – algumas têm personalidades mais atraentes do que outras, e a melhoria no índice preço/lucro de uma ação pode ser menor se sua história não conquistar o público. A chave do sucesso é estar onde os outros investidores estarão daqui a vários meses. Assim, pergunte se a história sobre sua ação provavelmente conquistará a imaginação da multidão. A história consegue gerar sonhos contagiantes? É uma história sobre a qual os investidores podem construir castelos no ar – mas castelos no ar que realmente repousem sobre uma base firme?

Regra 4: Transacione o menos possível. Concordo com a máxima de Wall Street – "Cavalgue os vencedores e venda os perdedores" –, mas não porque acredito em análise técnica. Mudanças frequentes só conseguem subsidiar seu corretor e aumentar sua carga fiscal quando você realiza lucros. Não estou dizendo: "Nunca venda uma ação em que você lucrou." As circunstâncias que o levaram a comprar a ação podem mudar e, especialmente quando chega a "época das tulipas" no mercado, muitas de suas ações de crescimento vitoriosas podem sobrecarregar seu portfólio, como ocorreu durante a bolha da internet de 1999-2000. Mas é muito difícil reconhecer o momento apropriado de vender, e custos tributários pesados podem estar envolvidos. Minha filosofia me leva a minimizar as transações tanto quanto possível. Sou implacável com as perdedoras, porém. Com poucas exceções, vendo antes do fim do ano quaisquer ações em que eu esteja perdendo. O motivo desse timing é que prejuízos são dedutíveis (até certas quantias) para fins fiscais ou podem contrabalançar ganhos que você já obteve. Assim, assumir prejuízos pode reduzir sua conta fiscal. Posso conservar uma posição perdedora se o crescimento que espero começa a se materializar e estou convencido de que minha ação vai acabar dando certo. Mas não recomendo paciência demais em situações perdedoras, especialmente quando uma medida rápida pode produzir benefícios fiscais imediatos.

A teoria do mercado eficiente alerta que até seguir regras sensatas como essas dificilmente levará ao desempenho superior. Investidores não profissionais atuam com muitos obstáculos. Os relatórios de lucros nem sempre são confiáveis. E, uma vez que uma notícia saia na imprensa comum, é provável que o mercado já levou em conta aquela informação. Escolher ações individuais é como criar porcos-espinhos de raça. Você estuda sem parar e toma sua decisão, e depois procede com muita cautela. Na análise final, assim como espero que os investidores tenham obtido bons resultados seguindo meus bons conselhos, também estou consciente de que os vencedores no jogo da escolha de ações podem ter se beneficiado principalmente da Dona Sorte.

Com todos os seus riscos, escolher ações individuais é um jogo fascinante. Acredito que minhas regras inclinem as chances a seu favor, enquanto o protegem do risco excessivo envolvido em ações com índices P/L altos. Mas, se você optar por esse rumo, lembre que um grande número de outros investidores – inclusive os profissionais – está tentando jogar o mesmo jogo. E as chances de alguém sistematicamente superar o mercado são exíguas. Não obstante, para muitos de nós, tentar prever o mercado é um jogo divertido demais para se abrir mão. Mesmo que você estivesse convicto de que não se daria melhor do que a média, estou certo de que aqueles com temperamento especulativo ainda assim desejariam continuar apostando parte do dinheiro investido no jogo de selecionar ações individuais. Minhas regras permitem que você faça isso de uma forma que limita significativamente sua exposição ao risco.

Se quiser escolher ações por si mesmo, recomendo fortemente uma estratégia mista: indexe o núcleo de seu portfólio e tente o jogo da escolha de ações com o dinheiro que você pode se dar ao luxo de arriscar. Se a maioria de seus fundos para a aposentadoria está em grande parte indexada e suas ações são diversificadas com títulos de dívida e imóveis, você pode arriscar com segurança algumas ações individuais, sabendo que seu fundo de reserva básico está razoavelmente seguro.

O PASSO DO PROTAGONISTA SUBSTITUTO: CONTRATAR UM CAMINHANTE PROFISSIONAL DE WALL STREET

Existe um meio fácil de apostar em seu passeio de investimento: em vez de tentar escolher as ações vencedoras individuais, escolha os melhores *coaches* (administradores de investimentos). Esses *coaches* vêm na forma de gestores de fundos mútuos ativos, e existem milhares deles à disposição no mercado.

Nas edições anteriores deste livro, forneci os nomes de diversos administradores de investimentos que obtiveram históricos de longo prazo de uma gestão de portfólios bem-sucedida, bem como breves biografias explicando seus estilos de investimento. Esses gestores estiveram entre os pouquíssimos capazes de superar o mercado por longos períodos. Abandonei essa prática nesta edição por dois motivos.

Primeiro, com exceção de Warren Buffett, esses administradores agora se aposentaram da gestão de portfólios ativa e ele próprio estava bem acima da idade da aposentadoria em 2018. Até Buffett ficou atrás do Índice S&P 500 nos cinco anos até 2018 e é agora um forte defensor da indexação. Segundo, convenci-me cada vez mais de que os históricos passados de gestores de fundos mútuos são essencialmente inúteis na previsão do sucesso futuro. Os poucos exemplos de desempenho sistematicamente superior não ocorrem com mais frequência do que se pode esperar do acaso.

Estudei a persistência do desempenho dos fundos mútuos por mais de quarenta anos e concluí ser impossível para os investidores garantir retornos acima da média comprando os fundos com os melhores históricos recentes. Testei uma estratégia pela qual, no início de cada ano, os investidores classificariam todos os fundos de ações gerais com base nos históricos dos últimos doze meses, cinco anos ou dez anos e supus que o investidor compra os dez melhores fundos, os vinte melhores fundos e assim por diante. Não existe um meio de superar o mercado sistematicamente comprando os fundos mútuos que exibiram melhor desempenho no passado.

Testei também uma estratégia de comprar os "melhores" fundos conforme classificados pelos principais serviços de consultoria ou revistas financeiras. A implicação clara desses testes no laboratório do desempenho dos fundos, bem como do trabalho acadêmico abordado na Parte Dois deste livro, é que você não pode depender de que um excelente histórico continue persistindo no futuro. Na verdade, com mais frequência, as ações "quentes" de um período são os "abacaxis" do próximo.

Existe algum meio de selecionar um fundo ativamente gerido que tenda a um desempenho acima de média? Realizei vários estudos de retornos de fundos mútuos ao longo dos anos na tentativa de explicar por que alguns se saem melhor do que outros. Como já indiquei, o desempenho passado não ajuda a prever os retornos futuros. As duas variáveis que mais ajudam a prever o desempenho são as taxas de despesas e a rotatividade. Altas despesas e rotatividade deprimem os retornos – em especial os retornos pós-impostos se os fundos são mantidos em contas tributáveis. Os fundos ativamente geridos de melhor desempenho possuem taxas de despesas moderadas e baixa rotatividade. Quanto menores as despesas cobradas pelo fornecedor do serviço de investimentos, mais sobrará para o investidor. Como diz Jack Bogle, no negócio dos fundos mútuos "você obtém aquilo pelo qual não paga".

CONSULTORES DE INVESTIMENTOS PADRÃO E AUTOMATIZADOS

Se você seguir com cuidado as recomendações deste livro, realmente não precisa de um consultor de investimentos. A não ser que tenha uma variedade de complicações de natureza fiscal ou problemas legais, deveria ser capaz de obter a diversificação requerida e fazer sozinho o reequilíbrio. Você pode até descobrir que é divertido se incumbir completamente de seu programa de investimentos.

O problema dos consultores de investimentos é que eles costumam ser bem caros e muitas vezes têm conflitos de interesses. Muitos profissionais cobrarão 1% dos seus ativos por ano, ou mais, pelo serviço de criar uma conta com um portfólio apropriadamente diversificado. A PriceMetrix, Inc. calculou a média do setor em pouco mais de 1%. Mas a maioria dos consultores americanos cobra uma taxa anual mínima de mil a 1.500 dólares. Isso significa que pequenos investidores estão na prática excluídos do mercado de consultoria de investimentos ou terão de pagar uma porcentagem de seu portfólio de investimentos bem maior do que 1 ponto percentual. Ademais, alguns consultores podem ter conflitos de interesses e recomendar instrumentos de investimento em que ganham uma comissão adicional. Como resultado, os investidores são muitas vezes direcionados para portfólios caros ativamente geridos em vez de fundos indexados de baixo custo. Se você acha que precisa de um consultor de investimentos, certifique-se de que ele seja do tipo *fee only*. Esses consultores cobram apenas pela prestação do serviço, não sendo pagos para distribuir produtos de investimentos. Assim, são mais propensos a tomar decisões que sejam do seu total interesse, e não do interesse deles.

Serviços de investimentos plenamente automatizados não apenas fornecem conselhos de investimentos automatizados, mas também dependem somente da internet para adquirir clientes e criar suas contas. Não existem reuniões face a face. Depósitos, retiradas, transferências, relatórios (e claro que o próprio administrador de investimentos) são manuseados eletronicamente via dispositivo de internet ou móvel. De cara, devo deixar claro meu conflito de interesses. Atuo como diretor de investimentos da Wealthfront, uma empresa de consultoria de investimentos plenamente automatizada. Também atuo no comitê de investimentos da Rebalance, uma consultoria que permite algum contato telefônico com um consultor humano.

O serviço automatizado ajusta portfólios diversificados, alocados entre diversas classes de ativos, às necessidades dos clientes individuais. Simplificando o canal pelo qual oferecem a administração de investimentos, os serviços de investimentos automatizados conseguem reduzir drasticamente as taxas, como um quarto de 1% (25 pontos básicos), mesmo para pequenas contas abaixo de 500 dólares. Os *millennials* são especialmente atraídos por tais serviços. Eles estão acostumados a assinar todos os seus serviços eletronicamente. Muitos jovens percebem como algo negativo ter que falar com um consultor. Eles tendem a definir o serviço em termos de conveniência, e não de interação.

O processo começa com uma entrevista on-line. O cliente é indagado sobre seus salário, situação fiscal, ativos e endividamento, caso exista. Ele deve fornecer informações sobre seus objetivos de investimento, bem como responder a uma série de perguntas que avaliam sua capacidade de correr risco e aceitar a volatilidade do mercado. O consultor é informado se o fundo de investimento é dedicado a um plano de aposentadoria ou se existe um propósito específico, como acumular para a entrada em uma casa ou fornecer uma rede de segurança em caso de doença. Quanto menos coerentes forem as respostas do cliente às perguntas atitudinais, menos tolerante ele tende a ser ao risco. A matriz de risco geral combina resultados objetivos e subjetivos e sobrecarrega o componente que é mais avesso ao risco. Essa abordagem tende a contrabalançar a tendência dos indivíduos (particularmente homens) de superestimar sua verdadeira tolerância ao risco.

O cliente é encorajado a vincular quaisquer outras contas de poupança, aposentadoria e investimento ao serviço automatizado. Assim, o serviço consegue fornecer conselhos coerentes com a situação financeira total do indivíduo. Vincular todas as contas financeiras do cliente também permitirá ao consultor automatizado oferecer planejamento financeiro, bem como serviços de administração de investimentos direcionados. O serviço automatizado consegue aconselhar o cliente sobre o montante de poupança, ao longo do tempo, que provavelmente será necessário para alcançar as metas de aposentadoria. A coleta de informações para os programas de planejamento financeiro é toda feita eletronicamente.

Os dados das contas financeiras e o comportamento passado nos investimentos tendem mais a refletir as práticas de gastos e atitudes quanto ao risco reais da pessoa, e a ser bem mais precisos, do que um relato dela a um consultor financeiro tradicional. Com base nessas informações todas, o serviço automatizado atribui uma nota de risco que é usada para selecionar um portfólio ótimo do conjunto de oportunidades eficientes dos portfólios possíveis. A teoria moderna do portfólio, como descrita no Capítulo 8, é usada para escolher a combinação ideal de investimentos.

Existem vários aspectos da administração de investimentos que um consultor automatizado pode fazer com mais eficiência que um consultor tradicional face a face. A maioria dos portfólios automatizados se constitui exclusivamente de fundos indexados. Somente os fundos indexados de menor custo são usados e são acessados via fundos negociados em bolsa. Consultores automatizados podem criar programas para assegurar que o portfólio seja automaticamente reequilibrado para manter os níveis de risco compatíveis com as preferências do cliente. O reequilíbrio pode com frequência ser obtido investindo-se os dividendos ou novos depósitos de dinheiro nas classes de ativos que ficaram aquém da meta. Um procedimento automatizado pode facilmente descobrir quando reequilibrar é desejável e como deve ser implementado.

Os fundos indexados usados por consultores automatizados têm baixa tributação, já que os fundos são passivos e não realizam ganhos de capital como fazem os gestores ativos. A técnica de abatimento (ou colheita) de impostos (TLH, sigla em inglês para *tax-loss harvesting*) pode aumentar muito o retorno pós-imposto do investidor. Enquanto os consultores tradicionais oferecem esse serviço a investidores abastados, os consultores automatizados, monitorando os portfólios constantemente, podem "colher" perdas de maneira bem mais eficiente e tornar a técnica disponível a uma clientela bem maior.

A TLH é a joia da coroa da gestão tributária. Envolve vender um investimento que está sendo negociado com prejuízo e substituí-lo por um investimento altamente correlacionado, mas não idêntico. Com isso, você mantém as características de risco e retorno de seu portfólio enquanto gera prejuízos que podem ser usados para reduzir seus impostos atuais.

Embora essa técnica apenas adie seus impostos, a economia tributária gerada pode ser reinvestida e capitalizada com o tempo. Como resultado, você quase sempre se beneficia pagando impostos mais tarde em vez de mais cedo. Além disso, a alíquota de imposto sobre ganhos de capital de longo prazo final paga sobre sua base decrescente será menor que a alíquota de imposto de que se beneficiou se "colher" uma perda de capital de curto prazo. Além do mais, se o portfólio é mantido para servir como legado futuramente aos herdeiros ou usado para uma contribuição de caridade, o imposto pode ser evitado permanentemente.

A colheita de perda de impostos envolve trocar de títulos mobiliários para realizar perdas fiscais. No exemplo seguinte, usarei o S&P 500 como representante do mercado (a mesma estratégia pode ser usada para um representante de ações total, como o Índice Russell 3000). Podemos replicar o comportamento do S&P 500 mantendo uma amostra de 250 ações. A escolha dessas ações replica a composição setorial e de tamanho do índice, enquanto minimiza os erros de acompanhamento entre a amostra e o índice geral.

Agora suponha que ações de uma grande farmacêutica caíram de valor. Você poderia vender Merck para realizar um prejuízo e comprar Pfizer para continuar acompanhando o índice. Ou, se os carros caíram de preço, você poderia vender Ford e comprar General Motors. Automatizando o processo, pode-se constantemente procurar prejuízos para realizar. Foi mostrado que a colheita de perda de impostos consegue adicionar uma grande quantia ao retorno anual pós-imposto do investidor.

As perdas geradas pela venda de posições com prejuízos não realizados podem contrabalançar quaisquer ganhos realizados em outras partes do portfólio. Suponha, por exemplo, que um investidor realizou lucros de uma transação imobiliária, como vender uma casa. Ou talvez ganhos foram realizados em um fundo mútuo ativamente gerido ou um fundo "beta inteligente" multifatores descrito no Capítulo 11. O abatimento de impostos permite que um investidor evite o imposto que seria exigido, e perdas fiscais líquidas de até 3 mil dólares podem ser deduzidas da renda. A técnica é perfeitamente compatível com a indexação de base ampla e pode fornecer benefícios confiáveis aos investidores. O software é especificamente adequado para maximizar os benefícios da TLH. Ao monitorar os portfólios o tempo todo, o consultor automatizado pode tirar proveito de quedas temporárias do mercado.*

Além de serviços plenamente automatizados, existem serviços híbridos que usam tecnologia para auxiliar em certas funções, mas também permitem certo contato individual limitado com um consultor humano. Os Serviços de Consultoria Pessoal da Vanguard fornecem gestão de portfólios usando investimentos indexados de baixo custo e fundos geridos pela Vanguard. Esta dá aos clientes a possibilidade de falar direto com um consultor, por telefone

---

* Mesmo que você não use um consultor automatizado, poderia fazer certo abatimento de impostos por conta própria. Por exemplo, se seu fundo negociado em bolsa de mercados emergentes MSCI caiu de preço, você poderia vendê-lo e comprar um fundo Vanguard EM para manter sua exposição. Como os dois fundos utilizam diferentes índices subjacentes, a venda não entra em conflito com os regulamentos da Receita Federal. (N. do A.)

ou chamada de vídeo. O toque humano tem seu preço, já que esse serviço cobra dos investidores uma taxa de administração anual de trinta pontos básicos (30/100 de 1%), e a exigência de investimento mínimo (50 mil dólares) é maior que nos serviços plenamente automatizados.

A Rebalance é especializada em portfólios de aposentadoria com vantagens tributárias. São os menos automatizados dentre todos os serviços de portfólio (os portfólios são selecionados por um comitê de investimentos). Enfatiza a vantagem de dispor de um consultor dedicado que está sempre disponível por telefone. A taxa anual é de cinquenta pontos básicos, menor ainda do que a taxa típica cobrada por consultores face a face tradicionais.

A Charles Schwab, principal corretora de descontos, lançou o próprio serviço de portfólio, chamado Schwab Intelligent Portfolios. A Schwab requer um investimento mínimo de 5 mil dólares e seleciona e reequilibra portfólios de acordo com a idade e os objetivos do investidor. Embora nenhuma taxa explícita seja cobrada pelo serviço, os portfólios contêm sobretudo fundos patrocinados pela Schwab com taxas de despesas geralmente maiores do que aquelas de simples fundos indexados ponderados pela capitalização. Além disso, o investidor precisa manter uma parte substancial do portfólio em dinheiro. Embora a Schwab descreva seu serviço como "automatizado", os portfólios selecionados dificilmente são compatíveis com aqueles resultantes de um programa otimizado automatizado.

ALGUMAS REFLEXÕES FINAIS SOBRE NOSSO PASSEIO

Estamos agora no fim de nosso passeio. Olhemos para trás por um momento e vejamos por onde estivemos. Está claro que a capacidade de superar os índices de forma sistemática é extremamente rara. Nem a análise fundamentalista da base firme de valor de uma ação, nem a análise técnica da propensão do mercado a construir castelos no ar podem fornecer retornos superiores confiáveis. Até os profissionais precisam esconder a cabeça num buraco quando comparam, cheios de vergonha, seus retornos com aqueles obtidos pelo método de lançamento de dardos para escolher ações.

É crucialmente importante entender os dilemas risco/retorno disponíveis e ajustar sua escolha de títulos mobiliários a seu temperamento e suas necessidades. A Parte Quatro forneceu um guia cuidadoso para essa parte do passeio, incluindo uma série de exercícios de aquecimento envolvendo do planejamento fiscal e gestão de fundos de reserva a um guia de ciclo de vida das alocações de portfólios. Este capítulo cobriu a maior parte de nosso passeio por Wall Street – três passos importantes para comprar ações ordinárias. Comecei sugerindo estratégias sensatas que são compatíveis com a existência de mercados razoavelmente eficientes. A estratégia da indexação é aquela que mais recomendo. Ao menos o núcleo de todo portfólio de investimentos deveria ser indexado. Reconheço, porém, que dizer à maioria dos investidores que não há esperança de superar os índices é como dizer a uma criança de 6 anos que Papai Noel não existe. Tira a graça da vida.

Para aqueles infectados de forma incurável pelo vírus especulativo, que insistem em escolher ações individuais na tentativa de superar o mercado, ofereci quatro regras. As chances realmente se voltam contra você, mas você pode ter sorte e ganhar muito. Também tenho minhas dúvidas de que você consiga achar administradores de investimentos com algum talento para achar aquelas raras cédulas perdidas pelo mercado. Nunca esqueça que históricos passados não são guias confiáveis para o desempenho futuro.

Investir é um pouco como o amor. Em última análise, é realmente uma arte que requer certo talento e a presença de uma força misteriosa chamada sorte. De fato, a sorte pode ser 99% responsável pelo sucesso das pouquíssimas pessoas que conseguiram superar os índices. "Apesar de os homens se gabarem dos seus grandes feitos", escreveu La Rochefoucauld, "estes não são, na maior parte das vezes, resultado de grandes desígnios, mas tão somente do acaso."

O jogo de investir é como o amor em outro aspecto importante também. É divertido demais para se abrir mão dele. Se você tem o talento de reconhecer ações valiosas e domina a arte de reconhecer uma história que capturará a imaginação dos outros, é maravilhoso ver o mercado confirmando seus insights. Ainda que não tenha toda essa sorte, minhas regras vão ajudá-lo a limitar seus riscos e evitar grande parte da dor às vezes envolvida no jogo. Se você sabe que se não ganhar ao menos não vai perder muito, e se indexar ao menos o núcleo de seu portfólio, será capaz de jogar o jogo com mais satisfação. No mínimo, espero que este livro torne o jogo mais desfrutável.

UM EXEMPLO FINAL

Um dos aspectos mais recompensadores de ter escrito doze edições deste livro tem sido as muitas mensagens que recebi de investidores gratos. Eles contam como se beneficiaram por seguirem o conselho simples que permanece o mesmo por mais de 45 anos. Essas lições atemporais envolvem ampla diversificação, reequilíbrio anual, usar fundos indexados e permanecer no rumo.

PORTFÓLIO AMPLAMENTE DIVERSIFICADO DE FUNDOS MÚTUOS (COM REEQUILÍBRIO ANUAL) PRODUZIU RETORNOS ACEITÁVEIS MESMO DURANTE A PRIMEIRA DÉCADA DO SÉCULO XXI

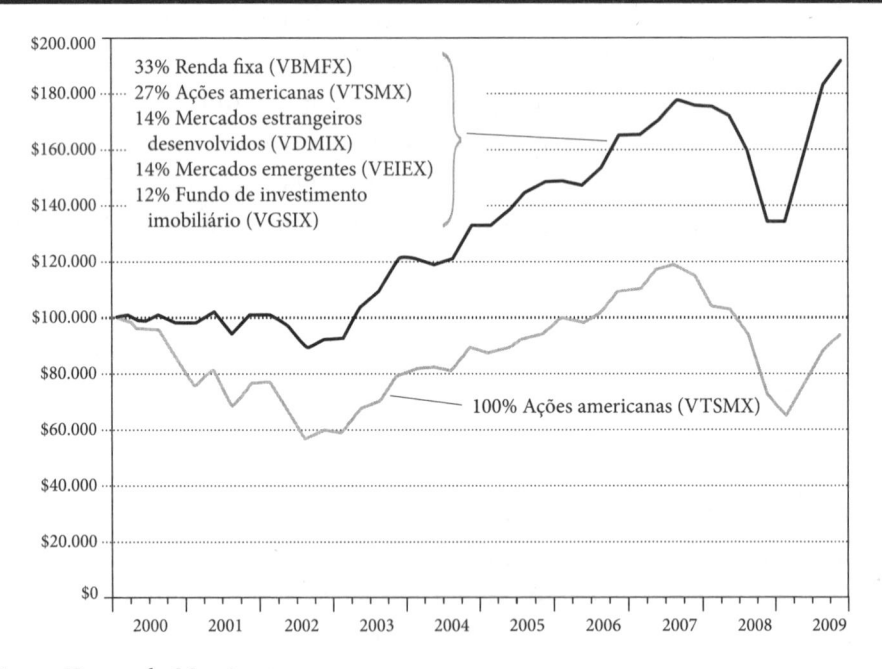

[Gráfico: Evolução de $100.000 entre 2000 e 2009]
- 33% Renda fixa (VBMFX)
- 27% Ações americanas (VTSMX)
- 14% Mercados estrangeiros desenvolvidos (VDMIX)
- 14% Mercados emergentes (VEIEX)
- 12% Fundo de investimento imobiliário (VGSIX)
- 100% Ações americanas (VTSMX)

Fontes: Vanguard e Morningstar.

A primeira década do novo milênio foi uma das épocas mais desafiadoras para os investidores. Mesmo um fundo do mercado de ações total amplamente diversificado dedicado somente a ações americanas perdeu dinheiro. Mas, até nessa década horrível, seguir as lições atemporais que venho defendendo teria produzido resultados satisfatórios. O gráfico acima mostra que um investimento no VTSMX (Vanguard Total Stock Market Fund) não produziu retornos positivos na primeira década "perdida" do século XXI. Mas suponha que um investidor diversificasse seu portfólio com as porcentagens conservadoras aproximadas sugeridas na página 356 para um investidor em torno dos 55 anos. O portfólio diversificado (reequilibrado anualmente) produziu um retorno bem satisfatório mesmo durante uma das piores décadas que os investidores já viveram. E, se o investidor também usou a média dos custos na moeda local para adicionar pequenas quantias ao portfólio regularmente através do tempo, os resultados foram ainda melhores. Se você seguir as regras simples e as lições atemporais expostas neste livro, deverá se sair bem, mesmo durante as épocas mais difíceis.

EPÍLOGO

Em 2016, os investidores sacaram 340 bilhões de dólares de fundos ativamente geridos e investiram mais de 500 bilhões de dólares em fundos indexados. A tendência continuou em 2017 e 2018. Os fundos indexados agora representam mais de 40% do total investido em fundos mútuos e fundos negociados em bolsa. Assim, os gestores ativos reagiram com novas críticas. Agora alega-se que os fundos indexados representam um grave perigo ao mercado de ações e à economia em geral.

Uma das mais respeitadas empresas de pesquisa em Wall Street, Sanford C. Bernstein, publicou um relatório de 47 páginas em 2016 com o título provocador *The Silent Road to Serfdom: Why Passive Investing is Worse than Marxism* (A estrada silenciosa para a servidão: Por que o investimento passivo é pior que o marxismo). O relatório argumentou que um sistema de mercado capitalista em que os investidores investem passivamente em fundos indexados é ainda pior do que uma economia centralmente planejada, na qual o governo dirige todo investimento de capital. Alega-se que a indexação faz o dinheiro ser aplicado num conjunto de investimentos independentemente de fatores como rentabilidade e oportunidades de crescimento. São os gestores ativos que garantem que novas informações se reflitam de modo apropriado nos preços das ações. A indexação é também acusada de produzir uma concentração da propriedade jamais vista desde os tempos do Rockefeller Trust.

Seria possível que, se todos investissem somente em fundos indexados, a indexação crescesse no futuro a ponto de os preços das ações ficarem totalmente distorcidos? Se todos indexassem, quem garantiria que os preços das ações refletem todas as informações disponíveis sobre as perspectivas das diferentes empresas? Quem trocaria uma ação por outra para assegurar que o mercado fosse eficiente? O paradoxo do investimento em índices é que o mercado de ações precisa de alguns operadores ativos que analisam e agem baseados em informações novas para que os preços das ações sejam eficientes e essas sejam líquidas o suficiente para os investidores poderem comprar e vender. Os operadores ativos desempenham um papel positivo em determinar os preços dos títulos mobiliários e como o capital é alocado.

Esse é o principal pilar lógico sobre o qual a teoria do mercado eficiente repousa. Se a disseminação de notícias é livre, os preços reagirão rapidamente de modo a refletir tudo que se sabe. O paradoxo é que a própria atividade dos investidores ativos torna altamente improvável que oportunidades inexploradas de lucros anormais possam continuar existindo.

Tenho contado a história do professor de finanças e seus alunos que viram uma nota de 100 dólares perdida na rua. "Se fosse realmente uma nota de 100", o professor raciocinou em voz alta, "alguém já teria pegado." Felizmente, os alunos desconfiavam não apenas dos profissionais de Wall Street, mas também de professores sabichões, e pegaram o dinheiro.

Claramente, existe uma boa lógica na posição do professor de finanças. Nos mercados em que pessoas inteligentes estão em busca de valor, dificilmente as pessoas perpetuamente deixarão notas de 100 dólares de bobeira para serem pegas. Mas a história nos informa que oportunidades inexploradas existem ocasionalmente, bem como períodos de preços especulativos excessivos. Sabemos dos holandeses pagando preços astronômicos por bulbos de tulipas, de ingleses fartando-se nas bolhas mais improváveis e de gestores de fundos institucionais modernos que se convenceram de que algumas ações da internet eram tão diferentes das outras que qualquer preço era razoável. E, quando os investidores se sentiram pessimistas, oportunidades de investimentos fundamentais reais, como fundos fechados, foram preteridas. Mas no fim corrigiram-se as valorizações excessivas e os investidores arrebataram a barganha dos fundos fechados. Talvez o conselho do professor de finanças devesse ter sido: "Melhor pegarem essa nota de 100 dólares logo porque, se estiver lá realmente, outra pessoa vai acabar pegando."

Os gestores ativos são incentivados a realizar essa função cobrando taxas de administração substanciais. Eles continuarão vendendo seus serviços sob a alegação de que têm insights acima da média que permitem superar o mercado, embora nem todos possam obter retornos acima da média do mercado. E, ainda que a proporção de gestores ativos encolha para apenas 10% ou 5% do total, continuaria existindo um número suficiente para fazerem os preços refletirem as informações. Temos excesso de administração ativa hoje, não falta.

Mas, como um experimento imaginário, suponha que todo mundo indexasse e as ações individuais não refletissem as informações novas. Suponha que uma empresa farmacêutica desenvolvesse um medicamento novo contra o câncer que prometesse dobrar as vendas e os lucros, mas os preços de suas ações não subissem para refletir a notícia. No nosso sistema capitalista, é inconcebível que algum operador ou fundo hedge não surgisse para aumentar a aposta na ação e se beneficiar do seu preço baixo. Num sistema de livre mercado, podemos esperar que oportunidades de arbitragem vantajosas sejam exploradas por participantes do mercado em busca de lucros, não importando quantos investidores indexem. Os fatos indicam que a porcentagem de gestores ativos que ficaram aquém dos índices aumentou com o tempo. Na verdade, o mercado de ações está se tornando mais eficiente – não menos –, apesar do crescimento da indexação.

Sem dúvida, os investidores no índice são uns aproveitadores. Eles recebem os benefícios resultantes das transações ativas sem arcar com os custos. Mas aproveitar os sinais de preço fornecidos por outros nem de longe é uma falha do sistema capitalista. É um aspecto essencial desse sistema. Numa economia de livre mercado, todos nos beneficiamos ao confiarmos em um conjunto de preços do mercado que são determinados por outras pessoas.

É verdade que, conforme a indexação continuar a crescer, poderá haver uma concentração crescente da propriedade entre os fornecedores de fundos indexados, que terão uma influência cada vez maior na votação por procuração. Eles precisam usar seus votos para assegurar que as empresas ajam de acordo com os interesses dos acionistas. Na minha experiência como diretor de longa data do Vanguard Group – o pioneiro e líder da revolução dos fundos indexados, com mais de 7 trilhões de dólares sob sua gestão em janeiro de 2021–, nunca aconteceu um caso em que um voto fosse dado encorajando o comportamento anticompetitivo. Não conheço nenhum exemplo no qual fundos indexados usaram seus votos para conspirar na tentativa de cartelizar qualquer setor da economia.

Simplesmente não há indícios de que práticas anticompetitivas tenham sido incentivadas por gigantes como Blackstone, Vanguard e State Street em razão da sua propriedade em comum de todas as grandes empresas de um setor. Nem seria de seu interesse agir assim. As mesmas empresas de investimentos controlam uma porção considerável das ações ordinárias de todas as grandes empresas do mercado. Juntarem-se para encorajar as companhias aéreas a elevar seus preços talvez beneficiasse seus investimentos em ações dessas companhias. Mas isso significaria custos maiores para todas as outras empresas de seu portfólio que dependem das companhias aéreas para promover viagens de negócios. Os fundos indexados não têm nenhum incentivo para favorecer um setor em detrimento de outro. Na verdade, ao estimularem os gestores corporativos a adotar sistemas de remuneração baseados no desempenho relativo, e não absoluto, os fundos indexados promoveram explicitamente uma competição vigorosa entre as empresas de cada setor de atividade.

Os fundos de investimento têm sido extremamente benéficos para os investidores individuais. A concorrência reduziu os custos dos fundos indexados de base ampla para quase zero. Os indivíduos podem agora poupar para a aposentadoria com mais eficiência do que antes. A indexação transformou a experiência de milhões de investidores. Ajudou-os a poupar para a aposentadoria e a atingir suas outras metas de investimentos, fornecendo instrumentos eficientes que podem ser usados para formar portfólios diversificados. Minha esperança é de que este livro encorajará ainda mais o crescimento do uso dos fundos indexados. Eles representam um benefício inequívoco para a sociedade.

AGRADECIMENTOS

Minha gratidão aos mencionados nas edições anteriores continua:

Minhas dívidas de gratidão a profissionais, instituições financeiras e colegas acadêmicos que me ajudaram nas edições anteriores deste livro são enormes em número e grau. Aqui, agradeço às muitas pessoas que ofereceram sugestões e críticas valiosíssimas.

Muitos auxiliares de pesquisa deram importantes contribuições ao compilar informações para este livro. Meus agradecimentos vão para John Americus, Shane Antos, Costin Bontas, Jonathan Curran, Barry Feldman, David Hou, Derek Jun, Michael Lachanski, Paul Noh, Ethan Hugo, Amie Ko, Paul Messaris, Matthew Moore, Ker Moua, Christopher Philips, Ellen Renaldi, Cheryl Roberts, Saumitra Sahi, Barry Schwartz, Greg Smolarek, Ray Soldavin, Elizabeth Woods, Yexiao Xu e Basak Yeltikan. Karen Neukirchen, Sharon Hill, Helen Talar, Phyllis Fafalios, Lugene Whitley, Melissa Orlowski, Diana Prout e Ellen DiPippo digitaram, com fidelidade e precisão, diversas versões dos originais e ofereceram valiosa ajuda na pesquisa. Elvira Giaimo me ajudou com assuntos de computação. Muitos dos estudos de apoio para este livro foram conduzidos no Bendheim Center for Finance, de Princeton.

Uma contribuição vital foi dada por Patricia Taylor, uma escritora e revisora profissional. Ela leu várias versões preliminares do livro e deu inúmeras contribuições ao estilo, à organização e ao conteúdo dos originais. Ela merece grande parte do crédito por qualquer texto lúcido que possa ser encontrado nestas páginas.

Sou particularmente grato à W. W. Norton & Company e a Brendan Curry, Donald Lamm, Robert Kehoe, Ed Parsons, Jeff Shreve, Otto Sontag, Deborah Makay e Starling Lawrence pela ajuda preciosa.

A contribuição de Judith Malkiel foi de inestimável importância. Ela revisou minuciosamente cada página dos originais e foi prestativa em cada fase deste empreendimento. Este reconhecimento de minha dívida para com ela ainda é pouco.

Finalmente, gostaria de reconhecer minha profunda gratidão à assistência das seguintes pessoas: Yacine Aït-Sahalia, Peter Asch, Leo Bailey, Howard Baker, Jeffrey Balash, David Banyard, William Baumol, Clair Bien, G. Gordon Biggar Jr., John Bogle, Lynne Brady, John Brennan, Markus Brunnermeier, Claire Cabelus, Lester Chandler, Andrew Clarke, Abby Joseph Cohen, Douglas Daniels, John Devereaux, Pia Ellen, Andrew Engel, Steve Feinstein, Barry Feldman, Roger Ford, Stephen Goldfeld, William Grant, Sarah Hammer, Leila Heckman, William Helman, Harrison Hong, Roger Ibbotson, Deborah Jenkins, Barbara Johnson, George S. Johnston, Kay Kerr, Francis Kinniry, Walter Lenhard, James Litvack, Ian MacKinnon, Barbara Mains, Jonathan Malkiel, Sol Malkiel, Whitney Malkiel, Edward Mathias, Jianping Mei, Melissa McGinnis, Will McIntosh, Kelley Mingone, William Minicozzi, Keith Mullins, Gabrielle Napolitano, James Norris, Emily Paster, Gail Paster, H. Bradlee Perry, George Putnam, Donald Peters, Michelle Peterson, Richard Quandt, James Riepe, Michael Rothschild, Joan Ryan, Robert Salomon Jr., George Sauter, Crystal Shannon, George Smith, Willy Spat, Shang Song, James Stetler, James Stoeffel, H. Barton Thomas, Mark Thompson, Ravi Tolani, Jim Troyer, David Twardock, Linda Wheeler, Frank Wisneski e Robert Zenowich.

Além de replicar os agradecimentos anteriores, devo mencionar o nome de uma série de pessoas que foram particularmente úteis, dando contribuições especiais à 12ª edição. Sou especialmente grato a Michael Nolan, do Bogle Research Institute, e a meus assistentes Benjamin Tso e Anne Daniecki. Sou grato também a Chris McIsaac, Alexandra Burton e Andrew Shuman, do Vanguard Group, pela ajuda importante em fornecer dados.

Também sou grato pelo auxílio de Daniel Campbell, Jakub Jurek, Steven Leuthold, Joyce Niesman, Kristen Perleberg, James Sarvis, Stacy Sarvis, Jeremy Schwartz, Jeremy Siegel e Larry Swedroe. Minha associação com a

W. W. Norton permanece uma esplêndida colaboração, e agradeço a Drake McFeely e Nathaniel Dennett pela ajuda indispensável em fazer com que esta edição fosse publicada.

Minha esposa, Nancy Weiss Malkiel, deu de longe as contribuições mais importantes para a conclusão bem-sucedida das últimas oito edições. Além de fornecer o mais carinhoso incentivo e apoio, ela leu cuidadosamente várias versões dos originais e deu inúmeras sugestões que deixaram o texto mais claro e incrementaram muito minha escrita. Ela continua capaz de achar erros que escaparam a mim e a uma variedade de revisores e leitores. E o mais importante: ela trouxe uma alegria incrível à minha vida. Ninguém merece mais a dedicatória do livro do que ela e seu segundo melhor amigo, Piper.

Para saber mais sobre os títulos e autores da Editora Sextante,
visite o nosso site e siga as nossas redes sociais.
Além de informações sobre os próximos lançamentos,
você terá acesso a conteúdos exclusivos
e poderá participar de promoções e sorteios.

sextante.com.br